国家社会科学基金“十三五”规划2018年度教育学重大招标课题
“建设教育强国的国际经验与中国路径研究”阶段性研究成果

全球教育治理研究系列

全球教育治理研究导论

An Introduction to Global Education Governance Research

主 编 周洪宇 副主编 王建梁
周洪宇 付 睿 著

长江出版传媒 | 湖北教育出版社

总 序

站在人类历史拐点探求全球教育治理之道

当我们把目光做一个转向聚焦，跳出教育，纵观世界，我们会惊奇地发现当今人类历史发展已处在新的拐点处——第四次工业革命正扑面而来，势不可当。这将给人类社会带来前所未有的系统而深刻的变革，也无疑会成为下一个时代教育的起点，并促使教育的变革与发展也随之迎来新的拐点。第四次工业革命的车轮驱动着全球化、新工业化、生态化、智能化和数据化时代滚滚向前，对教育发展变革，尤其是教育治理，带来了前所未有的冲击与挑战。这是全球教育治理以及中国教育治理必须构建的宏观视野。

一、人类历史拐点与教育发展的十字路口

在人类社会发展的历史长河中，技术革新和传播持续推动着人类创造新的世界。从农耕时代到工业时代再到信息时代，人类历史不断从一个阶段迈向另一个阶段。信息时代是人类正在经历的发展阶段，这个阶段无疑只是人类漫漫历史征程中的一个特定时期。未来，人类将走向何方？还可以走多远？

历史上，工业革命是指工业化进程中所发生的重大变革。新的制造工具的应用，推动了工业发生根本性的变革，引起了工业从旧质飞跃到新质，使国民经济的产业结构发生了重大的变化，进而使经济社会各方面出现了崭新面貌，推动了人类社会发展的进程和文明的程度。[①]人类进入工业文明阶段后至今已经发生了三次工业革命。从18世纪第一次工业革命的机械化，到19世纪第二次工业革命的电气化，再到20世纪第三次工业革命的信息化，一次

---

① 周洪宇. 周洪宇论第三次工业革命[M]. 武汉：湖北教育出版社，2014：215.

次颠覆性的科技革新，带来社会生产力的巨大解放和生活方式的大变革，从根本上改变了人类发展的历史轨迹。

统观前三次工业革命，可以发现它们对世界发展格局都产生了巨大影响。一是都极大地促进了社会生产力的发展，带来了工业布局的新变化。第一次工业革命随一波创新浪潮而来，例如蒸汽机和棉纺机的发明。它伴随着一次历史性剧变，带来许多系统性的变化，如城市化、大众教育和农业产业化等。第二次工业革命的核心是电气化和大规模生产，为世界带来了全新的社会模式和生产方式。第三次工业革命，以电子、信息技术和网络为核心，也被称为数字革命，在过去的七十多年，实现了生产的自动化，世界互联互通，使传统的物理世界彻底颠覆。二是都引起了社会关系的重大变革。第一次工业革命导致近代社会工业无产阶级和资产阶级产生，并开启了大规模的城市化进程。第二次工业革命致使垄断组织出现，并与国家政权结合，使自由资本主义过渡到垄断资本主义。第三次工业革命使国家垄断资本主义强化，第三产业比重上升。三是都对世界格局产生巨大影响。第一次工业革命确立了资本主义对世界的统治，殖民扩张造成东方从属于西方。第二次工业革命最终形成资本主义世界体系、殖民体系，世界成为一个密不可分的整体。第三次工业革命推动了国际经济结构的调整，全球化加速，世界各国经济相互依存，联系日益紧密。相较农耕文明时代而言，工业文明时代的人类更深刻地改变和影响了地球。第一、二次工业革命所创造的财富与统治力所向披靡、无可抵挡。第三次工业革命呈现了信息技术革命、生物技术革命等新形态，表现为新能源、新技术、新材料与互联网的融合、创新和运用。① 它继续推进及强化了人类对自然的改造和控制力。

进入21世纪，科技推动社会飞速发展，大数据、人工智能、云计算等前沿技术不断取得突破，新技术、新业态、新产业层出不穷。这些因素促使第四次工业革命浪潮汹涌而至，这是一场更大范围、更深层次的科技革命和产业变革，即将深刻改变人类社会的发展进程。“第四次工业革命论”首倡者、世界经济论坛主席克劳斯·施瓦布所著的《第四次工业革命》一书认

---

① 周洪宇.周洪宇论第三次工业革命[M].武汉：湖北教育出版社，2014：218.

为这场革命正以前所未有的态势向我们席卷而来。其发展速度之快、范围之广、程度之深丝毫不逊于前三次工业革命。第四次工业革命的核心是智能化与数据化，它将数字技术、物理技术、生物技术有机融合在一起，即通过技术融合消除数字世界、物理世界和生物世界之间的界限。[①]因此迸发出强大的力量，对我们的经济和社会产生深刻影响。可植入技术、数字化身份、物联网、3D打印、人工智能、区块链、大数据、纳米技术、生物技术、材料科学、能源储存、量子计算等技术变革同步进行，融合形成一个高度灵活、人性化、数字化的产品生产与服务模式。与前三次工业革命不同，本次工业革命呈现出指数级而非线性的发展速度。原因在于我们目前生活在一个万物互联的世界，而且新技术也在不断催生更新、更强大的技术。创新的发展速度和传播速度比以往任何时候都快。这是一场深刻的系统性变革。它不仅从根本上改变了我们的生活、工作以及相互之间的关系，更改变了整个社会和我们的身份。

这些变革让各国、各类组织、人与人之间的利益和命运紧密相连，深度交融。我们认识和理解这次革命需要跨界思维。这次革命在推动生产力水平提高、物质丰富的同时，也将从速度、深度、广度上给个人以及经济、政治、社会和文化的发展带来新的冲击和变化、机遇与挑战。然而，世界经济新旧动能转换尚未完成，南北失衡等深层次、结构性问题还未消除。地缘政治冲突此起彼伏，保护主义和单边主义愈演愈烈。[②]这些问题与第四次工业革命带来的冲击合流，将成为影响世界和平与发展的不稳定因素。这正是我们今天所处的时代，是我们正面临的人类发展的历史拐点。

第四次工业革命和伴随着它的系统性变化，将会比以往任何时候都更加强调合作参与，要求进一步改变协同参与的方式，要求我们共同构想自己将要创造的未来。面对全球发展对沟通、合作越来越多的需求和依赖，每个国家都应该积极推进开放分享。德国政府在《德国2020高技术战略》中提出的

---

① World Economic Forum. The Fourth Industrial Revolution, by Klaus Schwab [EB/OL].[2020-01-14]. http://www. weforum. org/about/the-fourth-industrial-revolution-by-klaus-schwab.

② 习近平. 让美好愿景变为现实——在金砖国家领导人约翰内斯堡会晤大范围会议上的讲话[N]. 人民日报，2018-07-27（3）.

十大未来项目之一——工业4.0，旨在提升制造业的智能化水平，建立具有适应性、资源效率及基因工程学的智慧工厂，在商业流程及价值流程中整合客户及商业伙伴。其技术基础是网络实体系统及物联网。这是发达国家对第四次工业革命的积极回应。

全人类历史拐点的出现，把正在现代化建设道路上奋力前行的东方第一大国——中国再一次推到了历史的十字路口。前两次工业革命的缺席，使中国没有赶上西方的工业化进程，而成为工业化的后发国家。从中华人民共和国成立后的第一个五年计划起，中国在工业基础十分薄弱的条件下，开始了以工业化为核心的现代化征程。经历了从传统的社会主义工业化道路到改革开放后的中国特色社会主义工业化道路的转型，中国工业化取得了巨大的成就，中国已经从农业经济大国转变为工业经济大国。但它的工业化仍然没有完成，工业化进程仍在途中。今天，正当中国即将快速跨入工业化国家行列之际，人们眼前却横出一块“工业文明将就此止步”的警示牌，令中国蓦然站在时代大转型的历史关口。

站在人类历史拐点处，中国该何去何从？作为全球化进程的重要参与者，当前的中国也面临着经济、社会转型等重大问题。中国经济已由高速增长阶段转向高质量发展阶段，正处在转变发展方式、优化经济结构、转换增长动力的攻关期，迫切需要抓住第四次工业革命的机遇，寻找可持续发展的原动力。

放眼全球，人类正面临百年未有之大变局。基于互联网技术的智能化、数据化高度融合的第四次工业革命已经来临。我们不仅需要反思我们的经济、社会和政治体制，还需要反思我们的教育是否能够适应和引领这场深刻的变革，反思教育这把钥匙能否打开一扇可以让我们看到希望和未来的思考之门。

二、全球化新文明时代的教育治理

如果说告别工业化社会、迎接第四次工业革命带来的新文明是人类走出当前困境的必由之路，那么，由此催生的全球化时代则使全球治理成为现实。正在蓬勃发展的全球治理实践给全球教育治理带来了新的动力，进一步推动了全球教育治理的发展。

21世纪，随着全球化、区域一体化进程的持续发展，人类日益成为一个命运共同体。以人工智能、数据化等深度融合为标志的第四次工业革命让这种趋势愈发加速。人工智能及相关技术带来的安全和治理挑战是需要全人类共同面对的问题。同时，人类还面临许多领域的问题，如核威胁、气候变化、环境污染、疾病流行等。这些问题一旦爆发，各国很难独善其身。这就需要各国具备全球视野，协同合作，共同解决这些问题。"人类的政治生活正在发生重大的变革，其中最引人注目的变化之一，便是人类政治过程的重心正在从统治（government）走向治理（governance），从善政（good government）走向善治（good governance），从政府的统治走向没有政府的治理（governance without government），从民族国家的政府统治走向全球治理（global governance）。"[①]全球治理是国际体系中以主权国家为核心的各个行为体共同合作，通过正式制度和非正式制度安排，协调各自利益和政策，以应对全球化时代人类社会必须面对的各种跨国的全球性挑战，并支持各个国家实现国家治理水平提升的活动。从中国的角度看，全球治理与国家治理是当代中国两大战略考量。日渐崛起的当代中国，经济总量居于世界前列，成为世界经济增长的新引擎，国际社会赋予中国更多责任与希望。中国积极参与全球治理，有助于澄清当下国际社会对中国的质疑与误解，表明当代中国的担当，有助于化解国际社会对中国"参与不足"的指责，表明当代中国维护人类共同利益、推进人类共同进步的理念与追求，有助于赢得国际社会的尊重，从而引领着人类的发展。

教育治理是全球治理的一个重要组成部分，也是国家治理的具体内容。全球治理和国家治理的推进势必促进教育治理的发展。第四次工业革命必将深刻改变人类的学习方式和生活方式，引发人们对于"人"的价值的进一步思考。教育和教育治理的理念、规则、方式也不可避免地要受到影响和冲击。世界银行发布的年度旗舰报告《2018年世界发展报告：学习以实现教育的承诺》(World Development Report 2018：Learning to Realize Education's

① 俞可平. 全球治理引论[J]. 马克思主义与现实，2002（1）.

Promise)指出，全球教育面临“学习危机”——上学却没学到知识，这不仅是浪费发展机遇，也是对全世界儿童和青少年的巨大不公。造成“学习危机”的一个重要原因就是低效的教育管理和治理。

近年来，全球教育治理的理念正在出现新的变化。2015年年底，联合国教科文组织发布了一份新的研究报告《反思教育：向“全球共同利益”的理念转变？》（Rethinking Education: Towards a Global Common Good？）。这是联合国教科文组织成立七十多年以来，继1972年出版的研究报告《学会生存：教育世界的今天和明天》（Learning to Be：The World of Education Today and Tomorrow，又称《富尔报告》，即Faure Report）和1996年出版的研究报告《教育——财富蕴藏其中》（Learning：The Treasure Within，又称《德洛尔报告》，即Delors Report）之后，又一份非常重要的报告。联合国教科文组织总干事伊琳娜·博科娃在这一报告的《序言》中开门见山地写道：“我们在21世纪需要怎样的教育？在当前社会变革的背景下，教育的宗旨是什么？应如何组织学习？本出版物的思想便是因这些问题有感而发。”她继而写道：“我确信，我们今天需要对教育再次做出高瞻远瞩的思考。”博科娃认为“再没有比教育更加强大的变革力量”。她进而强调“教育促进人权和尊严，消除贫穷，强化可持续性，为所有人建设更美好的未来”，“教育以权利平等和社会正义、尊重文化多样性、国际团结和分担责任为基础”。她最后指出：“我们必须高瞻远瞩，在不断变化的世界中重新审视教育。”这种重新审视的结果就是我们21世纪的教育应该向“全球共同利益”的理念转变。可以断定，这份报告必定像前两份报告那样对世界教育的发展产生重大影响。

随着全球一体化进程加速，全球性教育问题（如教育不平等、“学习危机”等）将持续存在而且有复杂化的趋势。通信技术、信息技术和互联网技术的飞速发展，也让教育领域的许多问题，如信息技术背景下的核心素养、信息技术教育、教育与经济同步发展、教育与创新等，成为具有全球性特质的难题。要解决这些问题，客观上要求全球教育治理这一理念、方式及行动在世界各国教育领域中发挥越来越重要的作用。它要求世界各国站在全球的高度，运用现代治理的理论和理念，以主权国家为主体，充分运用国际政府组织、国际非政府组织、公民社会等的力量，寻求问题的最佳解决方案。教育领域已显现了全球化的负面影响，需要更有效的全球治理。[①]世界主要国家，国际组织如联合国教科文组织、世界银行、经合组织、联合国儿童基金会、二十国集团、全球教育合作组织等，全球知名智库如卡耐基教学促进会、布鲁金斯学会、兰德公司、澳大利亚教育研究委员会等，都是参与全球教育治理的行为主体。它们正通过各种方式介入全球教育领域的治理。全球教育治理是顺应时代发展趋势的一种新型治理理论，如何从参与全球教育治理的诸多行为主体的行动中总结全球教育治理的实践经验、提炼理论，如何运用其推动全球教育的发展，成为当前迫切需要研究的课题。

当前，中国正处于推进国家治理体系与治理能力现代化建设的关键阶段，教育领域也不例外。中国实行改革开放的国策，把自身置于世界的开放体系之中。改革开放推动中国教育取得了举世瞩目的巨大成就，教育同步助力改革开放走向更高水平、更高层次。与此同时，教育也面临着新的更大的机遇与挑战。党的十九大确定了中国发展新的历史方位——中国特色社会主义进入了新时代。新时代的社会主要矛盾发生了变化，教育领域的主要矛盾集中体现为人民对优质教育日益增长的需求与教育发展的不平衡不充分之间的矛盾。2019年2月，中国颁布了《中国教育现代化2035》和《加快推进教育现代化实施方案（2018—2022年）》，明确了未来一段时期中国教育发展的总体思路、战略任务、实施路径与保障措施。《中国教育现代化2035》提出对内要“加快推进教育现代化、建设教育强国，办好人民满意的教育”，对外则是要开创教育对外开放新格局，“积极参与全球教育治理，深度参与国际教育规则、标准、评价体系的研究制定。推进与国际组织及专业机构的教育交流合作。健全对外教育援助机制”。[②]文件方案的出台标志着中国教育现代化走向新时代、新目标和新征程。[③]推进教育现代化、建设

① 卡伦·芒迪. 全球治理与教育变革：跨国与国际教育政策过程研究的重要性[J]. 申超，译. 北京大学教育评论，2011（1）.

② 中共中央、国务院印发《中国教育现代化2035》[N].人民日报，2019-02-04（1）.

③ 周洪宇，刘大伟. 中国教育现代化走向新时代新目标新征程[N]. 中国教育报，2019-04-01（1）.

教育强国和参与全球教育治理势必对教育治理的理念、体系、制度、内容、方法等提出新的要求。当前，中国已置身于第四次工业革命主导的全球化、智能化、数据化、信息化、生态化时代，教育治理理念也将升级换代。第四次工业革命这一全人类共同面临的巨大变革，同样对不断深化改革、扩大开放的中国产生影响，也对中国的教育治理提出全方位挑战。对于当今的中国而言，建立现代教育治理体系、完善学校内部治理结构、推进教育治理体系与教育治理能力的现代化，不仅是重要的，而且是十分紧迫的时代任务。2019年10月召开的中共十九届四中全会通过了《中共中央关于坚持和完善中国特色社会主义制度、推进国家治理体系和治理能力现代化若干重大议题的决定》，提出要把我国制度优势更好地转化为国家治理效能，具体在教育领域，要“发挥网络教育和人工智能优势，创新教育和学习方式，加快发展面向每个人、适合每个人、更加开放灵活的教育体系，建设学习型社会”。十九届四中全会关于教育的论述及时地回应了第四次工业革命给教育带来的机遇和挑战，为国家教育现代化指明了方向。同时，参与全球教育治理亦是中国由教育大国走向教育强国的必由之路。中国由教育大国向教育强国迈进的征程中，在努力实现本国教育现代化的同时，秉持共商共建共享的全球治理观，积极参与全球教育治理，为人类社会贡献中国特色的教育智慧、教育治理方案和力量，既是中国的使命，亦是担当，更是走向教育强国、负责任大国的必然选择。①研究国家教育治理及全球教育治理的理论、实践、经验及教训，成为中国教育学术界的当务之急。

三、研究全球教育治理是中国教育学术界的当务之急

作为当代中国怀抱着理想、洋溢着激情、时刻关注着中国乃至人类命运、富有社会责任感和历史使命感的学术研究者，我们有义务也有责任从事教育治理包括全球教育治理的研究工作。作为当下中国主要民间教育智库之一的长江教育研究院及高校教育智库——华中师范大学国家教育治理研究

① 周洪宇，付睿．参与全球教育治理：从教育大国走向教育强国的必由之路[J]．世界教育信息，2018（3）．

院的重要成员，我们有义务也有责任从事教育治理包括全球教育治理的研究工作。我们的研究原则是“全球视野，中国本位，问题导向，专业研究”，这与我们智库的定位与目标“立足华中，影响全国，走向世界”，研究风格“全球视野，中国特色，专业能力，实践导向”，以及基本宗旨“民众立场，建设态度，专业视野”等，都是一致的。我们希望通过开展全球教育治理研究，“出思想，出人才，出产品，出效益”，真正发挥学术研究者的作用，推动中国的教育改革和发展，推进中国的教育治理体系与治理能力现代化进程，乃至促进全球教育治理理念、结构与体系的变革。

为此，我们以长江教育研究院、华中师范大学国家教育治理研究院的专家学者为主，同时邀请国内外知名高校的一批国别教育研究专家参与，组织撰写了这套“全球教育治理研究系列”。这套丛书的编写目的，就是要在全球化及第四次工业革命的背景下，探讨全球教育治理的理念、经验教训和趋势，进而讨论中国教育治理的发展道路。丛书涉及三个层面的视角，即超国家层面、国家层面、次国家层面。超国家层面主要研究联合国相关部门、国际组织、大型跨国公司等，分析其对全球教育治理进行研究的成果、形成的研究报告和政策是怎样影响世界各国的。国家层面研究各国在全球教育治理的背景下是如何根据本国国情进行本国国家教育治理的。次国家层面更加中观和微观地审视一个国家各级行政区划内部的教育治理，甚至细化研究一类教育类型的治理或者一所学校的治理。丛书围绕上述三个层面开展研究，力图完整清晰地展示全球教育治理的全貌及其基本特征，为教育研究者、教育工作者提供一个全面深入了解全球教育治理的窗口。

几年前，我在组织编写“教育智库与教育治理研究丛书”（共14册，湖北教育出版社2016年出版）的同时，就已经设想接着要向两头延伸，继续组织编写“全球教育治理研究系列”和另一套“全球教育智库研究丛书”，最终形成“教育智库与教育治理研究”的“三部曲”。为此，2016年编写出版第一套研究丛书后就以第一套丛书的部分作者为基础，本着五湖四海、众志成城的基本原则，在全国物色合适作者，在综合考虑研究能力与研究专长的基础上，最终确定了本丛书各册的写作者。与此同时，由湖北教育出版社牵头积极申报国家出版基金资助项目，“全球教育治理研究系列”成功获批

2017年度国家出版基金资助立项，使后续工作有了良好的开局。

“全球教育治理研究系列”共10册，具体如下：

1.《全球教育治理研究导论》（华中师范大学教授、博士生导师周洪宇，华中师范大学副教授付睿著）

2.《中国教育治理研究》（华中师范大学教授、博士生导师周洪宇，湖北大学教务处副处长、博士后李中伟，华中农业大学教授陈新忠著）

3.《美国教育治理研究》（华中师范大学教授戴伟芬，湖北幼儿师范高等专科学校学前教育系副主任李娜等著）

4.《英国教育治理研究》（浙江大学教授阚阅著）

5.《德国教育治理研究》（华中师范大学副教授岳伟著）

6.《日本教育治理研究》（湖北大学教授赵霞著）

7.《加拿大教育治理研究》（中南民族大学教授汪丞，加拿大布鲁克大学教授、博士生导师路春雷，加拿大布鲁克大学博士后荣文婷著）

8.《俄罗斯教育治理研究》（辽宁师范大学副教授乔桂娟著）

9.《印度教育治理研究》（华中师范大学教授、博士生导师王建梁著）

10.《南非教育治理研究》（华中师范大学副教授李先军著）

“全球教育治理研究系列”有总有分，总分结合，以分为主，由点到面，兼顾发达国家和欠发达国家，覆盖面尽量广一些。其中，《全球教育治理研究导论》主要从超国家层面研究全球教育治理的基本理论，以及重要的国际组织、知名智库、机构参与全球教育治理的理论及其实践，并对中国参与全球教育治理的情况进行梳理分析，试图从整体上建构全球教育治理的一般理论体系，为中国及其他行为主体参与全球教育治理提供理论和实践基础。其他各册以国家层面为主，同时兼顾次国家层面，对全球重要国家的国家教育治理理论及经验进行研究，指出对中国进行国家教育治理及参与全球教育治理的可借鉴之处及启示。

受湖北教育出版社委托，全套图书由我担任主编，提出研究思路，规划整体布局，拟定研究大纲，草拟写作体例，统审系列书稿。比较教育专家王建梁教授担任副主编，协助我联络作者，审改初稿，处理日常事务。我们希望未来在此基础上再组织一套以教育治理不同方面为重点的研究系列，与此套丛书相辅相成，相得益彰。在此，我代表丛书编委会向丛书的各位作者及编辑人员表达诚挚的敬意，向对此套丛书编写出版工作作出指导与提供支持的各界人士表示感谢。由于教育治理研究，尤其是全球教育治理研究，在国内才刚刚起步，基本上没有什么可供参考的论著，完全是靠我们自己的摸索，此套丛书不成熟之处在所难免，还请各位读者不吝指教。

周洪宇

2020年5月1日

目　录

绪　论

一、全球教育治理研究的缘起

治理的理念源起于20世纪70年代。20世纪90年代，“治理”(governance)一词开始在经济学、政治学、管理学等领域盛行。国际组织通过发表报告的形式，让治理概念得以走向全球。1989年，世界银行在讨论非洲发展议题时首次提出“治理危机”。1992年，世界银行发布了报告《治理与发展》，首次正式提出“治理”的概念。1996年，经合组织发布了报告《促进参与式发展和善治的项目评估》，同年，联合国开发计划署发布了《人类可持续发展的治理、管理的发展和治理的分工》的报告。1997年，联合国教科文组织出台了一份文件《治理与联合国教科文组织》。1998年，《国际社会科学杂志》第3期推出了一个名为“治理”的专号。从概念的提出到专刊的出版，也说明治理理念逐步得到关注与认可。

全球化是人类历史深刻演变的过程，伴随着以智能化和数据化深度融合为特征的第四次工业革命的来临，人与人、人与物、国家与国家、组织与组织之间日益成为联系紧密、不可分割的整体。随着全球化趋势的推进，人类面临的许多问题越来越具有全球性特征，如气候变暖、资源短缺、环境恶化、卫生和健康问题、地区冲突、核威胁、恐怖主义、极端宗教主义等都具有全球性，这些问题一旦爆发，将给人类带来严重的挑战，损害人类的共同利益。“人类的政治生活正在发生重大的变革，其中最引人注目的变化之一，便是人类政治过程的重心正在从统治（government）走向治理（governance），从善政（good government）走向善治（good governance），从政府的统治走向没有政府的治理（governance without government），从民族国家的政府统治走向全球治理（global governance）。”①

2013年3月23日，中国国家主席习近平在莫斯科国际关系学院发表演讲指出：“这个世界，各国相互联系、相互依存的程度空前加深，人类生活在同一个地球村里，生活在历史和现实交汇的同一个时空里，越来越成为你中有我、我中有你的命运共同体。”②“命运共同体”成为人类文明走向的中国判断。为应对全球性挑战、发展与转型的客观要求，各国、各类国际组织和行为体应共同推动建立以合作共赢为核心的新型全球关系，人类应该共同维护世界和平、稳定，促进共同发展。

全球化进程中，通信技术、信息技术和网络技术的飞速发展，也让教育领域的许多问题，如信息技术背景下的核心素养、信息技术教育、教育与经济同步发展、教育与创新、促进教育公平、提升教育质量、贫困儿童教育、女童教育等成为具有全球性特征的问题。这些问题的解决，要求包括中国在内的世界各国站在人类命运共同体的高度，运用现代治理的理论和理念，以主权国家为主体，充分运用国际政府和非政府组织、公民社会等的力量，寻求问题的最佳解决方案。教育是一个显现全球化的负面影响和需要更多有效的全球治理的场所。③因此，全球教育治理是顺应时代发展趋势的一种新型治理理论。如何运用该理论推动全球教育的发展，成为当前迫切需要研究的课题。

二、全球教育治理研究的意义

在全球化背景下，全球教育治理作为一种正在兴起的治理理念，具有重要的理论意义和实践价值，目前国内外已有一些学者进行相关研究，但仍显不足，尚有许多问题亟待解决。全球教育治理研究的意义主要体现在以下几方面：

---

① 俞可平．全球治理引论［J］．马克思主义与现实，2002（1）．

② 习近平．顺应时代前进潮流 促进世界和平发展——在莫斯科国际关系学院的演讲［N］．人民日报，2013-03-23（2）．

③ 卡伦·芒迪．全球治理与教育变革：跨国与国际教育政策过程研究的重要性［J］．申超，译．北京大学教育评论，2011（1）．

一是明确全球教育治理的理论、方法。理论建构是一门学科建立的基本前提，是一门学科建设成熟的标志。一门学科可能有许多知识范畴，每一个知识范畴可能有许多知识视点，但没有完成理论建构的学科，尽管已经开发出其中的若干个知识范畴，每一个知识范畴也已经开发出其中的若干知识视点，但它不具整体性，也不可能构成逻辑体系。只有完成了理论建构的学科，才更具逻辑体系的严密性、知识范畴的整体性与知识视点的统合性，才更有思想价值和理论的力量。[①]教育问题是全球发展领域的重要问题，不仅受到各国的重视，也得到各类国际组织、智库、公司及个人等的青睐。全球教育治理已成为全球治理的一个重要组成部分。全球教育治理研究可以充分整合全球教育治理理论、原则及方法，把相关知识进行逻辑梳理，建立具有中国本土特色的全球教育治理的基本理论框架和体系，从而丰富全球治理及教育学的理论体系，最终提升中国在全球教育治理领域的话语权和影响力。

二是为全球教育治理提供实践案例。全球教育治理的案例是研究全球教育治理相关理论、原则、方法的重要依据，也是挖掘全球教育治理理论及方法的源头活水。选择具有典型性、代表性的全球教育治理案例进行研究分析，可以提炼总结理论，指导实践。

三是为中国的教育研究与改革提供新的视角、理论及方法。当前，我国正处于教育大国向教育强国迈进的关键阶段，教育治理体系和治理能力现代化是教育现代化的根本保障，教育现代化又是教育强国的基本标志。改革开放四十年来，我国的教育事业取得了巨大成就，多项教育指标已达到发达国家平均水平，义务教育、高等教育、职业教育等取得长足进步。然而，我国在教育领域管理多于治理，政府部门管得过多、统得过死的状况仍未得到根本性改观。教育领域的家庭、社会参与度不充分，与教育相关的社会组织、民间力量发展缓慢，难以有效发挥第三方的功能与作用。因而，全球教育治理研究将为我国教育领域问题的解决提供新视角，促进中国教育治理的变革，加速中国教育治理体系和治理能力现代化的步伐，助力教育现代化，为

① 黄永刚，张健华．杨贤江现代教育理论体系研究［M］．杭州：浙江大学出版社，2015：89．

实现中华民族的伟大复兴奠定基础。

四是为中国参与全球教育治理提供理论与方法支撑。中华人民共和国成立七十年以来，尤其是改革开放以来，中国通过国际组织的平台积极参与全球教育事务，取得了诸多成效，参与全球教育规则制定的话语权有所增强，中国教育在国际上的影响力有所提升。但总体而言，中国参与全球教育治理的深度与广度仍显不足，参与全球教育治理的专业人才匮乏，在国际组织任职的中国人比例偏低，在全球教育治理领域的话语权和影响力有待进一步突破。这些问题的解决，亟须全球教育治理研究在理论、方法及实践方面的突破。全球教育治理研究无疑可以为中国参与全球教育治理提供理论与方法的支撑，从而为中国在全球教育治理中的角色、理念、行动提供强有力的支持，为中国及中国主导的国际组织参与全球教育治理提供中国本土的理论，增强中国参与全球教育治理的理论自信。

三、全球教育治理研究综述

（一）全球治理理论研究

1990年1月，国际发展问题独立委员会主席、德意志联邦共和国前总理威利·勃兰特根据当时冷战即将终结，两极国际格局将不复存在，当代国际体系正在发生巨变的全球形势，认为面对新的世界局势，急需提出适宜于国际体系新走向的维持世界和平和发展的新理念。只有通过以某种新理念为指导的多边和多层次国际合作，才能很好地应对新的挑战。在勃兰特的大力倡导下，1992年9月，全球治理委员会正式成立，时任瑞典首相英格瓦·卡尔松和英联邦秘书长史里达斯·兰法尔担任主席。全球治理委员会的成立标志全球治理被正式提上世界议程。全球治理委员会由28名国际知名人士构成。全球治理委员会是一个独立的组织，它不是联合国的官方机构，却得到联合国的认可，并且由联合国开发计划署管辖下的两个信托基金提供资金。此外，还有9个国家的政府和包括麦克阿瑟基金会、福特基金会和卡耐基和平基金会在内的一些私人基金会向该委员会提供资助。[①]全球治理委员会致力

① 叶江．全球治理与中国的大国战略转型［M］. 北京：时事出版社，2010：10-12.

于建构全球治理的理念和推进全球治理的实践。1995年，全球治理委员会发布了《我们的全球之家》研究报告，这份报告全面阐述了全球治理的理念，提出全球的人们需要在一个新愿景之下，开展共同关心、共享命运的高层次合作。[①]这个共同的愿景是指全体人类都能接受的核心价值，包括对生命、自由、正义和公平的尊重，互相的理解、尊重，爱心和正直等。1999年，全球治理委员会又发表了一份报告，进一步阐述公民社会和改善世界经济管理对全球治理的重要意义。

国外学者对全球治理理论的研究比较早。他们主要从哲学、政治学层面探讨全球治理的基础理论。全球治理理论的主要创始人之一詹姆斯·N.罗西瑙，在其代表作《没有政府的治理：世界政治中的秩序与变革》与《21世纪的治理》中，最早提出"全球治理"这一概念。治理与政府统治不同，治理的内涵更加丰富。罗西瑙将治理界定为一系列活动领域里的管理机制，它们虽未得到正式授权，却能有效发挥作用。治理指的是一种由共同的目标支持的活动，这些活动的主体不一定是政府，也无须依靠国家的强制力量来实现。它既包括政府机制，也包括非正式的、非政府的机制。罗西瑙认为，"处于新本体论中心的就是全球化力量和本土化力量的互动以及一体化趋势和碎片化趋势的叠加。"[②]肯尼思·W.阿伯特与邓肯·斯奈德尔提出国际治理中存在软性的合法化治理和硬性的合法化治理两种治理形式。国家和非国家行为体可以通过软合法化实现众多目标，软合法化更容易达成甚至更为可取。软合法化为有效的国际契约提供了基础，并有助于重塑国际政治的规范性公约和话语，一切形式的国际合法化必须被视为国际关系最重要的制度特征之一。[③]入江昭对国际组织进行考察，认为国际组织一直追求的全球共同体以主权国家间的国际体系或商业世界的形式存在和发展着。未来可能出现一个真正的人类共同体。这个共同体将由各种共同担当、试图通过合作以解

① The Commission on Global Governance. Our Global Neighborhood: The Report of the Commission on Global Governance [M]. Oxford:Oxford University Press，1995：1.

② 俞可平．全球化：全球治理［M］. 北京：社会科学文献出版社，2003：61.

③ Kenneth W. Abbott and Duncan Snidal，"Hard and Soft Law in International Governance"，in International Organization，Vol. 54，No. 3，Summer 2000，pp. 421–456.

决人类问题的不同组织组成。[1]肯尼思·W.阿伯特等提出的“软法”与入江昭提出的“全球共同体”概念成为全球治理的理论基础。乌尔利希·贝克提出国际组织构成了一个治理世界体系的框架，可以作出具有跨国约束力的决策，超越了民主的公众舆论和民主监督。[2]美国和欧洲的政治精英都努力在世界范围内推行自己的社会政治经济制度模式，努力用他们自己的世界观和主张改造、治理，以至统治整个世界。马丁·休伊森和蒂莫西·辛克莱分析了全球变革问题被纳入国际规制理论的变迁过程，指出一些规制理论者为追述国际规制模式的变迁而使用了全球治理概念。[3]富里奥·塞鲁蒂从哲学的视角对全球治理作出分析。他认为，学术界对全球治理的界定和使用有两种方式：一是作为难题的全球治理，二是作为设计的全球治理。世界是全球化的，即我们面临的挑战既不在地方、公私部门及政策层面，也不在传统的国家层面这一语境下，严格区分国内政治和国际政治已经过时。全球治理理论是超越了其起始阶段的一种国际机制的发展。[4]学者们认为跨国政治、国际规制模式的变迁、全球性挑战等因素促使全球治理成为可能。

近些年，国内学者也对全球治理理论进行了研究，代表性学者有庞中英、邵鹏、朱立群、王铁军等。庞中英认为全球问题和全球危机是世界面对的最大挑战，成功和有效的全球治理可以塑造出新的世界秩序，而全球治理的失败和挫折将加剧世界无序。他还对国际治理与全球治理进行了区分，认为国际治理是指由民族国家组成的国际体系对全球问题的管理，全球治理则是试图克服民族国家体系和国际制度的局限性，让更多非国家行为体进入解决全球问题的过程。[5]邵鹏对全球治理理论的主要流派进行了归纳。他认为主要流派包括自由主义的国际主义、激进的共和主义、世界主义民主；按治

---

① 入江昭．全球共同体：国际组织在当代世界形成中的角色［M］．刘春，颜子龙，译．北京：社会科学文献出版社，2009：206．

② 乌尔利希·贝克，等．全球政治与全球治理——政治领域的全球化［M］．张世鹏，等，编译．北京：中国国际广播出版社，2004：123．

③ 俞可平．全球化：全球治理［M］．北京：社会科学文献出版社，2003：33．

④ 朱立群，富里奥·塞鲁蒂，卢静．全球治理：挑战与趋势［M］．北京：社会科学文献出版社，2014：1-2．

⑤ 庞中英．全球治理与世界秩序［M］．北京：北京大学出版社，2012．

理的层级，将治理分为地方治理、区域治理、全球治理三类。①朱立群总结出全球治理合作形式的两种不同发展态势，一是自上而下的新型国际制度安排，二是自下而上的公私伙伴关系。②王铁军运用新葛兰西主义理论和社会运动理论，分析国际经济组织与跨国公民社会，重点探讨了全球经济治理机构与跨国非政府组织在国际金融治理上的关系。③卢静分析了全球治理的三种模式：现实主义的霸权治理、自由主义的制度治理、世界主义的民主治理，提出新的全球治理应该在全面性、均衡性、渐进性和实效性原则的基础上建立一个兼顾公平和效率的模式。构建有效的全球治理制度可以从多个方面进行，从地区治理机制建设入手，增强不同议题领域机制的契合度，发展以议题为主导的多边制度，加强国际制度与国内政治的衔接。④胡祥对治理理论兴起的原因及学术渊源、内涵及其国家、国际、社区层面的治理研究进行了梳理。⑤谢雪华则从全球治理的必要性与现实条件、全球治理的困境、全球治理的规范基础和价值趋向、全球治理的模式构建、全球治理的途径、全球治理的中国视角与实践等层面展开了研究。⑥这些内容的总结有助于我们深入认识全球治理的进展情况。目前学界关于全球治理理念的来源有应对全球化挑战与国际秩序的调整两种看法，治理主体的几种派别主要包括以国家为主要治理单元，多主体合作以及公民社会参与治理。⑦蓝剑平对我国学术界对全球治理理论的态度进行了梳理，面对全球治理理论，学者中存在肯定、否定、中立三种态度。⑧国内学者对全球治理的概念、理论流派、模式等进行的系统研究，为全球教育治理的研究奠定了基础。

---

① 邵鹏．全球治理：理论与实践［M］．长春：吉林出版集团有限责任公司，2010：59-60．

② 朱立群，富里奥·塞鲁蒂，卢静．全球治理：挑战与趋势［M］．北京：社会科学文献出版社，2014：3．

③ 王铁军．全球治理机构与跨国公民社会［M］．上海：上海人民出版社，2011．

④ 朱立群，富里奥·塞鲁蒂，卢静．全球治理：挑战与趋势［M］．北京：社会科学文献出版社，2014：16-30．

⑤ 胡祥．近年来治理理论研究综述［J］．毛泽东邓小平理论研究，2005（3）．

⑥ 谢雪华．关于全球治理的几个问题［J］．湖湘论坛，2009（2）．

⑦ 王晶，曹杰．全球治理研究的文献综述［J］．当代经济管理，2017（4）．

⑧ 蓝剑平．国内关于“全球治理”理论的研究进展：一个文献综述［J］．中共福建省委党校学报，2008（12）．

经过在世界范围内的实践探索，以及学术界多年的研究，全球治理基本形成了一套理论体系，也有相应的实践经验作为基础，但在很多问题上至今难以取得共识。

（二）国际组织与全球教育治理研究

在全球治理的背景下，教育作为一个关系全球发展的重要领域，也被提到了全球治理的议程之上，得到了学术界的关注与研究。作为实施全球教育治理的主要力量，国际组织的角色越来越受到研究者的重视。

王晓辉对世界银行、联合国教科文组织、经合组织、欧盟等主要国际组织颁布的重要教育改革文献进行了梳理汇总，内容涉及全民教育、职业教育、高等教育、终身教育、创新教育等，较全面地反映了全球教育治理的基本趋势和方向，对我国的教育改革与教育决策具有重要参考价值①。联合国教科文组织、经合组织等重要国际组织的全球教育治理得到学者的广泛关注与研究。杜越以联合国教科文组织为例总结了全球教育治理的发展趋势，认为全球教育治理是国际组织和主权国家权力的双向拓展和延伸；全球教育治理的主体将不断朝多元化方向发展，国家机构、政府间合作组织、多国公司、跨国社会运动及非政府组织都将参与进来。联合国教科文组织已具有制定并实现世界教育运行规则的能力，而且这些政策正在形塑国家公共教育政策的未来走向。②阚阅认为联合国教科文组织在高等教育质量保障和文凭互认方面可以通过标准制定、能力建设、信息交流等形式来实现，从而发挥高等教育国际化全球治理的作用。同时他也指出高等教育国际化全球治理的局限和问题，认为高等教育国际化全球治理要依赖治理主体的成熟与发展，需要不断创新治理举措，治理效果与利益相关者的响应、贯彻、执行关系密切。③邵江波认为经合组织的国际学生评估项目（PISA）对各国教育的影响体现在：树立兼顾公平与质量的标杆效应，促进各国提升教育公平和质量；推动各国设置或修订课程标准；促使各国更加重视绩效目标，很多国家都设置

---

① 王晓辉．全球教育治理——国际教育改革文献汇编［M］. 北京：教育科学出版社，2008.

② 杜越．联合国教科文组织与全球教育治理［J］. 全球教育展望，2011（5）.

③ 阚阅．联合国教科文组织对高等教育国际化的全球治理：质量保证和文凭互认的视角［J］. 比较教育研究，2012（7）.

了PISA测试的绩效目标，以此促进本国教育质量的提升。①

世界银行作为重要的国际组织也受到了学界的关注。目前国内研究世界银行参与教育治理较为深入的是闫温乐。其《世界银行与教育发展》一书对世界银行与教育发展的关系进行了系统研究，涉及世界银行支持教育发展的特征、成因、影响，并指出世界银行支持教育发展的理论动因是教育的经济价值，目标取向是为了经济增长，实施途径是使用经济手段，时代特征是知识银行、知识经济；世界银行支持教育发展的成因包括能力、权力和压力，并从世界银行自身、批评者、中国三个视角分析了其影响。②闫温乐对世界银行在教育项目的决策方面应用经济分析也进行了论述，认为它为世界银行提供了清晰的准则，但由于教育事业的特殊性，以经济评估为主导的分析维度也存在其局限性和不适用性。③谢世清从制度规则创新、组织机构强化、人力资源开发三个维度分析了世界银行在中国基础教育领域的发展经验。④阚阅、陶阳提出世界银行已完成了从金融银行到知识银行的转型。⑤孔令帅认为权力分布和新自由主义是包括世界银行在内的国际组织教育政策运行的逻辑。⑥和震梳理了世界银行的职业教育贷款政策演变进程：以促进经济发展为导向，确立职业教育优先的教育政策阶段（1963年至20世纪70年代末）；重视效益评估，进入政策调整阶段（20世纪70年代末至20世纪90年代初）；职业教育失去优先权，职业教育政策转为鼓励与扶持私人培训部门和企业培训等非正规在职培训（20世纪90年代至今）。⑦张世义认为世界银行的早期儿童发展政策新框架SABER-ECD具有强调全面的儿童发展观、注重多部门协调行动、倡导发展导向的政策评估、践行基于数据的政策效果评

① 邵江波．PISA与全球教育治理：路径、影响和问题［J］．全球教育展望，2016（8）．
② 闫温乐．世界银行与教育发展［M］．上海：上海教育出版社，2013．
③ 闫温乐．解读世界银行教育项目的经济分析［J］．现代教育管理，2010（12）．
④ 谢世清．中国与世界银行：推动能力发展［M］．北京：经济科学出版社，2014．
⑤ 阚阅，陶阳．向知识银行转型——从教育战略看世界银行的全球教育治理［J］．比较教育研究，2013（4）．
⑥ 孔令帅．透视国际组织教育政策背后的运作逻辑——以世界银行和经合组织为例［J］．比较教育研究，2011（10）．
⑦ 和震．世界银行职业教育政策的演变［J］．清华大学教育研究，2010（1）．

估等特点。[①]王根顺、崔艳丽分析了世界银行的教育贷款项目，如中学在职教师培训项目、教材建设项目、“贫一”至“贫五”项目等，指出这些项目对我国西部基础教育事业特别是女童教育和民族教育的发展有一定的促进作用，对减轻西部的贫困作出了一定贡献。[②]卡罗琳分析了世界银行参与全球教育治理的情况。世界银行的教育政策随着时代的发展不断调整，20世纪60年代开始关注职业技术教育，20世纪90年代受人力资本经济理论的影响，转向关注基础教育，注重高等教育的质量保障机制。[③]有一些研究指出了世界银行参与教育领域存在的问题。主要有两个关键问题，一是经济思想在其政策中的主导地位；二是北方产生的知识，被其用在地球南方开展工作。Menashy Francine和Read Robyn发现世界银行调动的研究成果来自北半球，引用的作者地图证明世界银行的教育政策由极小部分精英掌控。[④]Menashy Francine还认为应把教育作为人权的概念纳入世界银行的使命之中。[⑤]阚阅等认为从世界银行的组织结构和资金来源看，世界银行必然会受到大国的影响，受新自由主义理念的支配。

有学者对全球教育伙伴关系组织等成立时间相对较短的国际组织进行了研究。王建梁、单丽敏对成立于2002年的全球教育伙伴关系组织进行了研究，认为该组织通过会议达成国际共识，以财政和技术的方式提升发展中国家合作伙伴的治理能力，以及以构建合作伙伴关系的方式积极参与全球教育治理，在全球层面和国家层面的教育治理中发挥了积极的作用，推动了全球

---

① 张世义．世界银行评估早期儿童发展政策的新框架及其启示［J］．学前教育研究，2015（11）．

② 王根顺，崔艳丽．浅析世界银行教育贷款对我国西部基础教育的作用［J］．中国农业教育，2008（1）．

③ 卡罗琳编译．世界银行与全球教育治理，The World Bank and the global governance of education in a changing world order by Karen Mundya & Antoni Verger，里瑟琦智库，2015年1月31日。

④ Menashy Francine，Read Robyn. Knowledge Banking in Global Education Policy: A Bibliometric Analysis of World Bank Publications on Public-Private Partnerships［J］. Education Policy Analysis Archives，2016（94-95）：1-28.

⑤ Menashy Francine. Interrogating an omission: the absence of a rights-based approach to education in World Bank policy discourse［J］. Studies in the Cultural Politics of Education，2013（5）：749-764.

教育的发展，带动了发展中国家教育治理方式的转变，使发展中国家政府加强了对弱势群体教育的重视。与联合国教科文组织、经合组织、世界银行相比，全球教育伙伴关系组织在全球教育治理领域的成效并不显著。①

部分学者对作为全球教育治理重要方式的国际教育规则进行了分析。王晓辉、谷小燕、翁绮睿对国际教育规则的内涵、基本属性、分类、形成及影响进行了阐释，指出国际教育规则是全球教育治理的重要方式，主要包括国际社会普遍认可的教育理念、国际社会通行的教育统计与评价指标。②

（三）全球教育治理的争论

关于是否存在真正意义上的全球教育治理，学术界存在两种不同的声音。主流观点认为存在全球教育治理，另一种观点则认为不存在真正的全球教育治理，因为教育属于主权国家的内部事务，与气候、环境等领域不同，教育不可能在全球层面开展治理。王晓辉就持这种观点。他认为全球教育治理的目的在于认识世界教育的整体态势，以治理的理念来构建本国的教育系统。对于发展中国家来说，当务之急是建立和完善自身独具特色的教育系统和政策系统。当前，世界各国都正在创建以知识和智慧为基础的教育发展新模式。在这个过程中，教育政策创新无疑处于知识和智慧创新的核心位置，是促进社会全面创新的基础。世界各国应多关注国际组织在教育发展上的政策优先项，作为制定本国教育政策的参照，并努力建设独具特色的教育系统和政策体系。③

学术界对不同的国际组织在全球教育治理过程中存在的问题进行了探讨。郤江波指出经合组织在实施全球教育治理的过程中存在一些问题：一是过于强调教育的经济功能。经合组织具有非常强烈的经济本位思想，它甚至把技能视为21世纪经济中的全球货币。二是助长教育政策急功近利的风气。PISA测试导致一些国家对教育政策采取急功近利的态度，希望借助这一测

① 王建梁，单丽敏．全球教育治理中的“全球教育伙伴关系组织”：治理方式及成效［J］．外国教育研究，2017（8）．

② 王晓辉，谷小燕，翁绮睿．国际教育规则与全球教育治理［J］．中国人民大学教育学刊，2012（1）．

③ 王晓辉．关于教育治理的理论构想［J］．北京师范大学学报，2007（4）．

试迅速提升本国在该测试中的得分及排名。三是忽视各国社会文化背景的差异。作为一种标准化的测试，PISA势必抹杀文化间的差异。[①]

申超认为欧盟教育治理的合法性危机表现在三个方面：一是赞同危机。主要表现在欧洲民众教育利益表达渠道的阻塞，一定程度上引发了他们对欧盟教育治理的不信任和不赞同。二是共同价值危机。三是对法律法规及政策的服从与执行危机。[②]学者针对经合组织、欧盟等参与全球教育治理存在的问题进行了分析，对学界客观全面地认识全球教育治理具有重要意义。

笔者认为全球教育治理是存在的。民族国家未来一段时期仍是教育治理的主体力量。全球教育治理的发展也将经历一个逐步演化的过程。国际组织尽管在参与全球教育治理过程中存在诸多问题，但在可以预见的将来，它们在全球教育治理中会继续发挥重要作用。随着科技的飞速发展、社会的进步、治理理念的普及，非政府组织和其他组织在全球教育治理中的地位和作用将逐步得到加强。

四、全球教育治理研究的理论

目前全球教育治理理论主要运用四种理论，即马克思全球化理论、人类共同体理论与全球共同体理论、全球公共产品供给理论、教育治理理论。

马克思全球化理论是最早关于全球化进程及其影响的理论，为人类共同体理论与全球共同体理论的形成奠定了基础；人类共同体理论与全球共同体理论站在全球与整体人类的高度，应对全球化带来的冲击，体现出人本主义的思想；教育是典型的公共产品，全球公共产品供给理论为全球化背景下全球教育公共产品的供给提供了理论依据；教育治理理论则是在上述理论基础上，针对全球共同面临的教育问题而提出的教育理论，关注教育治理主体的多元化，治理方式的民主化。

（一）马克思全球化理论

全球化是21世纪世界发展的重要趋势之一。以信息技术为标志的第三次

① 郤江波．PISA与全球教育治理：路径、影响和问题［J］．全球教育展望，2016（8）．
② 申超．论欧盟教育治理的合法性危机［J］．比较教育研究，2010（4）．

工业革命，加速了全球化的进程。当今世界的全球化以经济全球化为主，金融、资本、生产和贸易等的全球化，使各国间经济交往越来越密切、频繁，世界处于你中有我、我中有你的态势，各国相互制约、相互依赖、相互渗透和影响。在市场经济机制的推动与作用下，“全球化经历了两个发展阶段：第一阶段，从16世纪初到第二次世界大战，特点是殖民化和西方化；第二阶段，从第二次世界大战结束后到现在，特点是非殖民化和多元化”①。两个发展阶段对全球化的时间进行了划分，也对各个阶段全球化的特点进行了准确概括。

马克思全球化理论则是基于第一个阶段的概括。马克思全球化理论包括世界市场和世界历史两部分，开拓世界市场是世界历史时代的基本形式。马克思虽未直接提出全球化的概念，但很早就关注到了全球化这一趋势，他在《德意志意识形态》《共产党宣言》《资本论》等著作中就对全球化问题进行了论述，他指出：“各个相互影响的活动范围在这个发展进程中越是扩大，各民族的原始封闭状态由于日益完善的生产方式、交往以及因交往而自然形成的不同民族之间的分工消灭得越是彻底，历史也就越是成为世界历史。”②经济活动、生产力、生产方式、交往方式的发展，促使民族国家走向开放，由狭隘的民族史和地方史走向世界历史，其实质就是全球化。“马克思世界历史理论形成之时正是人类社会启动全球化进程之际，他以全球化视野观察19世纪的人类社会，分析比较不同国家民族的政治、经济、社会发展状况，透视把握人类文明进步的轨迹。”③随着资本主义生产方式的确立，世界形成了一个相互联系的整体。在世界市场方面，马克思、恩格斯曾经指出，“大工业便把世界各国人民互相联系起来，把所有地方性的小市场联合成为一个世界市场，到处为文明和进步作好了准备，使各文明国家发生的一

---

① 阎孟伟，朱丽君．全球化的实质和进程与马克思的全球化理论［J］．南开大学学报：哲学社会科学版，2007（1）．

② 马克思，恩格斯．马克思恩格斯选集：第1卷［M］．北京：人民出版社，1995：88．

③ 宫淑燕，等．论马克思全球化理论及其现实意义［J］．北京航空航天大学学报：社会科学版，2004（3）．

切必然影响到其余各国”[①]。世界市场的形成必然对世界各国的文明及进步产生影响，人与人之间的关系，包括社会关系、政治关系、经济关系正在发生变化。马克思以人的全面发展为核心的发展观认为，“全球化趋势的发展有助于实现人的全面发展和解放。因为‘每一个单个人的解放的程度是与历史完全转变为世界历史的程度一致的’。只有实现普遍交往和全球化，‘单个人才能摆脱种种民族局限和地域局限而同整个世界的生产（也同精神的生产）发生实际联系，才能获得利用全球的这种全面的生产（人们的创造）的能力’”[②]。这里要指出的是，马克思全球化理论与西方新自由主义全球化理论不同。马克思运用唯物史观、科学的政治经济学理论揭示资本主义时代以来全球化进程的起源、动力、本质、过程特征、前景等，具备深刻的历史穿透力，而新自由主义则从西方垄断资本的立场出发，极力推崇市场力量，把市场力量绝对化、神圣化，掩饰在现实全球化进程中的资本诉求和矛盾冲突。[③]相较而言，马克思全球化理论是我们观察和说明当代全球化问题强有力的思想武器。

马克思全球化理论为全球教育治理研究提供了理论基础，全球教育治理必须以对世界市场和世界历史的客观准确把握为基础，深刻认识全球化在世界市场及世界历史形成方面的表现，才能有针对性地开展全球教育治理研究。

（二）人类共同体理论与全球共同体理论

从政治思想史角度看，“共同体”这一概念源于亚里士多德。他在《政治学》开篇中把共同体界定成为达到某种共同“善”而形成的关系组合。亚里士多德的城邦思想是人类共同体的理论雏形，德国社会学家费迪南·滕尼斯关于共同体的基本论述则是该理论最早的完备表述，他认为，共同体是基于如情感、习惯、记忆等自然意志形成的一种社会有机体。共同体包括血缘共同体、地缘共同体和精神共同体等三种不同的结合形式。在中国，共同体

① 马克思，恩格斯．马克思恩格斯选集：第 1 卷［M］. 北京：人民出版社，1995：234.
② 郑继江．马克思的现代化视野考察［J］. 当代世界与社会主义，2008（2）.
③ 董金明．马克思全球化理论与西方新自由主义全球化理论之比较［J］. 理论月刊，2006(1).

理论则是以儒家文化为核心的传统伦理为基础，最终形成伦理本位的社会，构成了传统中国社会共同体的生存之基。[①]共同体的成员之间应该有共同的情感、信仰和政治归属等。作为共同体要素之一的信仰，更是人类共同体赖以存在的精神基石。人是社会动物，社会性是人类的基本属性之一，人类不仅简单地生活和消费，还需要共同的精神生活和社会交往，这就形成了共同体的追求。现代管理学之父彼得·德鲁克曾说："在历史上，共同体是人们命中注定的东西。在后资本主义的社会和政治体制中，共同体则必定会成为人们为之献身的东西。"[②]从他的论述中可以看出，共同体是社会发展的必然趋势和共同选择。共同体理论为我们认识人类共同体提供了思想源泉。

人类共同体具有共同性、共在性、共生性和共意性等属性和特点。人类共同体理论认为，生活具有共同性，共同性是人类存在的基础和前提。在这里，"'共'指的是主体或事物的聚积、集中、结合，它强调的是多元主体或多种多样的事物在特定时空条件下'在一起'的存在状态。'同'即聚积、结合起来的人或事物所具有的同质性，如活动的同质属性、同质内容、同质目标和同质要求，同质的文化精神特质或相同的价值追求等"[③]。共同性既表现在共同体活动过程中，也表现在共同体的内部关系和内部属性上。共同体活动如共同的劳动、生活、学习等，共同体内部关系与属性则表现为共同的历史文化传统、心理特质、价值观和信仰等。在这些因素中，信仰是人类共同体的基石，它是人类灵魂内所具有的品质与外力相互作用而产生的一份执着，它包含敬畏、情感和理想三个因素，它构成了共同体的基本要素。人类共同体的第二属性是共在性，它是指同时在场性，即多元主体共同存在于同一特定的时空条件下，是人类存在的基本特性，人与人、人与自然、人与社会之间是交互性的存在关系，这种联系和依存都成了共在性。打破其中任何一种交互关系，都会造成失衡和失序，从而引发共同体内部的混

---

① 韩洪涛．走向实践的社会共同体及其构建路径［J］．求索，2010（8）．

② 彼得·德鲁克．社会的管理［M］．徐大建，译．上海：上海财经大学出版社，2003：116．

③ 胡群英．共同体：人的类存在的基本方式及其现代意义［J］．甘肃理论学刊，2010（1）．

乱。人类共同体的第三个特性是共生性，表现为不同物种之间的相互依存，人类之间的相互依存、交往，具有本源性、自组织性、平等性和开放性的特点，以此实现各种要素之间的良性共生。人类共同体的第四个特性是共意性，即人与人之间具备的共同意识，对共同关切的问题达成的共同认识、观念、主张、情感及意志等。上述四种特性是人类共同体的基本属性，为人类的共生共存、和谐发展提供了基础。

全球共同体理论认为世界是一个相互联系的有机整体，每一个国家都有义务为重建世界的有机整体生态系统承担相应责任。“只有在全球人类共同体的协同努力下，人类赖以生存的地球才能永续发展，‘共同福祉’的蓝图才能真正实现。”[①]环境哲学认为应从人类共同体向生态共同体转变。人类应把自己当作人、自然和社会整体的一部分，这就意味着人必须从自然的征服者转变为生态共同体的平等公民。[②]人类与自然之间形成有机生态共同体，人与人之间、人与自然之间的共同依赖，构成全球共同体的存在基础。

（三）全球公共产品供给理论

公共产品也称公共物品、公共商品、公共品，是指用于满足社会公共消费需要并同时具有非排他性和非竞争性的产品或服务。非排他性是指在技术上不能将拒绝为该产品支付费用的个人或者厂商排除在公共产品或服务的受益范围之外。非竞争性是指某一个人或厂商享用公共产品或服务的同时，并不排斥和妨碍别人或别的厂商享用，而且也不会降低其他人或其他厂商享用该种产品的数量和质量。[③]全球化是一把双刃剑，在推动世界经济发展的同时，也给世界带来了诸多严峻的挑战，出现了很多主权国家无法独自解决的问题，在此背景下，国家公共产品的概念逐步演进，全球公共产品的概念应运而生，成为20世纪90年代以来在国际政治经济关系中备受关注的方面之一。外国学者Inge Kaul等人的Global Pulic Goods：International Cooperation in the 21st Century一书给全球公共产品的定义是：一种产品如果它具有消费

---

① J. 柯布，庞宇哲 . 走向一种建设性后现代的生态文明［J］. 马克思主义与现实，2016(4).

② 吴娟 . 从人类共同体走向生态共同体［N］. 中山日报，2008-04-28（A05）.

③ 赵建国，吕丹 . 公共经济学［M］. 北京：清华大学出版社，2014：51-53.

上的非竞争性和受益上的非排他性，那么它事实上就是公共产品。并且如果它能使所有国家、人民和各代人都受益，就是全球公共产品。它具有消费、决策和净收益分配的公共性三种特征。[①]许航敏对国家公共产品和全球公共产品进行了区分，主权国家范围内的公共产品称为国家公共产品，受益范围超过一个以上国家边界的公共产品称之为全球公共产品。与国家公共产品的可见性相比，全球公共产品形态更多是制度和协调机制等无形产品，但这些无形产品发挥的功能和作用要远远大于有形公共产品。[②]杨昊在借鉴全球公共物品传统分类法的基础上，根据国家供给的决策过程的差异，将全球公共物品供给区分为主动供给、被动供给和无意识供给三类；根据供给动机的差异，主动供给和被动供给又可依照积极和消极的向度各自区分为两类，不同种类的公共物品供给在实践中表现出不同的供给特征。该分类法将国家特征、外交互动和国际观念同公共物品的特性有机结合，并建立在国家实践经验的基础之上，有助于从国际关系的角度展示国家在何种情况下愿意为全球公共物品供给作出不同程度的贡献，而非始终是搭便车者。该分类法为推动国家治理和全球治理的协调、探索通过全球公共物品的供给以实现全球治理提供研究的基础和分析的起点。[③]

全球公共产品供给理论作为全球治理理论的重要组成部分，为全球化背景下的全球治理提供了公共产品层面的理论基础，为全球治理视域下的主权国家、国际组织、个人等主体的国际合作建构了行为模式支撑，也为中国参与全球教育治理奠定了理论基础。

（四）教育治理理论

“治理”一词英文为governance，与“统治”government相区别。随着全球化时代的到来，人类社会的经济、政治、文化等活动发生了深刻变化，由政府主导的统治模式已经不能适应社会发展趋势的要求，为此，统治要向治理转变。“与统治不同，治理指的是一种由共同的目标支持的活动，这些

①② 许航敏．全球公共产品：演进的公共产品理论［J］．地方财政研究，2007（4）．
③ 杨昊．全球公共物品分类：外交决策的视角［J］．世界经济与政治，2015（4）．

管理活动的主体未必是政府，也无需依靠国家的强制力量来实现。”[①]统治向治理的转变，必然导致追求善政向追求善治转变。

在教育领域，“教育治理是指国家机关、社会组织、利益群体和公民个体，通过一定的制度安排进行合作互动，共同管理教育公共事务的过程。”[②]教育治理理论认为，教育治理主要体现为教育事务参与主体的多元化，多主体共同管理、合作管理，其目标是追求教育善治，即“好教育”，最终通过治理实现高效、公平、自由、有序的教育新格局。“好教育”表现为教育的各种利益主体的权益得到广泛关注，教育立法、教育决策等得到充分讨论与论证，体现出民主、科学、客观、法治的特征。国家机关、社会团体、学校、个人之间是一种相互妥协、合作共赢的关系。随着社会进步和教育发展，教育管理面临新的挑战和机遇，教育治理以其优越性及适切性，正逐步得到政府及有关部门的重视。

综上所述，马克思全球化理论、人类共同体理论与全球共同体理论、全球公共产品供给理论、教育治理理论均基于全球化背景，围绕人与人之间的关系来探讨观点。全球教育治理研究以马克思全球化理论、人类共同体理论与全球共同体理论、全球公共产品供给理论、教育治理理论作为理论来源与基础，在研究中充分整合、应用上述理论的精髓，同时结合全球教育治理的发展趋势与特征，适时总结提炼出有针对性、有解释力的新理论，最终构建具有实践性及中国底色的全球教育治理研究理论体系。

五、全球教育治理研究的方法与路径

（一）全球教育治理研究的方法

文献分析方法。文献主要包含各种出版物和非出版物。文献分析是通过文字材料获取与主题有关的历史、现实和学术研究的客观、真实情况的重要方法。研究者应用文献分析法可以进行外部分析、内部分析和可靠性分析。外部分析主要是对文献的基本情况进行分析，包括文献的类型和形式、文献

① 俞可平．全球治理引论［J］．马克思主义与现实，2002（1）．
② 褚宏启．教育治理：以共治求善治［J］．教育研究，2014（10）．

的作者、文献建立的目的、文献来源及记载内容的可信度、文献的社会作用及相关评价。内部分析主要是对文献的基本结构、内容和思想意义的分析，包括文献的全部内容，描述的事实，作者的态度、立场和价值观。可靠性分析主要是对文献自身的真实性和文献内容的真实性进行确证。[①]进行全面的文献调研是全球教育治理研究的基础性工作。研究者通过阅读丰富的文献资料，开展基于各种要素的统计和分析，借以把握与全球教育治理相关的特定主题或问题的研究现状、研究脉络、研究趋势等。研究者通过查阅一次文献和二次文献，掌握全球教育治理研究的原始资料及分析资料，包括外文资料和中文资料，对此类文献进行深入认真的整理、分类、归纳、分析、比较和研究。研究者查找全球教育治理研究的文本、文件，搜集全球各主要国家教育治理研究的相关历史文献和政策文献，具体有原始文档、论文、著作、报告，根据需要可以拓展到图片、影音资料等，为后面的分析比较作准备。

历史分析方法。历史分析方法是唯物史观和唯物辩证法在史学研究中的具体运用，即运用历史主义的原则，分析研究历史，从历史的联系出发，将有关历史内容置于特定的时空条件下进行分析，从而揭示历史运动的自然过程、本质及其规律。[②]历史分析方法是马克思主义史学方法论之一。历史分析方法需要研究者用全面、发展、变化的观点去看待历史，这是历史分析的基本要求；把特定、具体的历史人物和现象放到一定的历史范围内进行分析研究，具体问题具体分析；把具体历史内容作为运动的历史发展过程进行分析，分析其在历史上产生、发展、演变的整个过程，研究其发展的各个要素及其相互联系；通过历史发展的相互联系研究问题，实事求是地看待历史。事物的本质、内在联系总是隐藏在复杂的现象背后，从典型入手是正确认识历史的关键。在研究历史问题过程中，要善于抓住典型，从典型事例出发，把握住主流与规律。把具体历史内容作为统一的、联系的、有机的整体进行分析，从而发现其内在的本质和规律性，不能把具体历史内容抽象化、孤立

① 李方 . 现代教育研究方法［M］. 广州：广东高等教育出版社，2016：175-176.
② 陈建远 . 社会科学方法辞典［M］. 沈阳：辽宁人民出版社，1990：242.

化。[①]需要注意的是，历史分析方法是通过分析历史过程去表现历史的本质和规律，而不是应用理论和概念。因而，由历史分析方法所形成的认识具有生动具体的特点，但也包括大量的偶然因素，还需应用逻辑的方法进一步上升为概念和理论。全球教育治理领域需要运用历史分析的方法开展研究。研究者通过对全球教育治理的历史进行分析，梳理全球教育治理的历史演变过程及其主要发展阶段、背景，主要从经济、政治、文化传统等方面探寻深层次的全球教育治理发展的原因、过程与动力。把全球教育治理进程中的典型人物、事件和现象放到特定的历史时空中进行分析，明确世界历史进程对全球教育治理的影响，用全面、发展和联系的历史观看待全球教育治理的演变，进而判断全球教育治理的发展趋势和规律，给中国及其他国家或组织的全球教育治理提供经验及启示。

比较分析方法。比较是人类认识客观事物和社会现象的一种重要手段，是分析客观事物和社会现象时最为基本的定性分析方法。比较是发现事物间异同、寻求共识的重要方法。比较分析是把两类或两类以上客观事物、社会现象进行对比，进而确定它们之间的相同点和差异点的一种逻辑分析方法。[②]具体而言，比较分析方法需要把比较对象进行分类，归纳其共同点，寻找共同属性，即一致性和相似性；分析其差异性，针对不同事物和社会现象之间存在差异的特点进行深入分析，得出不同的结论。比较分析方法对预测社会发展与变迁趋势起着重要作用，因为差异可以引起社会变迁的发生。运用比较分析方法时需要注意比较对象的可比性、比较标准的恰当性、比较方法的互补性、比较内容的全面性。全球教育治理研究可以通过横向比较分析，根据同一标准对同一时间的有关国家、国际组织、非政府组织等行为主体的全球教育治理的理念、方式、行为等要素进行异同分析比较；通过纵向比较，对全球教育治理在不同时期、不同发展阶段的特点进行异同比较分析。研究者对重要国际组织、各国教育智库及中国参与全球教育治理的理念、方法和路径进行比较分析，从而发现全球教育治理的基本规律和内在动

① 吕锡生．历史认识的理论与方法［M］．南京：南京出版社，1990：249-255.
② 谢俊贵．社会调查理论与实务［M］．北京：清华大学出版社，2014：270.

力，为中国参与全球教育治理提供启示和借鉴。

实证研究方法。实证研究方法与规范研究方法相对应，它是按照一定程序性的规范进行经验研究、量化分析的研究方法。实证研究方法可以大体分为三类，即定性研究、定量研究和定性定量结合的混合研究。实证研究方法是对社会现象进行定量分析的一种方法，用数据说话，揭示各种社会现象及其相互间的本质联系。实证研究方法是以科学理论为基础，以准确、完整、可靠的数据作保障，基于计量经济学的分析方法。实证分析方法的基本流程包括确定研究选题、理论推导并提出研究假设、数据收集与实证研究设计、提出研究结论。研究者可以从以下三个方面提出结论：一是本研究对该领域的理论有什么边际贡献，可能修正了既有理论，也可能推进了既有理论的发展；二是本研究对解决社会实际问题有什么价值；三是本研究在理论和方法上存在哪些不足，未来可能继续研究的内容有哪些。[①]在全球教育治理研究中，实证研究方法要通过对全球教育治理的主体、对象、现象等提出研究理论假设，进行相关教育数据收集、调查、分析，运用相关数据、资料对参与全球教育治理的主体的治理成效进行客观分析、评价，得出结论并提出新的理论。该方法对我们客观、科学地认识全球教育治理具有重要作用。

上述研究方法需要针对全球教育治理研究具体的问题、内容进行选择与取舍，在研究的不同阶段也可以对应使用不同的研究方法，或者几种研究方法组合融合。如研究的前期需要大量应用文献分析方法，中后期比较分析方法会涉及更多。对涉及全球教育治理的历程等问题则需要使用历史分析法，对全球教育治理的现实问题、成效评估等则需要实证研究方法的支撑。

（二）全球教育治理研究的路径

研究路径是指为达到一定研究目标而采取的路线、方法的总和。全球教育治理研究的基本路径是规范研究和实证研究，以及二者的结合。规范研究为理论的创建提供研究框架和思路，实证研究则为理论创建提供支持和依据。规范研究主要解决应该是什么的问题，实证研究主要解决是什么

① 深圳市国泰安信息技术有限公司．实证研究指南［M］．北京：经济管理出版社，2014：117.

的问题。

在全球教育治理研究层面，规范研究主要是通过文献分析、历史分析、比较分析等方法来明确全球教育治理的基本问题。既要研究全球教育治理的程度和范围，也要研究全球教育治理的各种表现形式。如全球教育治理的缘起、意义、现状，全球教育治理的基本理论、历史发展脉络，民族国家、国际组织、智库等从事全球教育治理的基本理念、实践及经验、教训等。研究者可以对各行为主体参与全球教育治理活动的重要原始文献、报告、数据、资料等进行收集整理，归纳分析，以此建构全球教育治理理论的基本框架。这些活动包括组建全球教育治理机构，发起全球性教育运动和倡议，发布宪章、宣言、规则，设立国际教育标准与指标体系，开展全球性教育评估，提供教育援助等。通过历史分析，明确各行为体在全球教育治理进程中的发展历史、地位、作用及变迁。通过比较分析，清晰辨识全球教育治理的发展趋势与规律。全球教育治理的实证研究主要是通过对各行为体参与全球教育事务进行观察、田野调查、访谈、数据收集等，以数据和证据为依据，明确重要国际组织、国际知名教育智库参与全球教育治理的具体方式及途径等，进而得出全球教育治理相关问题的基本结论及政策建议，为中国及其他国家或组织参与全球教育治理提供借鉴和参考。

第一章　全球教育治理的概念、历史与前景

随着全球化进程的加快，全球治理成为国际政治关系领域的热点主题，教育作为影响世界发展的重要议题，也日益受到众多主权国家、国际组织、专家、学者的关注与重视，全球教育治理逐渐成为全球化进程中绕不开的存在。辨析全球教育治理的概念，梳理其历史演变，展望其发展前景，对我们开展全球教育治理及相关研究具有重要的理论价值及现实意义。

第一节　全球教育治理的基本概念与历史演变

一、全球教育治理的基本概念

“治理”在汉语中有着悠久的历史，根据《说文解字》的解释，“治”是水的名称，引申演化为整治、修治。《说文解字》云：“理，治玉也。”《说文通训定声》：“理，顺玉之文而剖析之。”“治理”在中国传统文化中具有顺时、顺势而为之意。《道德经》云：“上善若水。水善利万物而不争，处众人之所恶，故几于道。居善地，心善渊，与善仁，言善信，正善治，事善能，动善时。夫唯不争，故无尤。”由此可见，水以“善”作为终极追求，水的特性最能代表治理达到的“善”的境界，也就是“善治”。“善治”是一种理想状态，在现实社会中，能实现“和谐的秩序”就是善治。善治包括四个要素：秩序性、参与性、成本性和稳定性。秩序性是指善治首先要有良好的秩序；参与性是指良好的秩序是通过公民民主参与实现的；成本性是指能够以较低的成本实现公民民主参与下的良好秩序，即以低成本实现

善治；稳定性是指在公民民主参与下以低成本实现的良好秩序是稳定的、可持续的。[①]通过这四个要素的把握，追求实现“最适宜的善治”，比追求“最优善治”更切合实际。

随着社会发展，“治理”被引申为政治权威通过权力运作使“乱”的状态变成“治”，即有序的状态。在英语中，“治理”与governance对应，自20世纪90年代以来，这个词已经超越传统的“统治”“管理”的含义。全球治理委员会于1995年发布的《我们的全球之家》研究报告，最先对治理话语进行了知识边界的勘定。该报告认为：“治理是各种公共和私人的机构管理其共同事务的诸多方式的总和。它是使相互冲突的或不同的利益得以调和并且采取联合行动的持续的过程。这既包括有权迫使人们服从的正式制度和规则，也包括各种人们同意或以为符合其利益的非正式的制度安排。”[②]这个界定体现出治理的多元性、公共性特征。

研究治理理论的权威人物格里·斯托克提出治理有五个内涵：一是意味着一系列来自政府但又不限于政府的社会公共机构和行为者；二是意味着在为社会和经济问题寻求解决方案的过程中存在着界限和责任方面的模糊性；三是明确肯定了在涉及集体行动的各个公共机构之间存在着权力倚赖；四是意味着参与者最终将形成一个自主的网络；五是意味着办好事情的能力并不限于政府的权力，不限于政府的发号施令或运用权威。[③]通过格里·斯托克对“治理”概念的阐释，我们可以看出治理涉及多主体、政府角色的转化、公共机构参与的特点，同时也存在责任、权力界限模糊等问题。

“全球治理”概念最早由勃兰特于1990年系统提出。在2008年国际金融危机之后，“全球治理现代化”的理论、价值、目标及其路线设计的研究讨论被提上日程。全球治理本身是一个协商过程，是一个参与和身份重塑的过程，要真正改变全球治理失灵现象，就需要以多元主义的世界观、以伙

---

① 邓大才．走向善治之路：自治、法治与德治的选择与组合——以乡村治理体系为研究对象［J］．社会科学研究，2018（4）．

② The Commission on Global Governance. Our Global Neighborhood：The Report of the Commission on Global Governance［M］. Oxford：Oxford University Press，1995：1.

③ 俞可平．全球化：全球治理［M］．北京：社会科学文献出版社，2003：5.

伴关系的思维方式、以参与治理过程的实践活动建构起一种真正的全球身份认同。

在全球治理理论的蓬勃发展趋势之下，全球教育治理理论作为解释全球范围内普遍存在的教育实践，指导解决全球教育问题的重要理论，也引起了学术界的关注和研究。

史蒂芬·J.克勒斯认为，当今全球教育治理，几乎发挥支配作用。最有力的证据是全球教育政策的一致性，包括私有化的快速形成，对测试和测量的强调，对阅读、写作和算术的关注，以及关于教育质量比教育机会重要的各种表达。①当前，双边和多边机构的机制也具有同质化的趋势。黑田一雄分析了全球教育治理的四个维度：一是通过国际法、国际公约和宪章，制定全球治理的原则；二是开发和提出新的在国际范围内有影响力的概念；三是通过国际会议上的政策对话建立国际政策共识，并制定合作框架；四是设立国际指标和标准并进行执行监测。②他指出，全球教育治理对发展中国家有积极作用，如全民教育计划的开展对许多发展中国家产生了积极效应，但同时也存在负面影响。在宗迪恩世界全民教育大会之后，非洲国家马拉维立即接受了普及初等教育的全球政策主张，并实行义务教育。结果，却因为初等教育入学人数激增导致教育质量严重下降。这个案例表明，发展中国家不顾实际，盲目采纳国际教育政策也会出现问题。鉴于此，有必要保证发展中国家政府、公民社会、教育工作者积极参与到全球治理的规划过程中，并向国际社会传达其教育的需求和观点。为此，国际社会必须确保设计出合适的过程，同时还应积极推进区域治理，因为发展中国家相对更容易参与区域治理的规划过程。区域治理更能适应发展中国家的国情，它不仅能够作为对全球治理的补充，还能对全球治理的控制起到制衡作用。此外，发展中国家在制定、实施其国家教育政策的过程中，必须考虑选择性地使用全球教育治理方法。

---

① 史蒂芬·J.克勒斯．全球教育治理：怎么治理，为什么要治理以及为了谁而治理？［J］．国际教育政策研究与合作通讯，2014（12）．

② 黑田一雄．全球教育治理的四个维度及其对发展中国家的影响［J］．国际教育政策研究与合作通讯，2014（12）．

莎拉·菲德内尔则对当前通过数字技术进行全球教育治理的趋势提出了质疑，2012年至2013年，她对贝宁东北部一所乡村小学进行了为期一年的人类学研究，发现有些通过考试的学生仍然无法用法语进行读写，从而说明当前教育系统质量指标的考试结果并没有反映贝宁小学生实际的知识水平和能力。①西蒙·麦克格拉斯提出全球技能发展治理碎片化的观点，认为联合国下属的教科文组织、国际劳工组织以及欧盟的力量分散，全球教育治理议程中，技能发展处于边缘位置。②

胡丽娟、严凌燕认为，从全球视野来看，教育治理新形态必将给教育领域带来如下变化：第一，治理主体多元化。教育公共事务不仅仅由政府承担，大量非政府组织、社会中介组织、家长、学校等都共同承担着教育公共事务治理的责任，多元共治的趋势愈发明显。第二，治理结构从等级制向网络化转变。政府、学校和社会等主体形成一个多元化的网络联盟，引发的是权力的重新调整和角色的重新分工，各方主体都应采取互动方式，相互协作，共同参与，共同协调不同主体的价值追求和利益诉求，实现相互补充和统一。第三，治理方式从公私对立走向公私合作。越来越多的非营利性组织、私营企业加入到教育治理的团队当中，为教育事业的发展提供技术支持、资金支持和政策指导。第四，治理手段从命令和控制向协商转变。教育治理更多地是强调各个主体之间的自愿平等合作。她们指出治理主体、治理结构、治理方式和手段要适应全球化背景的新变化。③

在全球教育治理概念的界定上，中国联合国教科文组织全国委员会秘书长杜越认为："全球教育治理是国际社会各行为体通过协调、合作、确立共识等方式参与全球教育事业的管理，以建立或维持理想国际秩序的过程。全球教育治理的有效实施一方面有赖于各治理主体的成熟与发展，另一方面则

① 莎拉·菲德内尔．通过数字进行全球治理？来自地方的观点［J］．国际教育政策研究与合作通讯，2014（2）．

② 西蒙·麦克格拉斯．全球技能发展治理的碎片化［J］．国际教育政策研究与合作通讯，2014（12）．

③ 胡丽娟，严凌燕．国际视野下的教育治理创新与发展动态［J］．教育发展研究，2015（8）．

在于富于创新性的治理机制的产生和培育。”[①]阚阅等认为，全球教育治理是全球化时代在政府间国际组织推动下得到全面发展的一种特殊现象。[②]这些对全球教育治理的理解与界定，均认为全球教育治理基于全球化背景，多主体参与，且以国际组织为主，以协商合作为主要方式。

通过对学术界有关全球教育治理概念的梳理，我们认为全球教育治理是指主权国家、国际组织、跨国公司等行为主体，通过正式的制度和非正式的安排，运用参与、对话、协商、谈判等形式，在自愿、平等、互利的前提下，共同管理国际教育公共事务，以应对共同面临的时代挑战，达到全球范围内的好的治理效果。全球教育治理的目的是实现全球范围内的教育善治。目前，全球教育治理正朝着治理主体多元化、治理方式多样化的方向发展。全球教育治理应秉持“共商、共建、共享”理念，构成加强全球教育治理、推进全球教育治理体系与治理能力现代化的系统链条，三者缺一不可。

二、全球教育治理的兴起、发展与演变

教育属于人类生存的基本需求，受教育权是人类的基本权利之一。教育在全球范围的发展，涉及人类的基本需求和利益，世界各国面临的教育问题趋于全球化，单独依靠一国或某几国及组织已难以彻底解决这些问题。“教育政策不再是哪个民族国家的责任或事情，事实是国家教育体系的工作正在跨越区域或全球范围进行再协调。就传统而言，教育活动被视为国家独有的，甚至是神圣不可侵犯的主权领域。而今天不可否认的是新的变化正在发生，教育与超国家力量的联系愈加紧密。”[③]各国及国际组织等机构之间需要相互合作交流，共同制定及遵守规则，以寻求解决问题的方法和途径。随着全球治理理论及实践的兴起，教育领域的学者也开始逐渐关注全球治理概念及理念在教育领域的应用。全球教育治理为解决人类面临的基本教育问题提供了治理理念和工具。

①③ 杜越．联合国教科文组织与全球教育治理［J］．全球教育展望，2011（5）．
② 阚阅，陶阳．向知识银行转型——从教育战略看世界银行的全球教育治理［J］．比较教育研究，2013（4）．

20世纪以来，政府间国际组织兴起，联合国教科文组织、世界银行、经合组织、欧盟等国际组织的成立与发展，加速了全球教育治理的进程。这些国际组织通过协调众多会员国制定各种教育相关的公约，设定教育议程，召开以教育问题为主题的大型国际会议、论坛，发表共同宣言，推动世界各国的公共教育政策制定及实施，促进教育发展与变革。以国际组织为例，联合国教科文组织从成立至今，发布了诸多具有全球影响力的报告和宣言。其中，三大报告《学会生存：教育世界的今天和明天》《教育——财富蕴藏其中》《反思教育：向"全球共同利益"的理念转变？》引领了全球教育价值的趋势。联合国教科文组织已具备制定全球教育议程、教育规则，并实现世界教育运行规则的能力，而且这些政策正在形塑世界各个国家公共教育政策的未来走向。经合组织实施的PISA测试，成功干预了各国对基础教育的认识，并对各国教育政策的制定产生了重要影响，促进各国提升教育公平和质量；推动各国设置或修订课程标准，许多国家都根据PISA的能力框架设置或修订本国的课程标准；PISA测试促使各国更加重视绩效目标，很多国家都设置了PISA测试的绩效目标，以此促进本国教育质量的提升。[①]世界银行的教育援助项目已对全球许多国家的教育发展规划、教育政策、高等教育、职业教育和学前教育等领域产生了积极的推动作用。以国际组织为代表的诸多教育治理参与主体将在全球教育治理领域发挥越来越重要的作用。

进入21世纪，伴随着网络、信息技术的迅猛发展，全球化进程提速，民族国家、国际组织、公民组织和跨国公司四者在全球教育治理中发挥越来越重要的作用。与此同时，世界知名智库，如卡耐基教学促进基金会、布鲁金斯学会、兰德公司、澳大利亚教育研究委员会等机构也利用其在教育政策研究与咨询领域的独特优势，积极参与世界各国的教育治理，涉及多国教育项目，形成了自己的全球教育治理网络与体系。

在全球层面，2015年9月25日—27日，正值联合国成立70周年，169个国家的领导人齐聚联合国总部，通过了《2030年可持续发展议程》，制定了未来15年新的全球可持续发展目标。在教育方面，列出"确保包容和公平的

① 郤江波 . PISA 与全球教育治理：路径、影响和问题 [J]. 全球教育展望，2016 (8) .

优质教育，让全民终身享有学习机会”的目标。在此基础上，联合国教科文组织又通过了《教育2030行动框架》，并发布了具有里程碑意义的报告——《反思教育：向“全球共同利益”的理念转变？》，清晰地勾勒出2030年全球教育的未来蓝图。“共同利益”是联合国教科文组织“教育2030框架”新定义的内涵，从这一新理念出发，全球教育治理将呈现出与以往不同的格局，教育成为全球实现可持续发展的核心和关键。①

经合组织发布的“2030年教育计划”指出，未来教育将在下述各方面发生变化：教育目标与课程，学习模式，教学模式和教师教育培养模式，学习与教学，学生成果的预期等。②欧盟对联合国《2030年可持续发展议程》作出了积极回应，于2017年6月26日发布了《欧洲发展新共识“我们的世界，我们的尊严，我们的未来”》报告，指出“为了青年就业和长远发展，优先确保所有人能接受优质教育。欧盟及其成员方支持包容性终身学习，支持公平优质教育，特别是儿童和小学阶段；还将提升中等和高等教育、技术和职业培训，以及基于工作、紧急和危机情况下的成人学习；特别注意增加女童和妇女受教育和培训的机会。欧盟成员方将加紧努力，确保每个人都具备知识、技能和能力，有享受有尊严生活的权利，作为负责任、工作效率高的成年人充分地参与社会，并为社会、经济和社区的环境健康作出贡献”③。当前世界充满各种矛盾，政治动荡变幻，科技日新月异，经济日益全球化，社会变革加速，人类对教育人文性及人全面发展的持续追求和探索，促使全球范围内的国际组织都在积极寻求改革教育的理念及手段方法，发展优质教育，以应对社会的发展，体现出参与全球教育治理的主动态势。

三、全球教育治理的意义

在全球化背景下，全球教育共性问题的存在是全球教育治理兴起的现实

---

① 周洪宇，徐莉．联合国教科文组织教育2030框架对中国教育现代化2030的启示［J］．河北师范大学学报：教育科学版，2017（9）．

② 袁振国．2030，世界教育的首要话题［N］．中国教育报，2017-06-28（5）．

③ THE NEW EUROPEAN CONSENSUS ON DEVELOPMENT “OUR WORLD，OUR DIGNITY，OUR FUTURE”［EB/OL］．［2017-10-30］https://ec. europa. eu/europeaid/sites/devco/files/european-consensus-on-development-final-20170626_en. pdf.

基础和逻辑起点，全球教育治理为全球性教育问题的解决提供了理念及工具。儿童早期教育、贫困儿童教育、女童教育、职业教育、高等教育、全民教育、终身教育、创新教育等一定程度上都具有共性，可以通过全球教育治理进行协调。环境保护、人类和平共处等领域均可以纳入全球教育治理范畴。全球教育治理为全球教育的协调发展，消除贫困，提升人类生活质量，促进世界的和平与繁荣提供了可能性。

各国也可以从全球范围内吸收和借鉴他国教育实践经验。发达国家许多有益的经验可以为发展中国家提供借鉴。发展中国家之间的教育实践、经验也可以互相借鉴吸收。

第二节　全球教育治理的前景、途径与原则

一、全球教育治理的前景

纵观人类发展史，科学技术变革始终是推动人类社会持续向前的原动力，推动着人类从一个历史阶段迈向另一个新的阶段。人类从农耕文明步入工业文明后，已先后经历了三次工业革命。每一次工业革命都促进了生产力的巨大发展，引起了社会关系的重大变革，对世界格局产生了深远影响。

进入21世纪，以互联网为基础的大数据、人工智能、云计算、区块链、纳米技术、生物技术等前沿技术不断取得突破，且呈现前所未有的交叉融合，推动科技迅猛发展。这些因素的综合作用，使得第四次工业革命席卷而来。它的最大特点是通过技术全面、深度融合，消除数字世界、物理世界和生物世界之间的界限。与前三次工业革命一样，第四次工业革命即将改变人类社会的发展进程，亦会对世界格局产生深远影响。与前三次不同的是，第四次工业革命发展速度、范围、程度均超越线性增长模式，而呈指数级爆发。人与人、人与物、物与物之间将建立全面的互联互通，数字世界、物理世界和生物世界之间的界限将逐渐消融。可以预见，这将是一场全面而深刻的系统性变革，它不仅会从根本上改变我们的生活、工作方式，以及相互之

间的关系，更会改变整个社会和我们的身份。

经济一体化基础上的全球化伴随着第四次工业革命的到来，让世界产生了内在的、不可分割的紧密联系，世界相互联系、彼此影响日益加深。“第四次工业革命正在颠覆所有国家几乎所有的行业，这些变革将产生极其广泛而深远的影响，彻底改变整个生产、管理和治理体系。”[①]这种趋势促使全球治理兴起，这既表明全球化所诱发的全球性问题的不断积累和威胁，也反映出现存全球性治理体制与机制的局限和不足。一段时期以来，尽管全球化进程中显现的负面影响导致民粹主义抬头，个别地区和国家出现了逆全球化的动向，诸如美国退出各类国际组织及协议，实行贸易保护主义、单边主义政策，英国脱欧等，但全球化仍是未来人类社会发展的主要趋势。全球化进程加速及其对传统主权国家的冲击，是全球治理变得日益重要的主要原因。[②]

全球教育治理是全球治理的重要组成部分，是未来教育发展及演进的趋势之一。全球一体化进程加速，全球性教育问题如教育平等、全民教育、贫困儿童教育、女童教育、难民教育、学习危机、全球公民教育等持续存在且有复杂化的趋势，客观上要求全球教育治理这一理念、方式及行为在世界各国教育领域发挥越来越重要的作用。全球教育治理以民族国家及政府间国际组织为治理主体，积极整合发挥公民社会组织和跨国公司、个人等的力量，通过全球教育事务的共商、共建、共享，最终实现全球教育领域的善治。

全球教育治理是全球化时代人类管理全球教育公共事务的一种管理理念与方式，重点是应对全球性教育问题，通过全球性的教育约束机制与制度规则，提供全球教育公共产品，使得相互间的冲突和不同的利益需求得以调和，目标是实现全球教育公共利益。

联合国教科文组织、世界银行、经合组织、世贸组织、联合国儿童基金会、欧盟、二十国集团、全球教育合作组织等国际组织，以及兰德公司、布鲁金斯学会、卡耐基教学促进基金会、澳大利亚教育研究委员会等全球知名

---

① 克劳斯·施瓦布．第四次工业革命：影响与对策［M］// 钱颖一，等．创新驱动中国．北京：中国文史出版社，2016：305.

② 陈家刚．全球治理：概念与理论［M］．北京：中央编译出版社，2017：1.

智库正逐步介入全球教育治理领域。可以预见，随着超国家组织及机构、世界主要国家及新兴大国的积极参与，全球教育治理的广度和深度将进一步拓展和延伸。重视人力资本、倡导教育平等、发动全民教育、提升教育质量、开展国际评估、统一大学学制、构建学习化社会等将成为全球教育治理的趋势。[①]国际组织提出的教育理念、教育政策倡议、教育规则与标准等，可以成为各民族国家改革教育体系、制定教育政策的重要参照，包括中国在内的世界各国可以吸收借鉴，以此构建或完善适合本国国情的独特教育系统和教育政策体系。

伴随着互联网技术、信息技术的快速发展，借助信息技术、大数据、人工智能的支撑，全球教育治理将变得更为快捷、高效、智能化，全球教育相关数据、资料、信息将实现共享，从而助推全球教育治理的信息化、智能化发展。当然，全球教育治理应在尊重各民族国家的经济政治形态、历史文化传统等因素的前提下进行。

二、全球教育治理的途径及原则

全球教育治理主要是通过民族国家、国际组织、公民组织、跨国公司等多元主体的广泛参与来实现。具体来说，全球教育治理途径主要有：一是设立全球性论坛，开展对话与交流，建立教育共识，为实施全球教育治理搭建平台；二是发布宪章、宣言、条约和协议，制定国际通用教育准则；三是提出新的教育理念，为国际教育指明方向，引领全球教育发展；四是发起全民教育、终身教育、全纳教育等全球性教育运动，推动教育平等的实现；五是设立国际教育指标和标准，建立监测机制，监测全球教育发展；六是组织和开展教育援助，帮助欠发达国家摆脱教育贫困；七是建立国际合作框架，加强国际教育合作。

在参与全球治理的进程中，中国强调公平、包容、有效、问责和能力为全球治理的核心，致力于推动改革和完善全球治理结构和机制，反映国际政治的多极化、世界经济的全球化、国际关系民主化、世界文明多样性的特

① 王晓辉．全球教育治理——国际教育改革文献汇编[M]．北京：教育科学出版社，2008：2.

征，从而成为国际社会负责任的、可预期的建设者、引领者①。中国参与全球教育治理的具体途径包括：积极进行全球教育治理理论知识的生产、储备和共享，在知识领域形成影响力；更加注重在全球教育事务中发挥价值观及理念引领的作用；在自身发展与承担全球教育治理责任之间寻求平衡，既要遵守现有国际教育制度、机制和规则，也要主导适应形势发展的新制度、规则等的建立，更多地体现发展中国家在教育领域的利益；既要注重应用国家的力量，也要注重培育政府间国际组织和非政府组织，为中国参与全球教育治理提供有力支撑，形成合力。

全球教育治理应遵循多元性、包容性、适切性、互动性、前瞻性等原则。全球化不等同于同质化，也不是一个均衡发展的过程，“世界上不同的价值体系有着相互冲突的立场”②，不同的价值体系导致对同一事物或现象的观点不同。理解的多元性反映了人们认识的多元性和思想追求的多元性。在全球教育治理层面，多元性是指全球教育治理应秉持治理的实质，多元主体参与，充分发挥各方主体的优势，共同为全球教育治理贡献力量。“全球教育治理是国际组织和主权国家权力的双向拓展和延伸；全球教育治理的主体将不断朝多元化方向发展，国家机构、政府间合作组织、多国公司、跨国社会运行及非政府组织都将参与进来。”③多元性必然产生差异性，这就需要广泛的包容性。包容性是指求同存异，宽容理解，开放发展的思维，在价值导向上更多地体现出利益公平、机会均等、规则公正、分配公平等共享式发展理念。④具体到全球教育治理层面，是指要具备宽容、理解、开放、公平的观念，能容纳不同主体的价值观及其主张，容纳教育生态多样性的存在，充分尊重不同利益相关者的诉求，而不以某一国或地区的价值观及主张来限制其他国家和地区的教育理念及政策选择。适切性主要是指在全球教育治理实施的过程中，要充分考虑教育政策、教育经验与各国国情的适应性，

---

① 陈家刚．全球治理：概念与理论［M］．北京：中央编译出版社，2017：19.
② 马克斯·韦伯．学术与政治［M］．冯克利，译．北京：生活·读书·新知三联书店，2016：39.
③ 杜越．联合国教科文组织与全球教育治理［J］．全球教育展望，2011（5）.
④ 廖小琴，廖小明．重构人的精神生活［M］．北京：中央编译出版社，2015：279.

充分尊重各国的政治经济状况、历史文化传统等要素，不能盲目照搬他国教育经验。互动性是指全球教育治理应该注重各参与主体的沟通与交流，民族国家与国际组织、公民组织和跨国公司之间的多维互动交流，能确保治理的有效性。教育不仅需要适应，更需要引领。为此，前瞻性是指全球教育治理既要立足现实，又要能超越现实，针对社会发展趋势及未来的可能性，提前制定具有预测性的国际教育规则、教育政策，设置教育议程等，实现全球教育治理的超前性，以引领飞速发展的全球化进程。全球教育治理只有遵循上述原则，才能确保治理方法的恰当运用，确保治理的预期成效，确保治理目的的最终实现。

三、“共商、共建、共享”的全球教育治理观

21世纪，人类发展站在新的历史拐点，世界面临新的挑战与机遇。随着中国融入全球的进程加速，中国在世界的地位作用日益上升，中国参与全球治理及全球教育治理成为一种必然趋势。2013年，中国国家主席习近平首次提出构建人类命运共同体的倡议，此后又不断地进行丰富完善，为人类社会发展提供了新的价值引领。2017年5月15日，习近平在北京举行的“一带一路”国际合作高峰论坛圆桌峰会上指出，“各方秉持共商、共建、共享原则，携手应对世界经济面临的挑战，开创发展新机遇，谋求发展新动力，拓展发展新空间，实现优势互补、互利共赢，不断朝着人类命运共同体方向迈进”①。习近平提出的“共商、共建、共享”的全球治理理念，凝聚了新的国际共识，产生了广泛的国际影响，为全球破解当今人类社会面临的共同难题提供了新理念、新原则与新思路，为构建人类命运共同体注入了新动力与活力，具有深远历史意义与重大现实意义。②“共商”是各国、国际组织、跨国公司、全球公民社会等行为体在平等互信的基础上，对涉及各自利益关切的事项进行平等商议、对话，加强交流，共同确定解决的方案与政策；

① 人民网．习近平谈构建人类命运共同体［EB/OL］.［2019-04-10］. http://cpc.people.com.cn/n1/2018/1017/c64094-30345410.html.

② 陈建中．共商、共建、共享的全球治理理念具有深远意义［N］. 人民日报，2017-09-12(7).

“共建”是国家与非国家行为体在共商的前提下，开展合作，共同参与相关事项的建设、改革与发展；“共享”则是在共商共建的基础上，共同分享建设成效、改革成果，实现互惠互利，合作共赢，共同发展。2017年12月1日，中共中央总书记、国家主席习近平在北京举行的中国共产党与世界政党高层对话会上的主旨讲话指出，“我们要把自己的事情做好，这本身就是对构建人类命运共同体的贡献。我们也要通过推动中国发展给世界创造更多机遇，通过深化自身实践探索人类社会发展规律并同世界各国分享”①。分享中国自身教育改革与发展成功的实践经验与理论成果，本身就是对人类命运共同体建构的贡献。

在参与全球教育治理过程中，中国及各行为体需秉持“共商、共建、共享”的全球教育治理观，构建惠及全人类的全球教育命运共同体。各国、国际组织等行为体针对全球重大教育理念、教育变革、教育规则等进行平等协商，互相交流，拟订解决思路和具体方案。确定思路和方案之后，再根据本国或组织的情况分担全球教育治理的权责，共同参与，共同建设。全球教育治理取得的成果，包括规则标准、理论实践经验、数据库等，应该由各国及各行为体共同分享，最终惠及每一个国家和个体，促进人人享有公平优质的教育机会和资源。

同时，在参与全球教育治理过程中，中国作为全球教育治理体系中的新兴力量，应遵循“全球视野，中国立场，专业能力，实践导向”的基本准则，为实现全球教育善治作出贡献。

全球视野。中国应从世界经济社会发展的大趋势中，在国际教育改革发展的大背景下把握中国教育的战略定位，提出中国参与全球教育治理的战略部署及实施策略。还应依托高水平教育研究，积极参与国际性教育议题的设置、研究和交流合作，推荐知名专家到涉及全球教育事务的国际组织任职，广泛传播中国的教育实践经验和政策主张，增强在国际教育媒体和国际组织平台中的话语权，把中国的教育理念和教育主张有效传播出去。

---

① 人民网．习近平谈构建人类命运共同体［EB/OL］.［2019-04-10］. http://cpc.people.com.cn/n1/2018/1017/c64094-30345410.html.

中国立场。西方国家、众多国际组织参与全球教育治理均有其鲜明的立场，在运作方式、功能作用发挥方式等方面都已积累了较成熟有效的经验。但中国应具有中国立场，尊重中国历史文化传统及基本国情，坚持“四个全面”战略布局，坚持中国特色社会主义方向；要负有国家使命，体现国家利益，创造并形成具有中国特色的理论政策概念或关键词，争取中国的话语权，在国际学术界、教育界占据应有之地。

专业能力。专业能力是参与全球教育治理的重要保障，中国需培养一批在全球教育治理领域既具有理论素养，又有实践经验和能力的专业人员。他们代表着中国参与全球教育治理的水准。中国参与全球教育治理应体现专业精神，展现专业素养，要在一些教育的重点领域形成核心竞争力。

实践导向。实践是检验真理的唯一标准，实践也是让理论变为现实的唯一途径。中国参与全球教育治理，应把中国的优秀理论、经验变为全球教育治理领域的具体实践和行动。中国不仅要为全球提供战略性、前瞻性、思想性和客观性的教育研究成果，还要让中国的理念思想、政策主张变为合作伙伴及国际组织决策的重要参考，变为实际行动，成为全球共识。

第二章　国际组织的全球教育治理

国际组织是全球化进程的产物。它是指三个或以上国家（或其他国际法主体）为实现共同的政治经济目的，依据其缔结的条约或其他正式法律文件建立的常设性机构。国际组织可按主体属性分为政府间组织和非政府间组织，也可按涉及范围分为区域性国际组织和全球性国际组织。政府间国际组织在当今世界发挥着主权国家无法替代的作用。联合国教科文组织、世界银行、经合组织、联合国儿童基金会等国际组织，应用其遍布全球的网络及其特殊的政治地位及影响力，广泛参与全球教育治理，为促进全球教育发展，保障人的受教育权，维护世界和平发挥着积极而重要的作用。

第一节　联合国教科文组织的全球教育治理

一、组织架构与运行机制

联合国教科文组织成立于1946年11月，其全称是联合国教育、科学及文化组织（United Nations Educational, Scientific and Cultural Organization，简称“UNESCO”），是联合国（UN）旗下的专门机构之一。20世纪，人类爆发了两次世界大战，国家之间的政治和经济协议不足以构建持久的和平，和平必须建立在人类道德和智力团结统一的基础之上，以防止新的世界大战爆发。为此，必须考虑教育、科学和文化在构建人类世界和平中的价值。联合国教科文组织就是为了响应这种国家间的坚定信念，努力构建国家间团结一致的网络。[①]组织的宗旨是通过教育、科学和文化传播，于人之思想中建设和平，促进各国间合作，对世界和平与安全作出贡献。[②]

联合国教科文组织下设大会、执行局和秘书处三个部门。大会是组织的主要决策机构，截至2016年7月，由195个会员方和11个准会员的代表组成，一般每两年举行一次大会，通过召开大会审定组织相关计划、预算和双年度方案等事务，投票表决时，无论国家大小或对组织财政预算的贡献程度如何，都有一票的表决权利，即“一国一票”。大会还负责每四年选举一次执行局的成员和教科文组织总干事。[③]执行局负责为大会作准备工作，监督教科文组织各项计划的实施，主要是在大会闭幕期间，依据大会政策制定相应的规则和指示，以此行使管理和监督的职责，每年至少举行两次会议。秘书处由总干事和全体工作人员组成。总干事是本组织的行政首长。他（她）提出落实大会和执行局决定的建议，编制双年度计划与预算草案。工作人员负责实施核准的计划。秘书处是常设工作机构，负责教育、科学、文化和交流等日常事务的计划和行政事务。大会、执行局和秘书处三个部门协调工作，各司其职，共同保障联合国教科文组织的正常运转。教科文组织共有工作人员两千多名（截至2019年8月）。根据目前教科文组织实施的权力下放政策，有近千名工作人员在教科文组织分布在世界各地的办事处工作。

联合国教科文组织信守可持续发展的理念，力求寻找社会、环境和经济三者间的可持续发展整体策略，认为国家的未来不仅由其经济资本或自然资源决定，而且还取决于其通过教育、科学研究和知识的共享来预测和理解未来变化的能力；人们必须依靠创新智慧的力量，寻找新的方法来维护世界和平和可持续发展之路，并拓展视野，以此维系新人文主义的希望。联合国教科文组织的存在是为了创造智慧的生命，这是在所有人内心树立和平与可持

---

① Introducing UNESCO [EB/OL]. [2016-07-04]. http://en. unesco. org/about-us/introducing-unesco.

② 蒋凯 . 教育研究的国际视野——联合国教科文组织教育研究机构的比较分析 [J]. 比较教育研究，2008（1）.

③ Governing Bodies [EB/OL]. [2016-07-04]. http://en. unesco. org/about-us/unescos-governing-bodies.

续发展观念的必要条件。[①]因此，联合国教科文组织也被称为联合国的“智力”机构。

纵观20世纪后半期至21世纪初期的全球教育治理发展历程，我们发现随着全球经济、政治、科技、文化等的不断发展，教育民主、终身教育、全纳教育、终身学习、可持续教育、新人文教育等教育理念及价值取向也在世界教育领域改革浪潮的不同阶段中占据主流，这与联合国教科文组织报告的发布及大力倡导紧密相关。以联合国教科文组织及其下设教育机构为代表的国际教育智库与全球教育价值取向演变之间关系密切，对世界教育变革产生了深刻的影响，凸显出联合国教科文组织在全球教育治理中的重要角色与地位。

二、基本教育理念

人文关怀是联合国教科文组织及其下设教育机构一直秉承的基本理念，主导着教育政策的研究与传播，也由此对世界教育价值取向产生了深远影响。

联合国教科文组织通过一系列下设教育机构贯彻实施其在教育领域倡导的人文关怀基本理念。教育是联合国教科文组织的全球重要事务之一，为保证全球教育工作的开展，促进各成员方的教育发展，联合国教科文组织设置了一系列教育机构，主要包括6个专门机构和2个教育中心，分布在欧洲、非洲、南美洲等区域，它们作为联合国教科文组织教育部门的一部分开展工作，协助各成员国跟踪研究重点关注的教育问题、提供教育咨询与指导、发布教育政策信息等。

---

① Introducing UNESCO［EB/OL］.［2016-07-04］. http://en. unesco. org/about-us/introducing-unesco.

表 2-1　联合国教科文组织教育机构一览表[①]

序号	名称	总部地址
1	国际教育规划研究所	法国　巴黎，阿根廷设有分部
2	国际教育局	瑞士　日内瓦
3	终身学习研究所	德国　汉堡
4	信息技术教育研究所	俄罗斯　莫斯科
5	非洲能力建设国际研究所	埃塞俄比亚　亚的斯亚贝巴
6	拉美及加勒比地区高等级教育国际研究所	委内瑞拉　加拉加斯
7	技术及职业教育与培训国际中心	德国　波恩
8	欧洲高等教育中心	罗马尼亚　布加勒斯特

在上述机构中，历时最长、影响最大的三家机构为：国际教育局、国际教育规划研究所、终身学习研究所。上述教育机构在教育政策研究、教育咨询方面成绩显著，积极全面参与全球教育治理，具备国际教育智库的显著特征。它们发布了对全球教育发展趋势具有重要影响力和引领作用的报告，这些报告把人文关怀贯穿其中，并在不同时期提出与时代特征相对应的教育主张，展现出不同时期的教育理念，切合并引领了全球教育价值取向的演变态势，对全球教育变革方向产生了重大影响。

三、引领世界教育潮流

联合国教科文组织及其下设教育机构是国际组织中参与全球教育治理的典范，其提出的教育理念紧紧跟随时代发展步伐，同时又引领世界教育潮流，不断地为世界各国教育改革及教育政策制定提供最新的知识、理念和策略，通过教育政策研究、咨询、成果传播、开展教育培训等途径，为推动世界教育发展、促进社会及人类文明进步作出了其应有的贡献。在可预见的未来，“人文关怀”仍将是世界教育价值取向的主导方向和各国教育政策制定的立足点。

---

① 根据联合国教科文组织网站内容整理。除上述直属机构外，还有一批二类研究所和中心。

（一）20 世纪 70 年代：倡导教育民主与终身教育

20世纪70年代初，联合国教科文组织发布了《学会生存：教育世界的今天和明天》（以下简称“《学会生存》”）。该报告的发布在全球范围内产生了重要影响，“1972年10月举行的教科文组织第17届会议上，许多国家的代表称赞这本书的出版是教育界的一件大事，并专门通过一项决议，强调该书的重要性。到1974年底，该书已先后被译成33种文字出版，共有39种不同版本”[①]。

该报告首先提出教育先行的理念，推动教育民主。教育民主的价值取向其实质是追求全民教育，即人人享有平等接受教育的权利。该报告“看到了一个国家内部所存在的区域间的教育不平等现象，并对处境不利儿童的受教育状况表示了极大的担忧；它认识到了在平等的教育机会之中应该包含的平等的成功机会，也认识到了民主的教育本身应该拥有一个民主的教育体系”[②]。报告从微观层面关注教育民主化问题[③]。报告指出传统的师生关系是统治与被统治的关系；报告提出要改变学习方式，让学生成为学习的主体。要实现教育的平等和平等的教育，必然要求教育民主先行。这是社会发展到一定阶段的必然选择。

《学会生存》的另一个重要主张是终身教育。终身教育这一概念是由法国的保罗·朗格朗率先提出的，他著有《终身教育引论》一书，该书是世界公认的终身教育理论的代表作，已被译成20多种文字在世界各国出版，在世界范围内引起了巨大反响。《学会生存》把终身教育作为世界各国制定教育政策的指导思想。值得注意的是，在该报告中，终身教育不是一个教育体系，而是一个基本原则，教育系统的建立应该贯穿终身教育的原则。该报告认为终身教育是为学生未来生活和工作做准备。终身教育的提出对全球教育

---

① 侯怀银，赵苗苗．《学会生存》在中国的引进及其影响［J］．山西大学学报：哲学社会科学版，2010（5）．

② 张国霖．教育的理想与理想的教育——从《学会生存》到《教育——财富蕴藏其中》［J］．当代教育科学，2003（12）．

③ UNESCO. Learning to Be: The World of Education Today and Tomorrow［M］. Paris: United Nations Educational，Scientific and Cultural Organization，1972：3-23.

改革以终身教育为导向起到关键性作用，尽管到目前为止，终身教育在各国的实施状况参差不齐，但其理念已成为全球教育治理的必选项。在终身教育理念逐渐普及的过程中，终身学习研究所做了大量的调查研究工作。因此，“在把成人教育和终身教育纳入规划方面，无论是最初在欧洲，还是后来在全球范围内，终身学习研究所都发挥了先驱作用”①。

（二）20世纪90年代：倡导全纳教育与终身学习

1990年，联合国教科文组织召开的“世界全民教育大会”发布了《世界全民教育宣言》，从社会发展角度提出了全民教育的理念，强调每个人都有接受教育的基本权利。1994年，在西班牙召开的“世界特殊需要教育大会”发布了《萨拉曼卡宣言》，宣言首次正式提出“全纳教育”，再次强调人人都有接受教育的基本权利，每个人都有自己独特的特点，如个性、特长、兴趣、能力和学习需要等，学校应接纳所有儿童，并能满足每个人的特殊教育需求。1996年，联合国教科文组织发布了《教育——财富蕴藏其中》报告，该报告在《学会生存》的基础上，把教育民主与当时的社会危机结合起来，着重阐述教育在消除贫困、反对压迫、遏制战争方面的作用。同时，报告也继续提出对有特殊需要儿童的关注，尤其是对来自不利处境的儿童，如流浪儿、孤儿、战争受害儿童或其他灾害的受害儿童，教育工作者应给予特别关注。这体现出全纳教育的理念，由此也影响了今后的全球教育价值取向。

在终身教育方面，《教育——财富蕴藏其中》超越了《学会生存》对终身教育功能和作用的认识，深化了终身教育的意义，明确了终身教育对工作与职业的作用。面对20世纪90年代全球化的新自由主义浪潮带来的消极影响，报告重申了人文主义理念下终身教育的重要性，还提出终身教育在人的性格塑造、个性发展及潜能开发等方面也发挥着重要作用。报告指出，终身教育理念是迈入21世纪的关键，它超越了传统的启蒙教育和继续教育之间的区别。它是对世界飞速变革挑战的响应。这不是新的观点，这是对前一份报告的再次强调，强调人们需要接受继续教育，以应对工作和生活中出现的新

① 胡乐乐．联合国教科文组织：终身学习研究所成立60周年［N］．中国教育报，2012-06-15（7）．

情况，“教育应不断地适应社会的变化，必须能传承人类经验的成果、创新、长处”[①]。可见，终身教育对人和社会发展的重要性，不仅在于对个人生活和工作能力的提升，更在于对人的终身发展及社会进步的意义。同时，终身教育也是填补出生和学校阶段所受教育差距鸿沟的一种途径，对实现教育的多元平等有重要意义。

1997年，联合国召开第五届国际成人大会强调，建立终身学习体系是建设21世纪学习型社会的必要条件，终身学习既是实现终身教育的根本途径，也是全球教育发展必然的价值选择。正规教育与非正规教育是构建终身学习的重要部分。2004年，联合国教科文组织召开的第32次会议的决议案正式提出了应该对教育领域大量存在的非正规、非正式和经验学习的认证进行调查研究。[②]联合国教科文组织下设的终身学习研究所具体负责开展了“关于非正规和非正式学习和经验的承认、有效性和认证状况”的国际调查，后来制定了《关于非正规和非正式学习的认可、核定与认证的指导意见》，对成员方提出了实施终身学习的建议。当前，一些国家已经率先通过了认可非正规和无一定形式学习成果的立法，制定了公共政策，比如法国和智利等。菲律宾、立陶宛等国家也采取了相应的具体措施。可见，终身学习研究所及其专家在推动终身学习理念在全球的普及和教育价值取向转变上发挥了重要作用。

《教育——财富蕴藏其中》在《学会生存》的基础上，提出“教育的四个支柱”，即个人应具备的四种基本学习能力——学会认知、学会做事、学会共同生活、学会生存。教育不应该忽视每个人的任何一种潜力，包括体力、记忆力、交际能力、思维能力和美感等，应该帮助每个人做到全面而自由地发展。该报告具有极强的前瞻性和引领性，为世界各国教育政策制定指明了方向，集中体现了联合国教科文组织对多元平等价值取向的追求，也由此影响了世界各国对教育价值的选择。

---

① UNESCO. Learning: The Treasure Within [M]. Paris: United Nations Educational, Scientific and Cultural Organization, 1996: 20, 22.

② 宋孝忠．终身学习认证的理论与实践［M］. 北京：中国水利水电出版社，2013：72.

（三）21世纪：倡导可持续教育和新人文教育

2015年11月，第38届联合国教科文组织大会发布了《反思教育：走向“全球共同利益”的理念转变？》（以下简称“《反思教育》”）的报告。北京师范大学资深教授顾明远先生认为这份报告必定像前两份报告那样对世界教育的发展产生重大影响。《反思教育》为未来世界教育发展提出了三个基本原则：一是人和社会的可持续发展是教育发展的核心，即提倡可持续教育；二是重申人文主义的方法是实施教育的重要路径，即倡导新人文教育；三是明确人的受教育的权利及教育的公益性原则。教育和知识是全球的共同利益，它们属于全球公共产品范畴，因此，应该在一定范围和程度内保持其公益性。

报告的前言中说，教育应“超越识字和算术，以学习环境和新的学习方法为重点，以促进正义、社会公平和全球团结。教育必须教会人们如何在地球上能承受压力地生活；教育必须重视文化素养，以尊重、尊严和平等为基础，这有助于将可持续发展的社会、经济和环境方面融为一体”[①]。教育应该以“人类共同利益”为追求，体现出新人文教育的主张和倡议。

报告对知识、学习、教育进行了重新界定。报告指出，“知识是通过学习获得的信息、理解、技能、价值观及态度，知识本身与创造及复制知识的文化、社会、环境和制度背景密不可分”[②]。可见，知识的范围在这里被扩大，价值观与态度均属于知识范畴。学习是获得知识的过程，学习既是过程和结果的统一，又是手段和目的的统一，是个人实践和集体努力的统一。教育则是具备计划性、意识性、目的性和组织性等特点的学习，包含正式教育和非正式教育两种形式。非正式教育的制度化程度低，可开展的场所比较灵活，工作场所、社区、日常生活中都可以开展。非正式教育大大拓展了教育的内涵和对象范围。知识、学习、教育范畴的扩充，也是对终身教育、终身学习理念的延续和深化。

报告提出可持续教育的理念。可持续发展强调自然、经济、社会、生态

---

①② UNESCO. Rethinking Education: Towards a global common good? [M]. Paris: UNESCO, 2015：3，16−17，36.

等的协调统一，报告认为教育发展的核心是可持续发展，涵盖人和社会的可持续发展。概述了当今全球社会变革进程中的趋势及面临的矛盾，以及由此而产生的新的知识前景。

《反思教育》在报告中重申人文主义的方法，体现出对人文主义教育的重视。报告指出，"维护和提高人类的尊严、能力和福祉，以及与他人、自然的关系，应该是21世纪教育的根本目的，这样的愿望注定是人文主义的，它的概念和实践的发展应当是联合国教科文组织的使命"①。无独有偶，在这份报告发布前6个月，笔者在2015年5月9日广州中山大学举办的"教育与中国未来"30人论坛上作了"以新人文精神引领教育未来"的主旨报告，明确提出了"新人文教育"的观点②。

笔者认为，随着全球化时代和第三次工业革命的来临，教育已然站在了人类文明的十字路口，需要我们深思人类教育未来将走向何方，我们教育人的使命又何在。笔者提出了三个观点：第一，教育应回归到人的本真存在。当今是一个人被技术异化为物的时代，教育比任何时代都更有必要成为真正人的教育。最大限度地发挥个体的潜力是教育的本质所在，教育应把人的潜能尽可能充分地发掘并调动起来。教育的宗旨应该是教会人把握自己的命运，成为自己理想中的人。第二，新人文精神是古典人文精神与近现代人文精神历史演进的必然结果。人文精神有三种类型，即古典人文精神、近现代人文精神、新人文精神。新人文精神是我们希望形成的一种人文精神。历史活动的主体是人，人的进化是历史的进化本质，人的进化不仅是体质的进化，更是精神的进化。人文精神就是伴随着人的进化而不断演进的。第三，以新人文精神引领教育。未来的时代是"新轴心时代"，我们应该以新人文精神引领教育。教育具有引领作用，其作用要高于其他一切导向，而新人文精神对教育的引领作用又远远大于其他任何力量。这是源于教育具备长期性、根本性、基础性的特点，任何力量都无法与之匹敌。从新人文精神出发

---

① UNESCO. Rethinking Education: Towards a global common good? [M]. Paris: UNESCO，2015：3，16-17，36.

② 周洪宇 . 以新人文精神引领教育未来 [J]. 新教师，2015 (6).

并与之相契合，我们应提倡新人文教育。笔者提出新人文教育的十条主张："应以人为本，充满人文关怀；应注重个性发展，丰富情感，健全人格；应培养人类整体意识，做有全球观、中国心、正义感的现代公民；应培养科学精神，善于思辨，掌握技能，适应未来生活；应师生平等，合作共享，因材施教，教学相长；应尊重和保持文化的丰富性和多元性，提供选择的多样性，求同存异，和谐共生；应融汇本土域外优良教育传统，传承和发展文明；应开放，创新，勇于探索；应重视终身教育和终身学习，具有可持续性；应注重绿色生态和环境教育，养成同理心。"[①]总之，新人文教育体现出对时代的回应，对人的关注，是建立在全球视野、全球意识和全球观念基础之上，以人为主体的和谐共生的新教育；是以张扬个性为基础又兼备人类整体意识的新教育；是一种注重绿色生态、可持续发展的新教育；是既秉承西方人文主义传统和精神，又融入中华文化之人文价值和精神的新教育。这与《反思教育》重申教育的人文主义方法及其精神内核是一致的，这也说明只要具有全球视野和人类意识，顺应社会发展趋势，尊重教育自身发展规律，无论是组织机构，还是专家学者，最终都会殊途同归。2019年3月11日，第六次"可持续发展目标——2030教育"指导委员会会议在教科文组织总部召开。会议呼吁持续推动"发展教育等同于落实可持续发展目标"的理念，这一倡议得到了联合国高级官员的响应。指导委员会是教科文组织为2030可持续发展议程设立的独特协商和协调机制，为可持续发展与教育的结合作出了贡献。

当然，联合国教科文组织及其下设教育机构作为国际教育智库，对世界各国的教育变革及教育政策制定与实施不具有强制力，只能借助联合国教科文组织这一平台进行倡议和呼吁，因此，尽管联合国教科文组织及其下设教育机构对全球教育价值取向的变革具有重大影响力，但各国在具体贯彻实施过程中，其效果大相径庭，世界各国要实现上述重大核心理念及愿景，将会是一个饱含艰辛而又充满希望的过程。

---

① 周洪宇．以新人文精神引领教育未来［J］．新教师，2015（6）．

第二节　世界银行的全球教育治理

一、发展历史

世界银行（World Bank，以下简称“世行”）是全球三大经济组织之一，成立于1944年，其总部位于美国华盛顿特区。1944年7月8日，在美国新罕布什尔州召开的布雷顿森林货币会议决定成立世界银行，其成立之初的目的是帮助被二战破坏的欧洲国家进行重建。首次贷款1947年提供给法国用于战后重建。但很快世行支持重建的主要角色发生改变，世行开始将注意力转移到了其他成员的需求上，如拉丁美洲、非洲和亚洲国家等。

20世纪五六十年代，世行业务的重点是大型基础设施项目的融资，如大坝、电网、灌溉系统和道路。为满足成员方对技术援助日益增长的需求，世行除进行资金援助外，还提供技术援助，为受援国家提供技术支援和培训，帮助其有效地利用世行贷款。20世纪70年代，世行业务的重点主要集中于农业，目的是消除贫困。20世纪80年代，世行继续扩大其关注社会发展的问题领域，包括教育、通信、文化遗产和国家治理。由于关注范围的大幅拓展，世行职员也由最初以工程师、经济学家和金融分析师为主，拓展到不同学科的专家，包括经济学家、公共政策专家、行业专家、社会学家和人类学家等。

世行2017年度报告显示，世行工作人员分布在全球140个国家，世行的业务范围遍布全球。[①]目前，世行有40%的职员在美国总部以外的地区工作。在职员的构成方面，发展中国家职员占比为61%，占管理人员的42%。女性职员占比为52%，占管理人员的38%。撒哈拉沙漠以南非洲国家和加勒比国家的职员占比为15%，占管理人员的12%。世行的职员构成具有多元化特点，加之世行职员多样的背景和丰富的经验，保证了为客户国提供的产品和服务的质量。

世行的全职人员总数连续三个财年保持基本稳定，女性管理人员、高级

① 世界银行2017年度报告. https://openknowledge. worldbank. org/bitstream/handle/10986/27986/211119CH. pdf，P65，2018-08-21.

专业技术人员的数量有所增长，来自发展中国家的管理人员、撒哈拉以南非洲及加勒比地区的高级专业技术人员呈现增长趋势，体现出世行提倡性别平衡、多样性和包容性。

世行的使命已从过去通过国际复兴开发银行促进战后重建和发展，演变成为目前通过与其下属机构国际开发协会和其他成员机构密切协调推进世界各国的减贫事业。因此，世行在国际发展和减少贫困领域一直处于领先地位。在教育方面，世行认为教育是发展的强力发动机，是减少贫困、改善健康状况、促进性别平等、维护社会和平与稳定最强有力的一个工具。目前，世行提出到2030年终结极度贫困、促进共享繁荣两大目标。为了终结极度贫困，世行的目标是到2030年将处于日均1.9美元贫困线下的贫困人口比例降低到3%以下。为了促进共享繁荣，世行的目标是促进各国处于底层的40%人口的收入增长。从世行关注领域的转变与拓展方向上看，世行的开发项目反映了以人为本的目标，而不只是满足于单纯的物质建设。这明显受到西方发展观的影响，“西方的发展观经历了两次嬗变，一次是从单纯追求经济增长到经济与社会共同发展，一次是从经济与社会共同发展再到以人为中心的人、社会（包括社会的政治、经济和文化）、自然和谐发展，体现了人类发展价值观的转变和对现代化进程持有态度的根本变化”①。这是基于对人类社会发展过程的总结与反思作出的改变。随着经济发展和社会进步，人的地位与发展若不与经济社会发展同步，会阻碍经济社会的发展，因此，世行的政策转向也是为了适应人的发展的实际需要。

为适应世界经济政治的飞速发展，世行对自身的定位也在不断调整。“在《世界银行2020教育战略》中，世界银行把建立和完善面向全球教育的知识数据库作为两大重点事项之一，将之置于十分重要的地位，再次向世界传达了世界银行改革转型为‘知识银行’的信息与决心。”②

① 闫温乐．世界银行与教育发展［M］．上海：上海教育出版社，2013：47-48.

② 闫温乐．“全民学习”愿景下的教育资助——《世界银行2020教育战略》述评［J］．比较教育研究，2011（10）.

二、参与全球教育领域的活动

世行不同于普通意义上的银行，具有其特殊性。“它具有区别于一般银行的发展援助职能，不仅贷出资本和提供贷款项目，还要派出人员协助管理与传授经验；它不仅给予赤贫国家低息长期的贷款和无偿赠款，还要给予一国发展政策的咨询建议；它不仅开展各个领域的科学研究，还要向全球分享研究成果与知识理念；它不仅拥有世界任何一家普通银行都无法媲美的资金数量，还有能力聘请世界各国的经济学精英与各个领域的尖端人才；它不仅提出‘知识促进发展’的倡议，还开发出严密精细的分析工具给予量化展示——知识究竟是如何促进发展，甚至‘多少’知识促进‘多少’发展等。……世界银行始终以积极的态度、多样的服务、务实的作风等持续投入教育发展。”[①]依托资金和运行机制的优势，世行积极开展教育领域研究，其教育政策研究主要依托教育贷款项目进行。

世界银行发展研究小组是世行最主要的研究部门。它定位于世界银行经济发展研究附属机构，专业知识研究范围横跨广泛的主题和国家，是世界上最有影响力的发展研究中心之一。在《2017年全球智库报告》[②]“最佳政府附属智库”排名中，世界银行发展研究小组排第1名。世界银行发展研究小组进行了许多与教育有关的研究。

当前，世行在教育领域关注的问题聚焦在以下方面：增加儿童早期发展投资，增加儿童早期发育的投资，促进终身学习和提高未来的生产力；确保儿童在学校能确实学到基本技能；减少技能发展、高等教育与劳动力市场之间的脱节现象；解决政府部门各层级系统性问题，提高效率和透明度；增加国家基于融资成果的创新，以应对国家需求；所有层级的教育系统提供学生必须的技能，以促进成长和提高生产率。这些问题的聚焦，反映出世行对教育领域诸多问题的关注，儿童（尤其是女童）、学校、社区、政府，从微观到宏观层面均加以关注，试图通过融资、贷款、政策咨询等途径来促成相关

---

① 闫温乐．世界银行与教育发展［M］．上海：上海教育出版社，2013：2．

② James G. McGann. 2017 Global Go To Think Tank Index Report［EB/OL］.［2018-03-06］. https://repository. upenn. edu/think_tanks/13/.

问题的解决。

（一）学前教育领域

世行在学前教育方面的研究，主要集中于儿童早期发展领域，世行认为应在儿童早期提供一个机会来解决不平等的问题。支持儿童早期发展的潜在好处在于儿童的健康发展会促进他们进入学校后具备更好的学习能力，乃至成年后能提高生产率。[①]投资于儿童早期发展项目，确保他们得到良好的发展，包括素养和营养，这是国家最明智的投资——它可以解决不平等，打破贫困的恶性循环，帮助儿童在未来的生活中提高个人成就。来自发达国家和发展中国家的资料表明，1美元如果投资于高质量的学前教育项目，今后将产生6美元到17美元的回报。诺贝尔奖得主詹姆斯·赫克曼和他的合作伙伴对牙买加儿童进行了20年的跟踪调查，结果显示医疗和教育结合干预儿童早期发展，让未来收益增加了25%。这个发现对全球十多亿生活极度贫困的人群具有深远意义。在过去的十年里，发展中国家扩大了幼儿园规模，世界所有地区的幼儿入园率明显增加。然而，来自贫困家庭的幼儿仍未能享受到这种服务。据统计，在全世界范围内，近一半（1.59亿）的3岁—6岁儿童失去学前教育的机会。在撒哈拉以南非洲，80%的儿童不能接受学前教育，南亚有45%的儿童不能接受学前教育。全球有四分之一（1.62亿）5岁以下儿童身体发育不良，这对大脑发育有损伤且耽误入学。很多国家的儿童早期开发投资不足。为确保提供优质儿童早期开发服务，政府支出所需的最小公共投资应占国民生产总值的1%。经合组织成员方为0岁—6岁儿童的投资估计占国民生产总值的2.36%。许多政府在学前教育上的投资只占国民生产总值的0.1%至0.2%，这远远低于儿童早期开发资金1%的基准。

基于此，世行的儿童早期发展项目在注重为发展中国家提供贷款的同时，还帮助该国制订儿童早期发展规划，促进国家对儿童早期教育投入的逐步增长。

世行在儿童早期教育领域的投资目的非常明确：投资高质量的儿童早期

---

① Early Childhood Development [EB/OL]. [2016-07-21]. http://www. worldbank. org/en/topic/earlychildhooddevelopment/overview.

发展项目，支持儿童身体成长和全面发展（包括认知、语言和社会情感），针对世界各地尤其是来自贫困家庭的孩子，改善他们的学习结果。主要针对以下三个方面的问题：低水平的入学准备、发育不良、缺乏高质量的护理。从教育的角度来看，儿童早期差距主要体现在认知、语言和社会情感技能方面，这些方面的劣势会对进入小学学习造成不良影响。低水平的入学准备可能导致教育系统效率低下，这些孩子更有可能陷入学习成绩差、留级、退学的恶性循环。这一情况在弱势儿童身上发生概率更大。发育不良的主要原因是贫困和营养不良，发展中国家有1.62亿名儿童存在发育不良、体能和认知发展滞后的问题。研究表明，早期营养和精心设计的教育项目可以非常有效地防止儿童发育不良和改善他们之间的交流，特别是对两岁以下的儿童。有质量的中心式护理，对3岁—6岁的儿童有积极的影响。

世行支持世界各国的儿童早期发展，主要是通过融资、政策咨询、技术支持以及组织国家、地区和全球级别合作活动来进行。从2001年到2013年，世行集团在儿童早期发展上已投资33亿美元，33个项目是独立运营，83个项目是合作进行，2012年和2013年投资大幅增加。

为了更好地帮助政策制定者和实施者系统检验其儿童早期发展政策，世行开发了儿童早期发展政策评估系统，目前，已经有40多个国家在使用该套评估系统。如在乌兹别克斯坦，该系统用于帮助分析儿童早期教育服务的差距，以此设计全球伙伴关系的教育项目，提高儿童接受早期教育的机会和质量。

儿童早期发展政策评估系统由三个部分构成：政策目标、政策维度、政策指标。[①]政策目标注重环境建构、实施、监督与质量保障。政策维度则是对目标的进一步分解。政策指标把政策维度进行细化，使其变得可观测、可操作。儿童早期发展政策评估系统为世界各国的儿童早期发展政策评估提供了一个统一的平台，便于指导各国政府的儿童早期发展规划与执行，同时，也利于世行对其在各国的贷款项目附加政策进行有效管理与监控。综合性的

---

① 张世义．世界银行评估早期儿童发展政策的新框架及其启示［J］．学前教育研究，2015（11）．

方案（营养和健康干预、父母技能培训、认识刺激）虽然实施起来很复杂，但可以产生最大的收益。[①]该系统从儿童的营养、健康、医疗、教育、社会保障等方面对儿童早期发展进行了规范，体现出世行倡导的儿童全面发展观。世行还发布了《加快儿童早期发展步伐》的报告，该报告是一个实用指南，可以指导决策者和从业者如何对儿童早期发展事业进行投资。

世行在许多国家，如海地、印度尼西亚、牙买加、莱索托、莫桑比克、俄罗斯、越南等开展了儿童早期发展项目。世行也与中国开展了合作研究，如《中国的儿童早期发展：打破贫困的恶性循环，提高未来竞争力》[②]。世行曾与中国原国家人口和计划生育委员会、中国教育部合作，对中国儿童早期发展进行全面检查，研究显示中国3岁—6岁儿童的早期发展还有很多可以改善之处，中国教育部认可了世行的研究，并在中国“十二五”规划（2011—2015）中制定了儿童早期发展的目标。可见，世行对儿童早期发展的投资及研究对世界各国产生了重要影响。

（二）初等和中等教育领域

接受初等和中等教育是一项基本人权。所有儿童和青少年都应有机会获得基本的教育。青少年应该通过获取知识和技能促进成长、发展和减贫。许多数据表明，在低收入国家，儿童和青少年的学习水平仍然很低。许多年轻人完成基础教育并没有获得基本的识字和计算能力。即使在中等收入国家，许多学生获得的基本技能也不能满足雇主和未来工作的需要。今天，全球估计有2.5亿儿童不能读和写。因此，提高教育质量和加速学习全球化显得十分紧迫。

早在1995年，世行就发布了《教育优先权和战略：世界银行评论》的报告，特别强调发展基础教育。“该报告重申了1988年报告的政策建议，并且

---

① Harold Alderman and Elizabeth M. King. Investing in Early Childhood Development[EB/OL]., http://go. worldbank. org/I7IALXXCT2, Aug 28, 2006.

② Wu, Kin Bing; Young, Mary Eming; Cai, Jianhua. 2012. Early child development in China: breaking the cycle of poverty and improving future competitiveness[EB/OL]. http://documents. worldbank. org/curated/en/2012/07/16499167/early-child-development-china-breaking-cycle-poverty-improving-future-competitiveness.

更加强调，‘在那些还没有实现普遍扫盲和具有基础教育阶段充分、平等和公正入学机会的国家，世界银行借给这些国家的贷款将继续最优先考虑给予基础教育’。”[①]世行为此加大了对基础教育的投资，努力扩大儿童和青少年受教育的机会，为世界各国提供政策建议、技术支持和教育知识。世行认识到不仅要确保全球5 800万名失学儿童有学上，还要让他们接受高质量的教育，为他们战胜21世纪所面临的挑战作好准备。世行支持最贫困国家和中等收入国家的教育，每年平均融资26亿美元，2014年度融资总额达到36亿美元，比2013年度的29亿美元大幅上升。2010年9月，世行集团行长金墉在“千年发展目标（MDGs）峰会”上重申，为实现承诺，国际开发协会为基础教育额外追加7.5亿美元融资，在五年内（2011—2015）帮助贫穷国家加快实现2015年的教育千年发展目标。国际开发协会2013年基础教育融资为12.6亿美元。

世行致力于实施全民学习战略，以改善全民学习。全民学习是世行集团在《全民学习——投资于人们的知识和技能以促进发展——世界银行2020教育战略》中提出的概念，以此应对不断变化对教育提出的新挑战。该战略包括三个支柱：“早投资”“明智投资”“为全民投资”[②]。鼓励各国“早投资”，因为年轻人需要强有力的基础技能来确保终身学习；用“明智投资”的干预措施和改革来提升学习效果；“为全民投资”，其对象包括女孩、边缘和弱势群体。改善全民学习是世行在教育领域最优先考虑的主题。早期打下坚实的学习基础，对今后获得成功至关重要。然而，对许多孩子来说，他们在学校的学习没有达到预期的水平，他们的技能很难适应今天全球市场的需求。全民学习理念认为教育改革要改变单纯灌输的现状。教育欲将资源有效地转化为更好的学习成果，不仅仅取决于有足够的教室、教师、教材，还应有政策环境、资源和问责机制的支持，这些因素也可以提升教育成果。

---

① 於荣，张国葵．世界银行的教育政策与非洲高等教育的发展［J］．外国教育研究，2010（12）．

② World Bank Group Education Strategy 2020: Learning for All Investing in People's Knowledge and Skills to Promote Development［EB/OL］．［2016-07-22］．http://www. worldbank. org/educationstrategy 2020.

在世行的援助下，世界初等教育和中等教育发展成效显著。2012年，全球小学毕业率达到92%，高于2000年的81%；初等教育净入学率升至2011年的89%，高于1999年的82%；中小学入学人数的性别平衡在2011年达到近97%；从1999年到2012年，全世界失学儿童的总数从1亿下降到5 800万，其中3 100万是女孩，在南亚，总数下降了三分之二以上。①世行对世界各国初等教育和中等教育的援助也取得许多进展，具体参见表2-2。

表2-2　世行援助部分国家初等教育和中等教育成效表

序号	国家 / 所属洲	成　效
1	吉布提 / 非洲	为小学增加超过100间教室，超过7 000名城乡儿童受益，其中包括3 300名女孩
2	孟加拉 / 亚洲	790 000名失学儿童（其中女孩超过一半）在2004年至2012年之间得到了接受小学教育的“第二次机会”
3	海地 / 北美洲	让1 000名未成年少女接受非技术和软技能培训，帮助她们适应从毕业到就业的过渡，提高她们的就业和收入潜力
4	巴基斯坦 / 亚洲	在信德省农村地区，小学男女孩净入学率从2007年的61%上升到2011年的72%
5	坦桑尼亚 / 非洲	在2005年至2012年之间，完成小学学业的儿童中，男孩增加了20.5%，女孩增加了30.7%

说明：该表根据世行网站内容整理。

世行与联合国积极合作，共同举办了数次部长活动，探讨分步实现所有孩子都能入学和学习的议题。从2002年开始，世行积极建立全球教育伙伴关系，目前已与接近60个发展中国家、捐助国政府、国际组织、私营部门、教师和民间社会团体等建立了全球教育伙伴关系。这些合作关系的建立，可以有力地确保世行千年教育目标的实现。

① Result. http://www. worldbank. org/en/topic/primarysecondaryeducation/overview#1，2016-07-22.

世行进行了大量与初等教育有关的研究，并发布了研究报告。如世行在2016年1月发布的《马拉维的初等教育：支出、服务交付和结果》报告[①]，这份报告显示了马拉维的初等教育中，需要改进支出分配，提升输入和输出服务交付质量和教育结果。这些研究为马拉维政府改进初等教育提供了政策建议。2016年2月发布了报告《学前教育的入学机会和初等教育的发展：来自危地马拉农村的证据》[②]，这项研究重点评估在危地马拉农村社区学前教育扩张对初等教育的影响。从1998年至2005年，危地马拉学前学校的数量从5 300所增加到11 500所。在双重差分[③]框架内，结合管理和人口普查数据的分析发现，学前教育入学比例增加了2.4%，12岁读六年级的人数得到充分增长。这些积极的影响有限，但只要采取互补的行动，就能产生实质性的明显效果。

（三）高等教育领域

高等教育是指所有的中学后教育，包括但不限于大学教育。近年来，大多数国家的公共和私人高等教育机构都在不断增长并变得多样化——学院、技术培训机构、社区学院、护理学校、研究实验室、卓越中心、远程学习中心，以及更多的网络机构。[④]世行研究表明，全球范围内，高等教育毕业生的回报率是整个教育系统最高的——收入平均增加17%。高质量的机构，多样化的选择，相关的、公平和高效的高等教育与研究是消除极度贫困和推动经济增长的关键。

世行从1963年开始就一直致力于高等教育发展，不仅鼓励全球努力取得更好的教育成果而且也切实帮助发展更有效、更负责任的高等教育机构。为

---

① Ravishankar, Vaikalathur J. ; El-Kogali, Safaa El Tayeb; Sankar, Deepa; Tanaka, Nobuyuki; Rakoto-Tiana, Nelly. Primary education in Malawi : expenditures, service delivery, and outcomes. Washington, D. C. : World Bank Group, 2016.

② Bastos, Paulo S. R. ; Bottan, Nicolas Luis; Cristia, Julian. Access to pre-primary education and progression in primary school: evidence from rural Guatemala. [R] Washington, D. C. : World Bank Group, 2016.

③ “双重差分”的含义请参考：叶芳，王燕 . 双重差分模型介绍及其应用 [J]. 中国卫生统计，2013（1）.

④ 了解相关信息请查询：http://www. worldbank. org/en/topic/tertiaryeducation/overview#1，2016-07-22.

达到上述目标，世行制定了教育战略：促进高等教育选择多元化；确保教育机构高质量；让机构和系统成为更高效的一个整体；促进高等教育机构公平竞争。[①]上述战略注重多元化、高质量、高效率、公平等主题，体现出世行的政策受新自由主义理论影响的痕迹。

世行在全球范围内提供贷款和知识项目，支持各国的高等教育发展。“科研能力的不足和教育质量的低下，将迫使非洲的高等教育长期依附于西方援助国，从而使得非洲在全球经济竞争中继续处于不利的境地。非洲高等教育的发展依然面临着严峻的挑战。”[②]针对非洲高等教育发展存在的诸多困难，世行对高等教育的融资与政策支持也主要集中在非洲地区。在撒哈拉以南非洲的西部和中部，世行集团为7个国家的19所大学卓越中心融资。乌干达政府在世行的援助下于2006年开始实施“千年科学行动计划”。“该计划的发展目标是为乌干达的大学和研究机构提供更多更优质的科学和工程专业的毕业生，提高研究的质量、数量和相关性，促进科学技术引导型发展并最终提高企业的生产效率。”[③]该计划实施时间为7年，实施期间取得了较大成就，主要有：增加了各级高等教育院校中具有高素质的科学技术工程专业的毕业生数量；在计划实施期间共产生了大约3 600名本科毕业生、57名硕士以及31名博士；在企业中善于技术开发的科学技术工程专业毕业生的比例从低于5%上升到35%。[④]该计划通过竞争性资金补助大大提高了研究的质量和相关性。在“千年科学行动计划”实施的过程中，29%的基础科学技术工程专业的学生参与到实习计划中，通过技术平台成功的技术应用率达到40%，全都超过计划的预期指标。[⑤]可见，通过世行的教育援助，乌干达高等教育取得了很大进步，由此凸显世行对非洲高等教育发展的影响巨大。

---

① Driving Development with Tertiary Education Reforms. pdf，World Bank Group Education Global Practice Smarter Education Systems for Brighter Futures，2015.

② 於荣，张国葵．世界银行的教育政策与非洲高等教育的发展［J］．外国教育研究，2010（12）．

③④⑤ 邱艳芬．世界银行对乌干达高等教育科学技术创新的援助——以《千年科学行动》计划为例［J］．亚太教育，2015（28）．

世行积极开展国际合作与交流，与全球的学术组织和跨国组织共同合作开展工作，与联合国教科文组织，经合组织，英国文化协会，伊斯兰教育、科学及文化组织，国际大学协会，非洲教育发展协会等实现国际高等教育领域数据的收集、共享。

（四）教育技术领域

随着全球化和技术的飞速变革，知识成为在世界经济中保持竞争力的一个关键性因素。在协助各国利用信息和通信技术实现教育目标和减贫战略方面，世行扮演着重要的角色。世行积极推动世界各国教育对技术的关注和发展。世行在全球的教育项目绝大多数都包含一个ICT组件，ICT包括设备和设施的援助、教师培训和支持、能力建设、教育内容、远程学习、数字素养、政策发展、监测和评价、媒体宣传等。①这些教育项目通过设置信息和通信技术内容，保证了信息与技术通过教育得到普及和发展，由此提高劳动力适应现代社会的基本素质。世行与全球范围内的政府和组织合作，支持与此相关的创新项目。世行采取的策略有：在教育领域使用信息通信技术追求整体方法；ICT的投资不仅促进基本ICT技能的发展，而且促进批判性思维、解决问题和沟通能力的发展；谨慎投资于单一的技术或供应商；特别关注教师的专业发展；密切监测和定期评估，为改变方向准备；确保世行工作人员有必要的知识、技能和工具来应对挑战和机遇，解决教育部门发展面临的重大问题。②2009年11月15日—17日，在中国杭州召开了第13届UNESCO-APEID国际会议暨世界银行-KERIS“ICT在教育中的应用”高级研讨会③，其中，APEID是指“亚太地区教育创新为发展服务计划”，KERIS是指韩国教育研究与信息服务组织。会上，世行信息技术和教育高级专家Mike Trucano做了题为《我们是如何知道我们所知道的一切：有关“ICT

---

① 了解相关信息请查询：http://www. worldbank. org/en/topic/edutech/overview#1.

② http://siteresources. worldbank. org/EDUCATION/Resources/ESSU/463292-1290618190826/Background_Note_EducationStrategy2020_ICT_Edu. pdf.

③ 李艳．基于ICT的教育创新与可持续发展的未来——第13届UNESCO-APEID国际会议暨世界银行-KERIS“ICT在教育中的应用”高级研讨会综述［J］. 开放教育研究，2010（1）.

在教育中应用"指标的国际最新动态》的报告，分享了世行ICT在教育中应用的评价方法和测量指标。可见，世行在教育中应用ICT研究方面处在世界领先地位。

世行已在世界各国开展了众多教育与技术的项目。如世行正在帮助约旦改革儿童早期教育、基础教育和中等教育，让其毕业生具备知识经济社会所需的技能。为土耳其青年提供ICT培训，以使他们具备现代知识经济社会的核心竞争力。世行除了为各个国家提供融资贷款，更多地转向为各国提供技术援助和咨询服务，帮助各国更好地计划、执行、监控和评估教育中的技术使用，以及各种各样的开发工作。世行利用其在世界各地的成功实践经验和相关研究活动，为各国提供咨询和服务。如使用"为更好的教育结果系统方法"，这是帮助世行实现两大战略目标（改革国家教育系统和在全球为教育改革建立一个高质量的知识库）而研发的教育系统：在国家层面，它为各国提供了教育系统分析、评估、检验和对话的机会；在全球层面，它增加了全球教育系统的知识库，并能使用这些信息来实施有效的改革。

信托基金常被用于促进全球公共产品的生产以及开展创新试点，试点成功后可以大规模推广。世行的很多知识工作是由信托基金支持，如"以知识促变革计划"（KCP）由一个多捐助方信托基金提供支持，设立该基金的目的是整合知识和财务资源以产生新知识，试验新想法，填补发展领域的知识空白。KCP计划自2002年设立以来，已经筹集了逾6 000万美元，资助了300多个研究和数据收集项目，为发展中国家制定有效政策和规划提供了支持。该项目信托基金的捐助国包括澳大利亚、加拿大、中国、丹麦、爱沙尼亚、芬兰、法国、日本、韩国、挪威、新加坡、瑞典、瑞士和英国。①

三、参与中国教育治理

世行积极参与中国的教育治理。世行提供了大量硬贷款和软贷款用于发展中国教育，涉及高等教育、职业技术教育、学前教育、教师培训、教材开发、重点学科、贫困及少数民族地区基础教育、农业教育和研究、农民工培

① The World Bank. The World Bank Annual Report 2017 [R]. The World Bank，2017（34）.

训与就业等，同时也提供技术、知识咨询与指导，促进了中国教育的改革与发展。

在职业技术教育与技能培训方面，世行驻中国代表处资深教育专家肖丽萍指出①，世行帮助中国教育部制订教育规划，如《国家中长期教育改革和发展规划纲要（2010—2020年）》《中国教育现代化2030》，世行均参与其中。世行的目标：一是帮助学校提高办学水平，二是提升省级职教体系。基本程序是确定问题、建立项目、制订具体方案、践行方案、进行评估。职教项目经验主要有：一是以能力本位课程、学生中心教学、结果导向为核心的学校改革；二是评价改革；三是教师培训是学校改革的关键；四是多部门协调配合，给予技术支持；五是建立从国家到县级的信息收集系统；六是把用人单位整合进来。付铁铮分析了云南省世行项目的成功经验。他提出世行项目给云南职业教育带来的五个改变：一是人才培养模式改变。教材开发策略改变，从教育专家导向转变为行业企业专家导向。二是知识学习策略改变。从切西瓜模式到剥洋葱模式。三是技能训练策略改变。理论与实训从分离到融合。四是课堂教学策略改变。由教师中心变为学生中心。投入巨资开发高质量教材，引入剑桥教育专家团队，借鉴国际经验重建教学评价体系。五是办学主体策略改变。从学校单一办学到校企联合办学，校企合一。项目的突破体现在几个方面：一是项目推进了学生、企业和社会的合作；二是大幅提升相关机构和人员能力；三是引入社会专业服务（12个机构全程参与，包括技术、数据挖掘、教育咨询机构等），取得了较好的投资成效。

---

① 来源：2017年7月2日—7日，笔者参加北京大学中国教育财政科学研究所与世界银行全球教育实践局和俄罗斯高等经济大学教育研究所在北京联合举办的“教育与发展”国际暑期学校。根据世界银行驻中国代表处资深教育专家肖丽萍、云南教育厅外资贷款办副主任付铁铮的报告整理。

表 2-3　世行援助中国教育项目资金情况表（1981—2017）[①]

序号	项目名称	硬贷款	软贷款	总额	批准日期	关闭日期
		单位：百万美元				
1	大学发展项目	100.00	100.00	200.00	1981-06-23	1986-06-30
2	农业教育和研究项目		75.40	75.40	1982-02-11	1989-03-31
3	地方大学和电视大学项目		85.00	85.00	1983-09-13	1992-06-30
4	第二农业教育项目	45.30	23.50	68.80	1984-06-14	1992-06-30
5	第二大学发展项目		145.00	145.00	1985-02-26	1992-12-31
6	地方大学项目		120.00	120.00	1986-03-25	1992-12-31
7	教师培训项目		50.00	50.00	1988-05-24	1992-12-31
8	教材开发项目		57.00	57.00	1989-04-18	1995-06-30
9	职业教育项目		50.00	50.00	1990-03-27	1998-12-31
10	重点学科发展项目		131.20	131.20	1991-02-26	1998-12-31
11	贫困省教育发展项目		130.00	130.00	1992-03-10	1999-12-31
12	师范教育发展项目		100.00	100.00	1993-03-16	1999-12-31
13	贫困及少数民族地区基础教育项目		100.00	100.00	1994-09-06	2000-12-31
14	劳动力市场发展项目	10.00	20.00	30.00	1995-12-19	2005-12-31
15	第三贫困地区基础教育项目		100.00	100.00	1996-03-21	2001-12-31

① 此数据由世界银行驻中国代表处资深教育专家肖丽萍提供，曲靖财经学校张宸协助整理。

续表

序号	项目名称	硬贷款	软贷款	总额	批准日期	关闭日期
		单位：百万美元				
16	职业教育改革项目	10.00	20.00	30.00	1996-07-02	2002-12-31
17	第四基础教育项目		85.00	85.00	1997-05-27	2003-09-30
18	高等教育改革项目	20.00	50.00	70.00	1999-05-18	2005-09-30
19	西部地区基础教育项目	100.00		100.00	2003-09-09	2009-06-30
20	职业技术教育与培训项目	20.00		20.00	2008-06-25	2014-02-28
21	农民工培训与就业项目	50.00		50.00	2008-06-24	2015-02-28
22	辽宁省和山东省职业技术教育与培训项目	40.00		40.00	2010-06-06	2015-12-31
23	云南省职业技术教育与培训项目	50.00		50.00	2012-05-15	2017-12-31
24	广东城乡社保一体化和农民工培训项目	80.00		80.00	2013-06-20	2018-12-31
25	新疆职业教育项目	50.00		50.00	2015-05-29	2020-12-31
26	云南学前教育发展试验示范项目	50.00		50.00	2016-12-09	2021-12-31
27	甘肃省职业教育发展项目	120.00		120.00	2017-03-31	2023-06-30
28	小计	745.30	1 442.10	2 187.40		

注：数据截至世界银行2017财年（2017年6月30日）。

四、小结

世行具备普通银行不具备的功能，即为融资国提供技术援助和咨询服务。这些特殊功能可以帮助各国更好地对受援项目进行计划、执行、监控和评估，既保障了世行项目的顺利实施，又让借贷的作用得到充分发挥，让项目的影响力更持久。《世界银行2020年教育战略》提出改革世界教育体系的宏大目标，也是基于其以人为本的理念及其自身特殊功能作用的信心。

世行对教育的关注与投入，经历了一个不断发展变化的过程。从20世纪60年代开始，世行在教育领域的关注重点以初等教育为主，21世纪开始注重儿童早期教育，近几年，投入持续增长。由于受人力资本理论和新自由主义的影响，世行认为高等教育的投入对经济的贡献率偏低，因此，对高等教育的投入不多。近些年，随着信息技术的发展，世行开始重视对教育中信息与技术应用的投入。可见，世行对教育领域的关注与投入的变化，是建立在时代变革、相关理论发展的基础之上的。

世行进行相关教育项目融资时，除严格制订计划、认真实施外，还注重对项目进行系统的监控与评估。世行在“为更好的教育结果系统方法”教育系统的平台上，针对不同教育的不同领域，开发了相应的评估系统，教育层级包括儿童早期教育、初等和中等教育、劳动力开发、高等教育；资源包括资金、教师、学校健康和学校营养；治理方式包括学校自主权和责任、私营部门参与；信息包括评估、教育管理信息系统、平等和包容、教育系统弹性（教育系统应对国家特殊情况的方法和策略）。[①]如在实施儿童早期发展项目时，开发了儿童早期发展政策评估系统，帮助政策制定者和实施者系统评估儿童早期发展政策。在实施信息与技术项目时，开发了信息与技术政策评估系统。评估系统不仅为世行提供了管理教育融资项目的工具，也为各国政策制定者和决策者提供了评估工具，还在投资方和接收方之间建立了一个合作沟通的渠道，保障了教育项目得到切实有效的实施。

总之，世行运用其资金、政策、专业人员的优势，在教育领域发挥了一

① 了解相关信息请查询：About SABER. http://saber. worldbank. org/index. cfm?indx=5.

般国家或组织难以企及的影响和作用，促进了世界教育水平的整体发展，未来仍将对全球的教育治理产生重要影响。

第三节　经济合作与发展组织的全球教育治理

经济合作与发展组织（The Organization for Economic Cooperation and Development，简称“OECD”，以下中文简称“经合组织”）在世界舞台上扮演着重要角色，它不仅在经济领域为世界提供发展的资源和动力，同时，也利用其独特的优势在教育领域发挥着不可替代的作用。经合组织从设立之日起，就直接或间接地持续参与全球教育领域相关事务，积极开展对世界教育问题的研究、分析，并提出解决的策略和方案。尤其是21世纪以来，经合组织的PISA项目、教师教学国际调查等对全球教育发展产生了重要影响。经合组织参与全球教育治理的角色建构过程及其特点值得我们深入研究，能为我们深入认识国际经济组织与教育治理的关系提供新的视野。

一、参与全球教育治理的角色建构

国际经济组织在参与全球教育事务时，一般以其组织宗旨为基本依据，并通过设立专门机构参与全球教育事务，进行教育领域相关研究。

（一）宗旨

经合组织被称为智囊团（智库）、富人俱乐部、监督机构或非学术性大学，其前身是欧洲经济合作组织。它的宗旨是通过制定与实施全球性的政策保持世界经济增长，改善人们的社会福利。经合组织利用其丰富的信息资源帮助成员方通过经济增长和金融稳定实现繁荣，消除贫困，同时将经济和社会发展对环境的影响纳入考虑范围。此外，它也为世界提供了一个论坛。各国政府可以通过经合组织的平台一起工作，共同分享经验，并寻求解决共性问题的方法。经合组织凭借事实和现实经验，提出政策建议，旨在最终提高人们的生活质量。教育作为影响全球经济的重要因素，兼具公益属性，作为改善人们社会福利的重要部分，自然也被纳入到经合组织的全球事务中。

（二）教育与技能局的架构与功能

美国宾夕法尼亚大学智库与公民社会项目发布的《全球智库报告2017》显示，经合组织在全球国际发展研究智库排名中位列第124名。[①]众所周知，经合组织的PISA项目在全球具有强大的影响力。其实，除PISA项目外，经合组织在教育领域还开展了大量其他方面的研究，如：教师教学国际调查、早期儿童和学校、校外技能、教育创新、劳动力市场、人力资本和不平等。经合组织的教育研究主要由其下设的教育与技能局负责。教育与技能局的主要职责是帮助各国回答教育决策者和实践者面临的重要问题，具体有：如何识别和发展正确的技能，让人们更好地工作和生活；如何最好地在教育上分配资源，支持社会经济发展；如何为每个人提供机会，使之在人生的每一个年龄段充分发展自己的能力。教育与技能局也与其他国际组织，如联合国教科文组织、世行、联合国儿童基金会和欧洲培训基金会等合作。教育与技能局的工作接受经合组织教育政策委员会的监督，同时接受该委员会和其他三个机构分派的任务。其他三个机构是：教育研究和创新中心理事会、高等教育机构管理理事会、PISA项目管理委员会。教育政策委员会为这三个机构提供战略指导，并在经合组织理事会的领导下开展工作，每个机构都有自己的使命、会员、预算和工作计划。当前，教育与技能局重点关注两个目标，一是加强就业能力、社会参与和包容性增长。鼓励政府发展所有社会成员的技能，并保证他们能有效使用这些技能。二是加强机构的有效性和效率以实现改革。向成员方提供直接支持，包括教育和技能政策的设计、采用和实施改革。从教育与技能局的职责与目标可见，它紧紧围绕与经济发展密切相关的教育问题开展研究，体现出国际经济组织的独特性。

教育与技能局有主任1人，副主任1人，部门主管4人。设四个职能部门，涵盖人发展的三个重要阶段：儿童时期、青少年时期、成人时期，且侧重于人在这几个阶段的技能发展。其目的是通过对相关数据的分析，提出人生不同阶段的教育政策，促进人的技能提升。

---

① James G. McGann. 2017 Global Go To Think Tank Index Report［EB/OL］.［2018-03-06］. https://repository. upenn. edu/think_tanks/13/.

二、参与全球教育治理的内容及特点

经合组织通过教育与技能局等部门主要开展教育政策研究、标准制定及评估、成果传播等工作。当前，经合组织在全球比较有影响力的教育研究活动有：组织与实施PISA测试、开展教师教学国际调查、开展教育创新研究与实践、推动高等教育国际化与建立高等教育质量保障体系、发布全球“教育概览”等。

（一）组织与实施PISA测试

PISA测试由4个机构负责其日常运行。经合组织秘书处负责PISA的日常管理。PISA理事会决定政策的优先顺序，并确保这些政策在每个PISA项目调查实施期间得到尊重和执行。PISA国家项目经理监督每个参与国家（经济体）的PISA实施情况。国际承包商负责设计并实施调查，直接对经合组织秘书处负责。

目前，经合组织PISA项目团队共有19人，团队成员专业背景、工作经历丰富多样，都具有在世界知名研究机构工作的经验，团队内部分工明确，研究实力较强。PISA测试实施过程具有以下特点：首先，注重基于证据的分析工作。在PISA团队中，分析师、统计学家占大多数，这也说明PISA测试注重测试、调查结果的统计与分析，基于数据、证据得出结论的工作风格。其次，注重沟通与协调。因为PISA测试涉及全球范围内的国家，所以PISA团队也注重国家间的沟通与协调，设置项目支持协调员，负责处理测试开展前、开展过程中及开展后经合组织与各国间的沟通与交流。再次，注重出版物的编辑与出版。有专人负责出版物的编辑工作，保证了出版物的质量，这些出版物也是对经合组织PISA测试的一种有力宣传。

PISA测试通过对15岁学生的知识和技能进行测试，来评估全球的教育系统。具体来说，对个人而言，PISA测试学生的创造性和批判性思维能力以及运用它们的能力，同时，还测试学生在学习了阅读、数学、科学课之后的实际应用技能；对国家而言，PISA测试可以衡量国家为年轻公民提供教育机会的公平程度，搜集学生的社会和情感技能、学习态度等信息，各国还可以比较它们之间的教育政策和实践，通过比较，能快速、高质量地改善本国的教育系统。[①]经合组织在2003年的报告中提到，世界各国的政策制定者希望通过PISA测试的结果实现几个目标：一是通过与其他参与国或地区的比较，评估本国学生的素养技能；二是为教育改进确立基准线，比如，其他国家或地区的平均分数，或者这些国家或地区在提供高度公平的教育成果和教育机会方面的能力；三是了解自己教育系统中相对的强项和弱项。[②]可见，PISA测试的目的非常明确，通过比较评估本国学生的素养技能水平来改进教育政策，促进教育公平与质量。

（二）开展教师教学国际调查

教师教学国际调查也是经合组织通过教育与技能局开展的一项针对全球各国教师教学的国际性调查项目，是经合组织参与全球教育事务角色的一个重要组成部分。

教师教学国际调查目的与对象的确定。一个教育系统的质量在很大程度上取决于它的教学质量，收集教师信息可以帮助国家建立一个高质量的教学系统。为此，经合组织开展了教师教学国际调查，该项目主要调查教师的工作和态度、学校领导的角色。具体包括教师和学校的工作条件和学习环境，如教师教育的初始状态和专业发展，教师得到什么样的评价和反馈，学校的环境，学校领导，教师的教学观念和教学实践、自我效能和工作满意度。教师教学国际调查通过全面、严谨的调查，提供跨国分析，帮助成员方识别其他国家面临的类似挑战并学习它们的政策。教师教学国际调查的研究结果以国际报告、交互式数据库、个别国家说明和专题报告等形式发表。

教师教学国际调查的重点是初中教育。从2008年开始，教师教学国际调查项目在23个国家进行，发布了4个报告，第一个是《2008年教师教学国际调查技术报告》，该报告介绍了教师教学国际调查使用的工具和抽样方法，数据的收集、测量和分析。第二个是《创建有效的教学和学习环境：基

---

① OECD WORK ON EDUCATION & SKILLS [EB/OL].[2016-07-28]. http: //www. oecd. org/edu/edubrochure-eng. pdf.

② 经济合作与发展组织（OECD）. 面向明日世界的学习：国际学生评估项目（PISA）2003 报告 [M]. 上海市教育科学研究院国际学生评估项目上海研究中心，译 . 上海：上海教育出版社，2008：4.

于2008年教师教学国际调查的初步结果》，该报告根据23个参与国的调查结果，就学校条件对教师的影响问题提供了第一份国际对比数据。第三个是《新教师的经验——基于2008年教师教学国际调查》，该报告为教师早期职业生涯面临的最重要的问题提供了一个综合分析。第四个是《教学实践和教学创新——基于教师教学国际调查的数据》，该报告在数据和证据分析的基础上，对2008年各国教学实践和教学创新的经验进行了分析，并提出具体建议指导。这4个报告全面地利用教师教学国际调查结果，为各国开展调查、促进新教师发展、改进教学实践和创新提供了国际视野。

2013年，教师教学国际调查已覆盖了34个国家的500万名教师，并鼓励各国根据本国情况扩大调查范围，能够对其小学和高中教育进行调查。教师教学国际调查2013年对教师进行专业发展调查，运用专业知识、专业自治和同伴网络这三个维度，对教师在课堂和学校层面的行为表现，以及教师职业生涯的三个关键阶段进行测量，并得出结论。专业知识是专业活动开展的基础，专业自治是教师开展专业活动秉持的态度，同伴网络是教师专业活动过程中的环境和支撑系统，三者相互依存，从横向刻画出教师专业发展的基础，教师职业生涯的三个关键阶段则从纵向对教师的发展进行勾勒。横向和纵向互相交融，使得调查结果具有客观性和真实性。教师只有具备更好的专业技能、专业知识，更好的自主权，很好的协作精神才能应对挑战。

（三）开展教育创新研究与实践

经合组织为促进教育研究的创新，专门成立了一个教育研究与创新中心。该中心的宗旨是进行前瞻性研究分析和合成，识别和促进教育创新，促进知识和经验的国际交流。该中心通过严格的分析和概念创新，开辟了新的研究领域，在教育研究创新方面有良好的国际声誉。其研究范围涵盖个体的每个阶段，包括从出生到老年，超越了正规的教育系统范围。该中心的最大特点是实证分析和创新意识，注重在其发展规划中通过证据、数据进行研究，同时贯穿创新意识，让教育研究充满活力，得以持续发展。

表 2-4　教育研究与创新中心部分研究项目表[①]

已完成项目	在研项目
◆明日学校 ◆学习与脑科学研究 ◆新世纪的学习者 ◆学习的社会结果 ◆教师教育多样性 ◆未来大学	◆复杂教育系统治理 ◆教育和培训创新战略 ◆教育和社会进步 ◆学习环境创新 ◆教学和有效学习创新

通过上表可见，教育研究与创新中心的研究涉及面广，对教育的三个要素均加以关注：教师、学习者、学习环境。当前，教育系统治理、教育培训、有效学习等均是教育的热点与难点，教育研究与创新中心目前的研究重点也聚焦于此，并特别强调创新。在“复杂教育系统治理”项目上，国家需要教育系统在分权、引入市场机制加强竞争的同时还需确保教育的质量、效率和公平，因此，有效的教育政策需要多级治理模式，教育研究与创新中心重点是为复杂的教育系统设计治理模式和知识系统。“教育和培训创新战略”项目主要是根据经合组织的“创新战略2010”要求，创新教育手段，设置教育课程（包括艺术、科学和数学等课程）以培养适应21世纪发展的技能，如创造力、批判性思维、合作和好奇心。“教育和社会进步”项目设立的目的是开发一个概念性的框架，用以描述学习背景、技能和社会进步之间的关系，帮助国家识别和发展技能，以此制定提升社会福利和进步（如生活满意度、健康和公民承诺）的关键措施。“学习环境创新”项目的目标是创新学习者、教师、内容和资源之间的组织方式，主要通过三个层面进行：一是通过合成学习研究确定21世纪学习环境的基本原则；二是分析来自不同国家的创新学习环境案例；三是识别出可以进行普及推广的策略。在教育系统资源中，高质量的教师被认为是最有价值的资源，“教学和有效学习创新”项目旨在寻找教师有效教学的核心技能、创新的教学实践，让学习更有效。

① 根据经合组织网站内容整理。

上述项目都围绕教育适应未来社会发展的要求进行研究，凸显出教育研究的前瞻性和创新性。

（四）推动高等教育国际化与建立高等教育质量保障体系

经合组织大力推动高等教育国际化进程。20世纪90年代，随着世界经济、政治、科技的迅猛发展，全球范围内尤其是欧洲地区高等教育跨境需求与日俱增。经合组织在推动高等教育国际化方面，成绩卓著。经合组织分别于1993年和1995年两次召开高等教育国际化学术研讨会，组织相关领域专家探讨高等教育国际化趋势对学校管理、规划、培养目标和课程的影响及应对方法。经合组织的显著贡献体现在20世纪90年代在其成员方和其他国家积极推动高等教育国际化进程。通过国际化，高校被要求对经合组织倡导的经济全球化作出更积极的回应。[①]2006年6月27日—28日，在希腊雅典召开了经合组织教育部长会议，会议发布了四份报告，分析了未来影响高等教育发展的主要因素，如技术、全球化、人口和管理，提出高等教育改革需对日益增强的人才流动和国际化作出有效回应，需要新的国际政策工具参与高等教育国际化治理，并提供了针对国际化的高等教育指标。这些举措都有力地推动了高等教育国际化发展，促进了各国学生留学及人才交流。

经合组织参与推动建立高等教育质量保障体系。当前，信息技术的发展加速了全球一体化趋势，高等教育与经济发展、国际学生流动、文化交流的关系日趋紧密，高等教育质量逐渐成为各国关注的焦点。在此背景下，经合组织也积极参与全球高等教育治理。首先是推动建立高等教育质量保障体系。2004年4月，经合组织与联合国教科文组织联合举办会议，着手制定跨国教育质量保障指南。2005年，经合组织和联合国教科文组织联合制定了《跨境高等教育质量保障指南》，经合组织下设的教育与技能局、教育研究与创新中心参与了指南的制定。指南的宗旨是支持与鼓励国际合作，加强对跨境高等教育质量重要性的认识。具体目标为保护学生及其他利益相关者，同时鼓励跨境高等教育质量的发展要符合人类、社会、经济、文化的需

---

① 蒋晓萍．跨文化化：全球化环境下的文化生态［M］．广州：广东人民出版社，2006：125.

要。[1]该指南对与高等教育直接相关的各国政府、高等教育机构、学生团体、质量保障和鉴定机构、学术认证机构、专业机构等提出了建议。如建议各国建立全面系统、值得信赖的跨境高等教育质量保障和认证机制，确保世界各国间质量保障机构能互相协调与合作，鼓励签订双边或多边协议等。指南也建议大学生团体参与高等教育机构、质量保障机构间的标准制定。这些建议为促进全球高等教育质量保障体系的建立起到了穿针引线的作用，把分散的各国高等教育有机联系起来，为迎接全球跨境高等教育学生流动及其机构间的国际交流提供了基础保障。

经合组织开展高等教育学习成果评价项目。高等教育学习成果评价项目于2008年启动，并成为经合组织在高等教育领域最重大的项目。该项目旨在考察学士学位获得者的学习成果，考察内容为“通用技能”和“学科专业知识”。2013年的报告显示，共有17个国家和地区参与了项目的可行性研究，包括澳大利亚、比利时、加拿大、哥伦比亚、埃及、芬兰、意大利、日本、韩国、科威特、墨西哥、荷兰、挪威、俄罗斯、斯洛伐克、美国、阿布扎比。项目整合了一个专家团队研发相关的测评工具和方法，已经完成开发工作的测评工具包括通用技能测试、经济学测试和工程学测试。项目把重点放在高校的教与学，注重考察学生的学习成果，并找到与其相关的背景因素及影响高等教育发展的因素。

经合组织还实施国际成人能力评估项目。国际成人能力评估项目主要用于测试和衡量个人参与社会和获得经济成功所需的关键认知和工作技能。这项调查的证据将有助于各国更好地了解教育和培训系统，并指导如何培养这些技能，教育工作者、政策制定者和劳动经济学家将使用这些调查信息来完善经济、教育和社会政策，从而持续提高成人的各种技能。项目已经实施了三轮。调查获得的一系列数据可以为政策相关分析和决策提供丰富的证据基础。这个测试的目的不在于国际竞赛或各国教育成就比较，而是要发现各国教育发展的优秀经验和存在的问题，供各国互相借鉴，并寻求解决问题的策

① UNESCO-OECD. Guidelines for Quality Provision in Cross-border Higher Education [M]. Paris: UNESCO，2005.

略。这些测试将为各国深入认识本国成人技能状况提供可靠的数据，也为相关的政策决策提供基础。

（五）发布“教育概览”指导全球教育实践

经合组织的另一项重要教育事务是编制发布年度“教育概览”，该报告作为经合组织的重要报告，为世界各国提供了全球教育状况的权威资讯。2016年9月15日发布的《教育概览2016》对2016年度世界教育的参与者、教育投入与支出、教育系统运行及结果等信息进行了详尽分析，其中包括大量的指标体系，用以比较各国学生在关键领域的表现与其未来收入、成人以后的就业机会等。2016年度报告涵盖了35个经合组织成员方和众多伙伴国家的教育数据。该报告指出，世界各国教育支出持续增长，教育机会持续扩大，教育投资不断增长。可见，世界教育呈现出良好的发展态势。世界各国正在寻找除国家财政拨款外的其他途径资助高等教育发展，如许多国家把高等教育成本从政府转移到家庭，且多以学费的形式呈现，这一趋势有可能让一部分优秀的学生失去接受高等教育的机会，政府通过为学生提供各种奖学金、助学金或贷款等方式弥补这一缺陷。再如，教育性别失衡持续加大，虽然女性接受高等教育的比例在扩大，但接受博士一级教育的机会仍然不多，在科学、工程领域，女性也较少。2014年，获得工程学位的男性是女性的3倍，获得教育领域学位的女性是男性的4倍。可见，在不同领域，性别失衡现象有所差别。此外，教学队伍老龄化严重，仍有六分之一的年轻人未能接受中等教育，外来移民学习存在困难等问题仍然需要解决。该报告首次评估了实现联合国教科文组织2030可持续发展议程目标的进展状况，包括促进全面享有终身学习机会、确保人人享有包容和公平的优质教育等。报告指出缺少高质量、容易获得的教育仍然是全球所有国家面临的主要挑战。此外，2016年度报告还纳入高校教育学生完成率和学校领导两个指标，且提供了相关主题的数据及分析，如教师工资、毕业率、教育支出、注册率、班级规模等，为认识全球教育提供了全面的数据信息和资源。

《教育概览2017》不仅介绍了各教育机构的重要数据、教育对各国的影响力以及各国对教育的投入力度等内容，还重点调查了各国高等教育的入学率、学生的流动性和学生的就业率等状况，并且首次对可持续发展目标进行了评估。该报告评估了经合组织成员方可持续发展教育目标的方向。报告指出，虽然经合组织成员方在很多方面的发展差距很大，但是在2017年度，各成员方在成年人参与正规和非正规的教育培训等方面实现了性别平等。报告还发布了一些其他调查结果，如各国职业教育水平差异较大，各国教育投入逐年增加，学生的入学率不断提高，学校教职工正在老龄化等。

因此，经合组织发布的年度“教育概览”对世界各国认识、比较本国与其他国家的教育状况，促进相互间交流，取得理解与共识，改进世界教育具有重要价值。

三、参与全球教育治理的主要价值和影响

经合组织充分运用教育治理工具，全面深度参与全球教育治理，其工作对全球教育的发展具有重要价值，对世界教育主要领域的走向产生了重要影响，主要体现在以下几个方面。

（一）强化教育与经济的关联性

国际经济组织的最大特点就是善于运用经济机制及手段实现其目标及宗旨。经合组织在参与全球教育事务的过程中，紧扣经济、社会发展的需求来开展教育研究活动。PISA测试、教师教学国际调查、教育研究与创新、发布“教育概览”等都以适应经济社会发展需求为出发点，用其在全球开展经济活动的优势进行教育研究，又通过教育研究的成果促进全球教育的发展，最终为世界经济增长和社会进步服务。

（二）为全球教育发展提供治理工具和共享平台

经合组织在推动高等教育全球化及建立高等教育质量保障体系方面，通过召开教育部长会议、学术会议、发布报告等形式进行倡导，同时为各国提供政策工具。经合组织的各类测试包括PISA测试和教师教学国际调查等，已在经合组织成员方及其他国家间建立了相关监测系统，为各国了解本国及世界各国的教育理念、现状、政策实践等提供了共享平台，也有利于促进本国改进教育政策，以此促进人的发展。PISA测试、教师教学国际调查等作为目前世界范围内最具权威的国际性测试，组织严密，设计科学，实施严谨，具有很高的信度和效度，为横向比较世界各国基础教育发展状况提供

了治理工具和共享平台。

（三）“未来人”的素养内涵得到深化拓展

“未来人”是指能适应并发展未来社会的人。在全球化、数字化的发展趋势下，正规学习与非正规学习的界限变得模糊，终身学习逐渐成为各国的共识，以前单纯局限于学校的学生素养显然不能适应当今社会的现实需求，以往的测试把主体限定在学校学习中，注重学校课程知识与结果掌握上，经合组织的PISA测试打破以往各类测试单纯注重学校习得技能的测试，把学生素养拓展到校外领域，侧重对未来工作生活技能准备的测试，即着眼“未来人”的培养，培养适应并发展未来社会的人，把素养过程化和实践化。“未来人”的素养内涵由此得以拓展，也顺应了世界教育发展的趋势。2018年，“全球胜任力”已成为PISA测试的一个评估项目，“未来人”的素养内涵得到了进一步的扩展和深化。

（四）形成以调查、证据及创新为主流的教育研究导向

经合组织的教育研究，非常注重调查与证据。其PISA测试、教师教学国际调查、儿童早期教育、成人教育均注重调查与证据，无论是问卷调查，还是实地考察、访谈，都是其进行研究的重要理念与手段。一项科学的测评不仅在于认识学生的状态，更重要、更困难的是明确影响学生状态的具体因素，找出准确的综合影响因素，才能制定科学的政策。PISA测试之所以成为全球公认的学生质量评估系统，与其注重与学生素养相关的环境因素测评密不可分，除个人因素外，PISA还注重环境因素如教育系统特征、学校效能和学校管理、教育公平性、投入的有效性等的调查与证据搜集，保证了调查结果的客观和公正，最终保障教育政策制定的科学性。教育研究与创新中心具有生产知识的功能，教育创新也自然成为其追求的目标之一，经合组织特设的教育研究与创新中心的各项教育研究也很好地诠释和实践了创新这一理念。

总之，经合组织的教育治理工具，特别是PISA测试项目、教师教学国际调查、高等教育质量保障体系，涉及世界主要国家和经济体，在世界范围内产生了广泛而重要的影响。当然，我们也应该看到，任何一个国际组织提出的教育政策和方案都不可能全面替代各个国家的教育政策，任何一种测试都不可能全面完整地反映各国学生的所有素养以及一个国家或地区的全部真实教育状况，任何一种调查都不可能涵盖教育或教学的全部内容。国外有学者就对PISA测试的标准化及全球化趋势提出质疑，认为这样一种大规模统一性测试，会使教育追求的个性化、差异化、多元化受到严重冲击，甚至会毁了教育。国际高等教育质量保障体系在保证了跨境人员能接受高质量教育的同时，也有可能导致全球高等教育同质化，最终损害各国高等教育的特色化发展。因此，各国仍需要根据自身国情及文化背景进行教育政策的研究、制定及实施，以最终保证教育政策的现实性、可行性和有效性。

第四节　世界贸易组织的全球教育治理

一、组织概况

世界贸易组织（World Trade Organization，简称“WTO”，以下中文简称“世贸组织”）成立于1995年1月1日，总部设在瑞士日内瓦。其基本原则是通过实施市场开放、非歧视和公平贸易等原则，来实现世界贸易自由化的目标。该组织是唯一一个负责管理世界经济和贸易秩序的全球性国际组织。它的核心是世贸组织协议，由世界上大部分贸易国家进行谈判和签署，并由其议会批准，目标是确保贸易尽可能顺畅、可预测和自由地流动。世贸组织有许多角色，它运作一个全球性的贸易规则体系，作为谈判贸易协定的公共场所，解决成员方之间的贸易争端和支持发展中国家的需要。世贸组织的基本职能是贸易谈判、贸易实施和监控、贸易争端解决、贸易能力建设及其他拓展服务。世贸组织通过这四个基本职能的施行，涵盖了贸易领域的众多事项，发挥出其全球治理的积极作用。

世贸组织处理多边贸易体系关系遵循一些基本原则，包括非歧视、更开放、可预测性和透明性、更多竞争、更利于欠发达国家、保护环境。世贸组织秉持的这一系列原则为其参与全球治理提供了准则和依据，当然，也为其参与全球教育治理奠定了基础。

世贸组织的工作由各成员方推动，秘书处协调进行，秘书处由总干事领导。世贸组织秘书处的职责是针对本组织开展的所有活动，向世贸组织成员方政府提供高质量的、独立的支持，并以专业、公正和正直的精神为世贸组织服务。秘书处拥有600多名员工，来自78个国家，包括经济学家、统计学家、通信专家和律师等，他们协助成员方处理日常事务，并保证贸易谈判的顺利开展，以及国际贸易规则的正确使用及执行。

世贸组织秘书处除了与国际货币基金组织、世行保持密切合作，还与来自开展统计、研究、标准制定和技术援助及培训等活动的近200个国际组织保持着工作关系，其中140多个国际组织在世贸组织具有观察员地位。

二、世贸组织推动世界各国教育服务贸易发展

世贸组织通过与各成员方签署的《服务贸易总协定》，推动各国服务贸易的开放及发展。《服务贸易总协定》是世贸组织最重要的法律框架。该协定促使各成员方加大教育服务的开放力度，也推动成员方内部的教育改革与发展。

《服务贸易总协定》参照《联合国中心产品分类系统》将服务贸易划分为12个类别，包括商业、通信、建筑、销售、教育、环境、金融、卫生、旅游、娱乐、运输、其他。教育服务属于其中一个类别，教育服务是指学校教育及培训机构为受教育者所提供的一种劳务性、服务性的活动。[①]《服务贸易总协定》的原则对教育服务亦适用。与《服务贸易总协定》相对应，世贸组织下设针对不同行业的12个服务部门，其中教育部门包括初等、中等、高等、成人、其他五类。教育服务包括在2000年1月开始的新服务谈判中。教育服务具有特殊使用价值，其特殊性表现为教育服务方式体现为活动。

《服务贸易总协定》区分了四种提供服务的模式：跨境交付、境外消费、商业存在和自然人流动。跨境交付是指服务的提供者在一成员方的领土

① 靳希斌．教育服务及其优势形成与贸易价值［J］．河北师范大学学报：教育科学版，2003（2）．

内，向另一成员方领土内的消费者提供服务的方式（如通过电信或邮件实现的银行或建筑服务等）；境外消费是指一成员方的服务消费者（如旅游者或病人）进入另一成员方的领土内以获得服务的情况；商业存在是指一成员方的服务供应商通过拥有或租房地产，在另一成员方的领土上提供服务（例如外国保险公司或连锁酒店的国内子公司）；自然人流动是指由一成员方的服务提供者进入另一成员方领土提供服务（如会计师、医生或教师）。世贸组织提出的这四种服务模式为教育服务在各成员方之间的开展提供了指导，教育服务也包括这四种基本服务模式，对这些教育服务模式的管理与监控，构成了世贸组织参与全球教育治理的重要内容。“凡是承诺开放教育市场的国家，除了政府彻底资助的教育活动外，凡带有商业性质的教育活动或相关行为，所有成员方均有权参与其教育服务竞争。”[①]教育贸易市场的开放，教育服务的竞争，有利于推进世界各国教育服务市场化、贸易化和国际化进程。

中国作为世界上最大的发展中国家，也积极加入世贸组织，并在教育服务领域作出相应承诺：教育服务“包括初等教育、中等教育、高等教育、成人教育及其他教育（包括英语语言培训等），但不包括国家义务教育，也不包括特殊教育，如军事、警察、政治和党校教育。允许中外合作办学，外资可拥有多数股权。外国个人到中国境内提供服务（自然人流动），除服务贸易协议承诺允许的入境和居留措施以外，外国个人教育服务提供者受中国学校和其他教育机构邀请或雇佣，可入境提供教育服务。但外方教育提供者需具有如下资格：具有学士或以上学位，具有相应的专业职称或证书，具有两年专业工作经验”[②]。中国“在教育服务提供方式上，对跨境交付的教育服务未作承诺；对境外教育消费未做任何限制；允许商业存在，即允许中外合作办学，但不一定给予国民待遇；对自然人流动，承诺具有一定资格的境外个人教育服务提供者应中国学校或教育机构聘用或邀请，可以来中国提供教育服务”[③]。中国入世承诺的教育服务几乎包括各种层次教育类型，但义务

① 邬志辉．WTO 教育服务贸易的主要规则解析［J］. 外国教育研究，2003（3）.

② 中华人民共和国商务部. 中国入世承诺［EB/OL］.［2017-08-17］. http: //www. mofcom. gov. cn/aarticle/Nocategory/200612/20061204000376. html.

③ 陈至立．我国加入 WTO 对教育的影响及对策研究［N］. 中国教育报，2002-01-09（1）.

教育和特殊教育不在承诺的教育服务对外开放之列，体现出教育具有关涉国家主权、民族文化和意识形态的特殊性。

三、世贸组织促进全球高等教育国际化进程

在不同层次的教育服务中，世贸组织对高等教育的影响最大。以欧盟为例，尽管各国同属一个洲，但各国在语言、文化、社会经济、政策、宗教信仰等方面仍存在诸多差异，要确保欧洲一体化顺利推进，增进各国之间的相互理解与合作很重要，而教育是帮助克服障碍、增进理解与合作最有力的工具。早在世贸组织正式成立之前，欧盟就在20世纪80年代制定了一系列有关高等教育国际化的教育与培训计划，如伊拉斯谟计划、可米特计划、林瓜语言计划等。伊拉斯谟计划旨在鼓励和资助欧盟成员方的高等院校教师和学生在区内不同国家教学或进修，借此提高教职员的学术、教学水平和学生的素质，它的发展历程体现了欧盟迈向一体化所做的努力，标志着欧盟逐渐建立地区性高等教育政策和协作机制，为实现欧盟教育一体化打下了基础。[①]

进入20世纪90年代，欧盟加入世贸组织，教育领域的改革提速，出台了一系列重要的计划，著名的如苏格拉底计划和莱昂纳多计划等。在高等教育方面，苏格拉底计划的子计划伊拉斯谟计划提出促进欧盟各成员方大学之间建立合作网络，共同开发新课程教学，推行欧洲学分转移制度，相互承认学制及文凭；通过多种渠道为师生到另一成员方学习和深造提供必要条件；等等。[②]除了高等教育外，还有一些重要内容与欧洲高等教育国际化密切相关，如开放远程教育、成人教育、教育信息交流、大学与企业合作。这些计划都与世贸组织对四种教育服务贸易所提要求环环相扣。在跨境交付领域，欧盟各国拓展了远程教育与函授的范围；在商业存在领域，欧盟各国增加了跨境合作办学；在境外消费领域，欧盟各国也积极派留学生到国外留学；在自然人流动领域，欧盟成员方之间加强了学生留学和教师交流。

除了欧盟层面的整体高等教育改革计划，欧盟各成员方也各自推出了诸

---

① 邬志辉．WTO 教育服务贸易的主要规则解析［J］. 外国教育研究，2003（3）.
② 周丽华．欧盟的教育计划：普通教育与职业教育［J］. 上海教育科研，2000（1）.

多改革措施，以适应世贸组织提出的新要求。如法国把1996年定为法国高等教育“改革年”，这一年提出了高等教育与欧盟成员方及其他国家合作的报告；1997年，法国颁布了大学教育改革法令；1998年发布《建立高等教育的欧洲模式》的高等教育改革报告。进入21世纪，法国又进行了一些高等教育变革。2015年，法国教育部长瓦洛·贝尔卡塞姆与新任高等教育与研究国务秘书梯叶里·曼东共同向总统奥朗德递交了由国家高等教育战略委员会起草的《国家高等教育战略》，该文件描述了未来十年法国高等教育的发展目标，即构建开放、包容、平等的高等教育体系，并提出实现该目标的五大战略，包括：建设支持经济发展的学习型社会；提升高等教育欧洲化及国际化水平；推动高等教育民主化，增强教育的公平性和包容性；创新教育教学模式，发展21世纪的教育；积极回应青年一代的愿望诉求。[①]从这一系列连续的高等教育改革，我们可以看出法国正主动履行世贸组织的教育服务承诺，响应全球化挑战。

德国则于1998年修订颁布《高等学校总纲法》，寻求高等教育的国际化，由此启动了一场新的高等教育改革。英国在世贸组织教育服务承诺方面，除自然人流动外，高等教育跨境交付、境外消费、商业存在完全开放。[②]跨境交付主要以电子学习方式存在，境外消费主要以国际留学生教育为主，商业存在主要是与世贸组织成员方合作办学。英国在教育服务上的举措主要体现在两个层面：一是对外积极输出教育服务，抢占国际教育市场；二是对内采取教育贸易壁垒手段，保护国内教育市场。英国的双重举措在保护本国教育发展的同时，也促进了对外教育服务贸易输出的能力。这些举措成效显著，2002年，赴英留学的人数首次超过了美国，英国成为吸引最多外国留学生的国家。

美国在回应世贸组织要求及世界变革方面，也采取了许多策略，主要体现在：一是“增”“减”相济，应对学业完成率低与学费快速上涨两大挑战。挑战之一，多数学生的学业不理想，学业完成率低。白宫资料显示，从

① 刘敏，景立燕．未来十年法国高等教育发展目标［N］．中国教育报，2015-12-02（11）．
② 李顺碧，吴志功．WTO框架下的英国高等教育服务贸易［J］．比较教育研究，2005（6）．

美国全国情况看，在25岁—34岁的成年人中，获得大学结业证书和学位的人数，已经降到了世界第16位。超过一半的学生需6年才能毕业，低收入家庭学生的学业完成率大约只有25%。联邦教育部的统计表明，四年制学校学业完成率徘徊在60%左右，两年制学院的学业完成率则只有这个数的一半。针对上述情况，美国提出“增”的政策，即通过增加大学毕业生人数提高美国高等教育质量。美国力争到2020年，再次成为世界上拥有大学毕业生人数最多的国家。按照联邦教育部的测算，这意味着到2020年将有超过800万学生获得学士学位（包括副学士学位），相当于目前毕业生数量的两倍。挑战之二，学费持续上涨，家庭和学生经济负担增加。由于经济方面的原因，多数州对高等教育的财政支持都减少了。高等教育机构要维持运转、提高质量，必然把成本转嫁给家庭和学生，导致学生上大学的费用持续上涨。针对上述情况，美国提出“减”的政策，努力通过减少学生上学费用以减轻学生及其家庭的负担，旨在推进教育公平，鼓励学生完成学业，提高美国高等教育质量。2013年2月13日，总统奥巴马发表了连任后的第一份国情咨文，指出纳税人不能继续承担越来越高的高等教育费用，大学必须想办法把费用降下来，确保学校降低费用是政府的职责。其政策思路，一是向国会提议修改高等教育法案，让学费和学校的价值，与学校是否得到联邦某种资助相挂钩；二是实行一种新的“大学积分卡”，用这个积分卡，家长和学生可以基于一个简单的标准来比较学校，看上哪个学校最划算。在世界多极化、经济全球化、信息网络化的背景下，人才成为21世纪构建国家实力的基础。奥巴马提出，“高等教育不应是奢侈品，或像掷骰子一样碰运气，它应是每一个美国家庭都能负担起的经济必需品”。

二是注重全球发展战略，加快高等教育国际化步伐。长期以来，美国将高等教育国际化作为全球化发展战略的重要组成部分，并将其作为发展对外关系、增强国家安全和全球竞争力的一种重要工具。美国联邦教育部认为，传统的课程已经不能满足21世纪的需要，21世纪的教育应该包括三个层面：一是传统的核心学科，包括英语、数学和艺术等；二是跨学科的素养，包括批判性思考能力、技术素养、创造和创新能力、公民素养；三是全球化能力，包括跨文化沟通和合作能力、理解能力和世界意识。美国把培养学生的全球化能力单列出来有其特殊意义，显示出美国对于国际化认识的逐步深化。

三是探索新的教育模式，推进在线高等教育快速发展。近十年来，网络课程在线教育模式迅猛发展。2012年，“大规模在线开放课程”在全球迅速兴起，为全球希冀得到更好教育机会的人提供了更具竞争性、更低成本和更高质量的高等教育。该模式的最大特点是课程的参与者遍布全球，人数众多，课程的内容可自由传播，实际教学不再局限于单纯的视频授课，而是同时链接博客、网站、社交网络等多种平台。美国也积极采用这一新的教育模式，推动高等教育变革与发展。

通过上述分析可见，作为世贸组织的主要成员及规则制定者，为适应世贸组织对教育服务贸易的要求，美国不断改革高等教育，高等教育理念及模式不断发展。

新加坡是亚洲较早加入世贸组织的国家，但签署《服务贸易总协定》时并没有把教育服务承诺列入其中。[①]尽管新加坡没有签署教育服务承诺，但其一直致力于高等教育国际化发展，主要反映在人才引进优惠政策领域，包括制定和实施投资居留政策、灵活签证政策、留学生优惠政策等，促进高等教育服务贸易的持续发展。当前，新加坡已成为亚洲国家主要留学目的地之一，在高等教育和人才培养方面占有重要地位。

四、全球教育治理参与

（一）实施“WTO讲席计划”，提升全球研究机构的教育及研究质量

世贸组织正在实施“WTO讲席计划”，该计划旨在支持和促进发展中国家和最不发达国家大学和研究机构与贸易有关的学术活动。该计划2010年推出，它通过大学和研究机构的课程开发、研究和推广活动，加强发展中国家学术界和政策制定者对贸易和知识产权制度的理解与相互交流。2009年，世贸组织通过竞争程序遴选出14个机构作为该计划的讲席机构，任期4年。还有另外7个机构被选定为该计划2014年第二阶段的讲席机构。

① 赵亮．WTO规则与新加坡高等教育国际化政策［J］．继续教育研究，2017（2）．

表 2-5 WTO 讲席计划机构名单表①

序号	国家	机构名称
1	阿根廷	拉丁美洲社会科学研究院
2	巴巴多斯	西印度群岛大学
3	贝宁	阿波美卡拉维大学
4	巴西	巴尔加斯基金会、圣保罗经济学院
5	中国	上海对外经济贸易大学
6	智利	智利大学
7	印度尼西亚	卡查玛达大学
8	约旦	约旦大学
9	肯尼亚	内罗毕大学
10	毛里求斯	毛里求斯大学
11	墨西哥	墨西哥自治技术学院
12	摩洛哥	穆罕默德五世大学
13	阿曼	苏丹卡布斯大学
14	俄罗斯	圣彼得堡州立大学
15	塞内加尔	迪奥普大学
16	新加坡	新加坡国立大学
17	南非	西北大学
18	突尼斯	突尼斯大学、突尼斯商学院
19	土耳其	伊斯坦布尔比尔基大学

WTO讲席计划的机构名单列出了19个国家的21个主席机构，以发展中国家和欠发达国家的机构为主，这些机构中有20所大学，1个基金会。可见，WTO讲席计划贯彻其宗旨，严格把机构遴选范围限于发展中国家和欠发达国家，且以大学为主，凸显出大学在参与世贸组织全球教育治理过程中的地位与作用。

① 根据世贸组织网站内容整理，具体参见 https://www. wto. org/english/tratop_e/devel_e/train_e/chairs_selection_e. htm.

以中国的上海对外经济贸易大学为例，2002年5月，该校成立世贸组织研究教育学院，学院以世界贸易组织规则为核心，旨在培养能够适应全球化发展趋势的国际法和经济学复合型高级人才，设立了世界贸易组织法硕士点，独立招收世界贸易组织法专业硕士研究生。世贸组织研究教育学院拥有国内唯一由世贸组织秘书处专家设计的、与国际著名院校保持一致的研究生课程体系。2009年11月，学校经过激烈竞争，成功申请到世贸组织秘书处发起的“世贸组织讲席计划”，成为全球首批世贸组织讲席院校之一，学院院长同时被世贸组织秘书处任命为世界贸易组织讲席主持人。目前，世贸组织研究教育学院是中国世贸讲席的承担单位，并已经发展为世贸组织秘书处全球学术网络的核心层，也逐渐成为国际著名世贸组织学术机构。世贸组织研究教育学院坚持国际化办学的理念，与联合国国际贸易中心、联合国贸易会议虚拟学院、联合国亚太经社理事会贸易研究与培训网络以及国际贸易与可持续发展中心等国际机构建立了合作关系，与世界主要世贸组织学术机构建立了密切合作关系，为开展师生国际交流创建了良好的平台。上海对外经济贸易大学通过“WTO讲席计划”，促进了中国在世界贸易领域的教育发展与人才培养。

（二）设置论文奖奖励青年经济学家，引导人才发展方向

世贸组织还通过设立论文奖，专门奖励本年度表现突出的青年经济学家。2009年，世贸组织成立了“WTO论文奖”奖励青年经济学家，并颁发5 000瑞士法郎的奖金。设置该奖项旨在促进学术界尤其是年轻一代学者对世贸组织和世贸组织有关问题的高质量的经济研究，并加强世贸组织与学术界的关系。获奖论文由学术评选小组负责评选，并在全球最大的专业国际贸易会议——欧洲贸易研究组织年度会议上宣布。获奖论文必须解决贸易政策和国际贸易合作的相关问题。作者必须具备博士学位或为在读博士，如果超过30岁，则博士学位答辩不得超过两年。在合著论文的情况下，这种要求适用于所有的作者。可见，论文评选对评审人员、作者、论文研究方向等均有严格要求，体现出世贸组织对青年学者参与全球经济贸易的教育导向。

表 2-6　“WTO 论文奖”历年获奖名单表（2009—2016）

序号	年度	获奖作者及学校（机构）
1	2016	Matthieu Bellon（哥伦比亚大学）
2	2015	Christoph Boehm（密歇根大学）、Aaron Flaaen（华盛顿哥伦比亚特区联邦储备委员会）、Nitya Pandalai-Nayar（密歇根大学）
3	2014	Jonathan Dingel（哥伦比亚大学）、Claudia Steinwender（伦敦政治经济学院）
4	2013	Felix Tintelnot（普林斯顿大学）
5	2012	Treb Allen（耶鲁大学）
6	2011	Rafael Dix-Carneiro（马里兰大学）、Kyle Handley（斯坦福大学）
7	2010	Dave Donaldson（麻省理工学院）、Olena Ivus（女王大学）
8	2009	Ralph Ossa（芝加哥大学）

从表2-6可见，“WTO论文奖”的作者均来自世界知名大学及个别其他机构，世贸组织通过设立论文奖，鼓励年轻学者致力于经济贸易问题研究，加强了年轻学者与世贸组织的联系，同时，也促使大学及学生更注重学术质量，促进大学及学生研究能力的提升，增强了年轻人参与全球事务的使命感，这也是世贸组织参与全球教育治理的一种方式。

（三）实施“E 学习计划”

世贸组织面向全球实施了“E学习计划”，并建立了世贸组织电子学习中心，该计划属于世贸组织技术援助和推广项目的一部分。世贸组织电子学习中心设立了网络校园，提供各种与贸易有关问题的讨论和多边贸易协定的网络互动课程。这些课程属于对世贸组织成员和观察员中来自发展中国家的政府官员实施世贸组织技术援助计划的一部分。具备资格的学习者成功完成课程后可以获得世贸组织颁发的证书，在课程目录里的自我训练教材对不具备资格的学生也是免费的。

2014年，14 700多名来自发展中国家的学习者受益于世贸组织的培训课程和远程学习计划。这些课程培训有助于世贸组织各成员方加深对多边贸易体制的了解，帮助发展中国家应对挑战。

世贸组织“E学习计划”的实施为世贸组织在全球开展贸易服务提供了

可持续的人力资源，让与此相关的人员得以不断更新知识体系，适应国际贸易发展的需要，同时，也必然促进教育服务贸易的开展，这也是对全球教育治理的贡献之一。

总之，世贸组织凭借与各成员之间的《服务贸易总协定》及承诺，敦促各成员积极开放教育服务贸易市场，并由外及内推动教育的内部改革，以此适应世贸组织的需要，也同步促进本国教育发展。世贸组织还通过各种教育培训计划，推动全球贸易人才的培养，为全球教育治理作出了独特的贡献。

第五节　欧盟的全球教育治理

一、概况

欧洲联盟（European Union，简称“EU”，以下中文简称“欧盟”）是欧洲国家之间的一个独特的经济和政治联合体。作为欧洲最大、最有影响力的国际政府组织，它覆盖了欧洲大陆的大部分地区。它创建于第二次世界大战之后，目的是促进欧洲各国间经济合作。欧盟以前的组织形态是欧洲煤炭和钢铁共同体，1958年，欧洲经济共同体成立，一个巨大的共同市场由此形成，为这一区域的发展与和平奠定了坚实的基础。

目前，欧盟拥有28个成员方。欧盟通过欧盟委员会来参与其成员方的教育事务，对外通过召开欧盟首脑会议和部长级会议，直接对各国教育政策制定形成实质性影响。欧盟还通过其下设的欧洲职业发展培训中心、欧洲培训基金会等指导或参与各成员方的教育与技能培训事务。

二、教育治理实践

（一）设置欧洲教育议程

欧盟是欧洲最大的国际政府组织，其下设的欧洲理事会设置欧盟的总体政治方向，但没有权力通过法律。理事会主席与各国家元首或政府首脑每六个月至少碰面两次，商讨设置议程，其中，也包含欧盟国家的教育议程。欧盟的终身学习政策，就是在欧洲理事会的推动下进入了欧盟国家的教育议程，并于1995年发布了教育和训练白皮书，把1996年定为“欧洲终身学习年”，倡议欧洲民众重视终身学习，目的是促进每个个体主动发展各项能力，包括融入生活、工作和社会的能力，参与民主决策过程的能力，适应经济、科技和社会变革的能力。欧盟最终想通过该议程来确保欧洲在知识经济大潮中能处于全球领先地位。2000年，欧盟委员会又主导发布《终身学习备忘录》，把终身学习纳入欧盟的教育议程，最终推动了欧盟成员方终身学习的发展进程。总之，欧盟这一类国际组织通过自身的网络和独特优势设置全球或区域性教育议程，对全球或区域性教育的整体走向产生着重要影响。

（二）制定发布具有法律效力的文件和战略规划，创新教育治理方式

欧盟利用其法定地位制定发布具有法律效力的文件和战略规划，推动欧盟及各成员方的教育变革与发展。欧盟出台的这些标志性文件归纳起来，大概经历了三个重要时期，即《罗马条约》后时期、《马斯特里赫特条约》后时期以及《里斯本条约》后时期，不同时期内的欧盟教育培训政策的法律基础、指导原则、主要执行方式对成员方的教育和培训系统产生不同影响。①制定于20世纪50年代后期的《罗马条约》，初期并没有直接涉及教育领域，但它加强了欧盟在教育和培训领域合作的法律基础。20世纪70年代，欧盟成立了教育委员会，教育领域才真正纳入欧盟的议程之内，职业教育与培训及普通教育才在欧盟范围内得到重视。欧盟1993年实行的《马斯特里赫特条约》，又称《欧洲联盟条约》，其中第149条和第150条明确规定加强成员方之间的教育合作与交流，制定共同体教育制度，以此实现对欧盟成员个体的受教育权的保护。除此之外，欧盟还发布了一系列文件，如20世纪90年代的《欧洲教育绿皮书》《普通教育和职业教育教学与学习白皮书：通往认知社会的道路》《普通教育和职业教育绿皮书：跨国流动障碍的考察》等，实施了一系列教育计划，如苏格拉底计划、莱昂纳多计划、欧洲青年计

① 胡伯特·埃特尔，喻恺．欧盟的教育与培训政策：五十年发展综述［J］．教育学报，2009（1）．

划等。国际组织通过成员方的授权，制定共同体内部的公约、文件、计划等，引导和规制各成员方的教育活动，一定程度上保障了共同体间教育治理的协调与实施。

进入21世纪，欧盟更注重通过教育政策改革以应对社会各领域的现实问题。2000年出台的“里斯本战略”在教育和培训领域制定了一系列目标，包括增加投入、将只有初级中等教育学历的年轻人人数减半、制定终身教育学习方案、在职业资格以及学习经历的认可中增加透明度以及建立一个统一的履历表格式等。“里斯本战略”提出后，一种新的政策协调机制——开放式协调得到开发并运用于教育领域。这种新型的治理方式为欧盟各国的教育政策提供了新的工具，使得其教育治理变得更加有针对性、更有效。欧盟的这一系列教育政策旨在支持国家行动，并帮助解决各国共同面临的挑战，如老龄化社会、劳动力的技能缺陷、技术发展和全球竞争。

2009年，欧盟制定了“教育和培训2020计划”，该计划是欧盟国家进行教育和培训合作的框架。欧盟各成员方通过这个框架，可以交流各自在教育与培训领域的最佳做法，相互学习，收集和传播有关工作的信息和证据以及对政策改革提供咨询和支持。

欧盟每年对教育和培训进展进行监测评估，并根据评估结果制定新的发展目标。欧盟委员会和欧盟国家参与盘点评估计划进展情况，主要通过以下途径进行：一是发布年度教育和培训监测报告，反映欧盟教育和培训的变革，有助于实现教育培训合作的欧盟战略框架的目标。二是聘请独立评估承包商对“教育与培训2020计划”进展情况进行评估。三是举办年度教育培训和青年论坛。四是利益相关者反馈信息。根据上述途径进行综合评估后，欧盟委员会提出未来欧盟教育优先事项，并据此成立专题工作组。

（三）提供创新教育基金援助

欧盟认为教育和培训方面的投资非常重要，它能确保欧洲人具备所需技能，并能在就业市场及社会中找到适合自己的位置。欧盟支持国家、地方政府、教育机构和民间社会组织增加对教育和培训的投资。这些资金主要来源于各种基金，如结构性基金、欧洲社会基金、欧洲区域发展基金①，欧洲社会基金和欧洲区域发展基金主要用来支持成员方的结构调整，以及缩小成员方之间的发展差距。涉及支持增长、就业和社会凝聚的教育发展计划能够获得基金的支持。这些基金有力地推动了区域及各成员方教育和知识培训质量的提升。投资主要用于提升教育基础设施，包括学校基础设施现代化升级、宽带和通信技术设施、高端实验室等；支持学生发展，提升学生优秀率；推动教育、商业和研究的关联互动。欧洲投资银行集团和欧盟委员会共同发起的欧洲战略投资基金，主要为欧盟的重要战略项目进行私人投资，教育与培训也可以从该基金获得投资。欧盟凭借其强大的经济实力，在教育领域的投资巨大，这也是其欲保持世界经济领先地位的重要举措。可见，欧盟开展的创新教育基金援助，对各成员方的教育发展起到了积极的促进作用，同时也潜移默化地影响了非欧盟国家的教育政策及其发展。

（四）与经合组织合作开展国际性调查，为欧盟及相关国家制订教育发展规划提供依据

欧盟28个成员方中有21个同时也是经合组织的会员。因此，欧盟与经合组织有密切的合作关系。欧盟与经合组织合作开展PISA测试，并运用测试结果对欧盟成员方的教育进行变革。2013年，欧盟委员会与经合组织联合出版了PISA和国际成人能力评估结果。此外，双方在技能战略、创业机构、学校系统效率等领域也进行了合作。国际成人能力评估是欧盟委员会下设的教育与文化理事会同经合组织教育与技能局合作开展的项目。该项国际调查在40多个国家进行，从每个参与国16岁—65岁人口中选择约5 000人进行直接评估，他们代表该国的劳动年龄人口。这项调查旨在评估成年人对关键信息处理技能的熟练程度——在技术含量丰富的环境中的读写能力、计算能力和解决问题的能力，包括收集成年人在家里、在工作中和更广泛的社区如何使用他们技能的信息和数据。②国际成人能力评估重点衡量个人在参与社会和促进经济繁荣过程中的关键认知和工作技能，为欧盟制定组织层面及国家

① 具体参见：http://ec. europa. eu/education/policy/strategic-framework/investment-plan_en.
② 具体参见：http://www. oecd. org/skills/piaac/.

层面的成人教育及终身教育政策提供证据和数据。截至目前，欧盟已进行了三轮国际成人能力评估。

以第一轮调查为例，调查在23个国家进行，其中17个是欧盟成员，调查人数约占欧盟28个成员方总人口的83%。[①]通过调查了解以下几个方面的情况：教育和培训系统的表现，文盲和低素养人口的规模和范围，劳动力市场需求与教育和培训之间的差距，接受教育和代际流动的公平程度，青年人从教育到工作的过渡，识别高危人群、关键认知技能和可变因素之间的联系（如人口特征、教育背景、健康状况等）。[②]第一轮国际成人能力评估还收集了参与国一般工作技能情况，分为四大类：认知技能、合作和社交技能、身体技能、学习技能。认知技能包括阅读、写作、数学和使用信息与通信技术技能；合作和社交技能包括协作和合作、规划工作和为自己及他人分配时间、沟通和谈判、与客户联系（例如销售产品、服务和咨询）技能；身体技能包括粗大运动和精细运动技能；学习技能包括指导他人、学习（正式的或非正式的）以及保持在自身专业领域的最新发展技能。这些调查内容涵盖宏观到微观层面的成人技能状况、教育与劳动力市场的衔接、低技能水平人口的现状、高危人群等的识别，不仅对教育治理起到积极作用，而且对维护国家安全、提升国际综合竞争力都有重要意义。第一轮调查得出7个结果：①欧盟20%劳动年龄人口的读写和计算能力处于低水平。②教育和技能培训能提升就业能力。这对25%的读写和计算能力处于低水平的失业者来说是一个挑战。③具备高技能的人通过成人学习可以获得很好的进步，但技能熟练程度低的人很容易陷入“低技能陷阱”，因为他们不太可能参加学习活动。④17个欧盟成员方相似资格的个体之间差异显著：一些成员方的高中毕业生成绩相似或优于其他成员方的高等教育毕业生。⑤25%的成年人缺乏有效利用信息与通信技术的技能。⑥一个人的技能如果不经常使用，往往会随着时间的推移而弱化。一代人之间读写能力的熟练程度差距超过了三分之二（相

---

① European Commission. The Survey of Adult Skills （PIAAC）: Implications for education and training policies in Europe.[EB/OL]. http.//ec. europa. eu/education/policy/strategic-framework/indicators-benchmarks_en.

② 具体参见： http://www. oecd. org/skills/piaac/aboutpiaac. htm.

当于五年的教育）。⑦持续的技能进步能带来积极显著的经济和社会效益。[①]这些调查结果明确了欧盟新的或正在面临的挑战，为“欧盟2020战略”的推进提供了依据，各成员方可以通过调查监测本国人力资源状况，为相关政策分析及决策提供丰富的证据基础。

三、参与全球教育治理的成效

欧盟在教育治理方面的诸多举措取得了很大成效，增强了欧洲社会的凝聚力，促进了欧洲社会的国际化，加深了欧洲各国及不同民族间的理解与沟通、合作与互助，确保欧洲的持续繁荣，使欧洲作为全球发达国家集聚区的地位得到巩固。欧盟在教育政策领域的作用日益增强，对成员方教育发展的影响力越来越大，教育政策与其他政策开始相互渗透，其他部门日益能够影响教育发展。[②]

当然，欧盟的教育政策经历了一个转向的过程。从20世纪70年代到21世纪初期，欧盟的教育政策经历了从政治经济目标到经济多功能性目标的转向。明显的标志就是决策方法的变革，已经从半社会向政府间或跨政府组织模式决策转变，从种族隔离转向市场取向，反映了教育显著的政治经济特点。[③]随着社会不断进步及经济政治形势的变化，“欧盟政策制定的重点已由培训领域的合作转向了（尤其是高等教育领域的）国家改革进程的协调”[④]，预示着欧盟教育治理由中观向宏观扩展，影响逐渐加深，通过教育促进欧盟的经济多功能目标发展和政治联盟稳固成为主要方向。

---

① European Commission. The Survey of Adult Skills （PIAAC）: Implications for education and training policies in Europe.[EB/OL]. http://ec. europa. eu/education/policy/strategic-framework/indicators-benchmarks_en.

② 加博尔·哈拉茨 . 欧盟：为明智、持续和包容性增长而努力［M］// 王燕 . G20 成员教育政策改革趋势，北京：教育科学出版社，2015：313.

③ Heiko Walkenhorst. Explaining change in EU education policy［J］. Journal of European Public Policy，2008（4）.

④ 胡伯特·埃特尔，喻恺 . 欧盟的教育与培训政策：五十年发展综述[J]. 教育学报，2009(1).

第六节　八国集团的全球教育治理

一、概况

八国集团（G8），是由原来的七国集团演变而成，是指八大工业国美国、英国、德国、法国、日本、意大利、加拿大及俄罗斯组成的联盟，或叫政府间经济政治论坛。

进入21世纪，随着全球化进程的加速，世界经济政治形势的变化，从2003年开始，每年的八国集团峰会都会邀请发展中国家领导人参与非正式会议。2005年，英国政府首次倡议邀请全球五个新兴市场国家巴西、中国、印度、墨西哥、南非参加G8正式会议，后来称为G8+5。但这一做法持续时间不长。2008年，八国集团华盛顿峰会认为随着新兴市场国家的经济增长，八国集团已不能适应世界发展形势的需要，从2009年9月的匹兹堡峰会开始，二十国集团（G20）取代了作为发达国家经济论坛的八国集团。当然，八国集团仍从某种意义上保持着西方大国的领导地位。从八国集团的历史来看，其包容性逐渐增强，由刚开始的西方大国主导，到后来国际组织及发展中国家加入，其代表性不断扩大，这也是全球化发展，各国联系交往不断深化，联系更加紧密的趋势及现实需要。

八国集团作为非正式国际组织，与联合国或世界银行不同，不具备法人资格，没有常设秘书处和成员方办公室，每年的会议由轮值主席国负责组织实施。在参与全球治理过程中，没有强制执行力，而是通过定期或非定期的首脑会晤、部长会议、各类小组会谈等各种形式讨论全球问题，包括对世界经济和政治形势的趋势分析、看法及立场等，最终通过发表公报、宣言等来表明观点及立场，以此影响世界经济、政治、文化等领域的发展和走向。

八国集团参与全球治理的领域众多，包括金融、贸易、能源、卫生、执法、劳工、外交、司法和内政、恐怖主义、贫困、非洲问题、信息技术、教育、环境问题等。[①]八国集团进行全球治理的工具主要有四种：一是举行

---

① 于军．全球治理［M］．北京：国家行政学院出版社，2014：150，152．

首脑会晤，二是策划和举办一系列部长级会议，三是召开领导人私人助理会议，四是组成专家小组、工作小组开展研究。

表 2-7　2000 年—2013 年八国集团首脑峰会议题[①]

时间	地点	议题
2000 年	日本	全球信息产业发展不平衡、贫穷国家债务、地区冲突、传染病防治等问题
2001 年	意大利	全球经济发展速度放慢和世界贫困问题、全球艾滋病健康基金和热那亚非洲计划
2002 年	加拿大	援助非洲、反对恐怖主义、中东和平问题以及世界经济形势
2003 年	法国	经济增长、团结和国际安全
2004 年	美国	自由与合作通向繁荣、伊拉克重建、中东国家改革、非洲安全问题
2005 年	英国	援助非洲、环境问题
2006 年	俄罗斯	能源安全、预防和控制严重传染性疾病、在教育领域开展国际性合作
2007 年	德国	全球化进程中世界经济和气候变化、非洲问题
2008 年	日本	环境和气候变化、世界经济和食品安全
2009 年	意大利	金融危机、气候变化、非洲及发展中国家、核不扩散、粮食安全问题
2010 年	加拿大	落实联合国千年发展目标、责任和效率、儿童及女性健康、核安全、反恐战争、海地重建、墨西哥缉毒之战等
2011 年	法国	全球核安全、互联网、全球经济、中东局势、北非局势
2012 年	美国	叙利亚问题、伊朗核争议、朝核问题、粮食安全、环境保护和世界经济复苏等
2013 年	英国	推进美欧自贸谈判、打击逃税及避税行为以及帮助提高发展中国家政府工作透明度、反对恐怖主义和极端主义、叙利亚问题

说明：因俄罗斯2014年被暂停八国集团成员国资格，故本表议题只列至2013年。

① 于军．全球治理［M］．北京：国家行政学院出版社，2014：150，152．

由上表可见，八国集团的议题非常丰富，峰会都紧扣当年的世界发展趋势及面临的热点、难点问题。这些议题引发的关注、最后发表的公报及后续采取的行动，为全球的安全、和平与发展起到了积极作用。当然，由于八国集团的性质及国家间利益的博弈，八国集团缺少战略性协调机制和监督执行机制，全球治理效果在实际执行中必然会打折扣。

二、全球教育治理工具及成效

八国集团作为西方工业国家的代表，具备强大的经济、政治和文化影响力。从历年议题来看，尽管教育议题出现的频次不高，但其部长级会议却密切关注教育领域。2006年，在俄罗斯举行的八国集团峰会，就把在教育领域开展国际性合作列为其主要议题之一。

（一）发布行动计划

八国集团通过发布行动计划来指导国家或地区进行教育改革。2004年6月，八国集团首脑与阿尔及利亚、巴林、伊拉克、也门、约旦、土耳其和阿富汗的代表共同讨论了中东改革问题。会后发表声明，并推出《泛中东行动计划》，该计划涉及中东政治、经济、教育、文化、社会改革等各个方面。[①]其中，涉及教育的内容包括，提出“自由、知识和女权”的口号，改善妇女地位，西方国家将配合联合国的扫盲计划，重点为学校提供计算机技术，并扶持以女性为教育对象的师范院校，其目标是培养一支有10万名女教师的文化队伍。计划中涉及教育领域的内容具有两个特点：一是计划比较重视教育制度改革、教师培训、儿童妇女教育、社区教育网络的建设，关注基础能力的培养。二是强调八国集团对口帮助各国改革教育系统。如加拿大支持约旦教育部重新设计教育改革战略；德国协助埃及、约旦、也门和巴勒斯坦改善本国或本地区的基本教育系统，包括扩大现有基础教育规模，建设新的小学等；意大利支持阿富汗和利比亚促进全民教育计划，并培训毕业生；日本为也门建设30所中小学提供支持，大约18 000个孩子受益；英国向埃及政府提供长期支持，帮助埃及重新定位面向需求驱动、基于社区的全国成人扫盲计

① 曹令军．八国集团《泛中东行动计划》初析［J］．西亚非洲，2005（2）．

划；美国在摩洛哥、突尼斯、阿曼和卡塔尔赞助“伙伴学校”，进行教师培训，为幼儿教育提供课堂材料，以提高小学和中学的教育质量。这些对口的具体教育行动计划，对促进区域教育发展产生了积极作用。当然，有的计划也受到质疑，引起争论。如2004年，美国总统布什提议培训10万名中东女教师的计划，目的是提升中东教育质量。时任总统国家安全事务助理赖斯认为，压制、无望以及得不到教育和工作，为越来越多的阿拉伯青年转向极端主义创造了条件。美联社说，教师培训计划给了布什实现对穆斯林学校和伊斯兰教学校进行改革的机会。布鲁金斯学会的学者苏珊·赖斯认为，同美国跑到阿拉伯世界去要求那里的政府根据美国的日程表实行民主相比，布什计划在政治上会受到较少的指责。但也有专家认为这是布什借反对恐怖主义为名在阿拉伯世界灌输美国的民主思想。[①]美国如此热心推行的“大中东计划”在中东国家受到冷遇甚至遭到反对，就连美国的西欧盟友也对该计划颇有微词。[②]这是由于中东与西方国家意识形态存在巨大差异，以及八国集团各国间存在分歧和利益矛盾。当然，“大中东计划”尽管在促进经济政治发展方面有待进一步评估，但对教育发展而言，无疑具有积极的促进作用。

（二）设置教育议题，举行教育部长会议并发表宣言

八国集团通过设置教育议题，举行教育部长会议，并达成共识，发表宣言来影响世界教育的发展。1999年6月18日—20日，在德国科隆召开第三次八国首脑会议，会议通过了《科隆宪章——终身学习的目的与希望》。宪章强调对教育和人力资本建设的投资，认为21世纪的人类生活将具有灵活性和多变性的特点，人们将比以往任何时候都更需要适应工作变化的能力，强调对劳动者进行终身教育和培训，以帮助其适应工作情况的变化。[③]该宪章提出了八国集团各国加大人力投资的三项基本原则：一是每个人都应该有学习和培训的机会，不仅仅是那些智力上有天赋或经济上有特权的人，而且基础教育应该是免费的。应特别注意弱势群体的需要，强调消除文盲的重要性。

---

① 米奇．布什提议培训10万中东女教师 灌输美国民主思想［N］．新华网，2004-06-09．
② 潘占林．“大中东计划”注定命运多艰［N］．世界新闻报，2004-06-10．
③ 钱其琛．世界外交大辞典（上）［M］．北京：世界知识出版社，2005：151．

二是每个人都应该受到鼓励，使他们能够终身学习，学习不仅仅是在义务教育阶段。三是应帮助发展中国家建立全面、现代化和高效率的教育制度。[①]21世纪是知识经济时代，经济和社会的发展以知识为基础，教育和技能对于一个国家实现经济成功、增强公民责任和社会凝聚力是不可或缺的，教育和终身学习是实现上述目标的保障。所以，该宪章对世界教育发展具有前瞻性指导意义和价值。

2000年4月1日—4日，在日本东京召开的八国集团峰会举行了八国教育部长论坛，论坛发布总结指出，教育面临社会变化的挑战，终身学习与远程学习是未来的趋势，教育创新和信息与通信技术是未来发展的基础。八国教育部长表示要尽一切努力促进学生、教师、研究人员和管理人员的国际交流，并为此达成共识：①探索如何大幅提高八国集团国家和其他国家之间的教育交流水平，目标是在今后十年内使流动性增加一倍；②鼓励适当的服务机构和教育机构加强学生国际流动资格、学分的可转移性及其确认的研究；③分享如伊拉斯谟计划和亚太大学交流协会[②]的国际交流模式经验，鼓励教育交流网络的进一步发展；④继续加强各级外语学习、区域研究和跨文化教育，鼓励或支持外语教学，特别是在大学开设相关课程；⑤进一步发挥发展援助政策中的人力资源开发和人员交流项目方案的作用，联合国教科文组织在这方面应该发挥更大的作用。[③]

八国集团峰会的主席国可以自主设置当年峰会的议题。2006年7月15日—17日，美国、英国、法国、德国、加拿大、日本、意大利、俄罗斯八国集团峰会在俄罗斯圣彼得堡召开，其间还举行了八国集团领导人与发展中国家领导人对话，此次峰会俄罗斯邀请了中国、印度、墨西哥、南非、巴西、哈萨

① Köln Charter. Aims and Ambitions for Lifelong Learning，Cologne，June 18，1999，http://www.g8. utoronto. ca/summit/1999koln/charter. htm，2017/09/12.

② 亚太大学交流协会（UMAP）成立于1991年，是一个由政府和非政府代表组成的高等教育（大学）部门的志愿协会。它的总体目标是通过加强高等教育机构合作、加强大学生及工作人员的交流，为UMAP的每个国家和地区在亚洲－太平洋区域的文化、经济和社会系统中获得更好的理解。

③ G8 Education Ministers'Meeting and Forum. Chair's Summary，Tokyo，Japan，April 1–4，2000. http://www. g8. utoronto. ca/education/education0400. html，2017/09/11.

克斯坦六国的领导人参加。俄罗斯为峰会设置了三大议题：能源安全、预防和控制严重传染性疾病、在教育领域开展国际性合作。教育议题把完善教育体系、提高教育质量、树立终身教育观念、促进高等教育交流与合作、帮助发展中国家发展全民教育列为各国开展合作的重点。峰会正式召开前的6月1日—2日，在莫斯科召开了G8+6教育部长对话，这是峰会前的重要磋商内容和合作框架之一。G8+6的教育部长、联合国教科文组织、经合组织、欧盟、世界银行的负责人均参加了会议。各国教育部长介绍了本国的经验及教育面临的挑战，国际组织负责人也从各自关注的教育研究领域进行了陈述。会后通过了《莫斯科宣言》①，达成对教育看法的共识，并确定了面向21世纪的教育合作承诺。宣言共有十八条，主要包括：认可教育对社会发展的重要作用，教育是一项公共产品，优质教育与公平相辅相成，努力提高教育质量，信息与通信技术对提高教育质量有重要作用，扩大国际教育交流与合作，构建终身学习体系，开展全民教育，重申鹰谷承诺等。②八国集团峰会成为各国教育政策对话的平台，宣言则是各国在教育政策领域达成共识的体现，这为在世界范围内建立包容、可持续发展的教育体系奠定了基础，也为个人在全球教育体系中的流动、生活和工作、发挥潜力创造了条件。

（三）大学、教育组织召开全球大学峰会影响G8议程及全球高等教育

世界各国大学和各类教育组织每年在八国集团峰会召开前举行全球大学峰会，对高等教育问题进行交流讨论，并发布宣言，同时向八国集团峰会提出相关教育建议，借以影响八国集团峰会议程及全球高等教育的发展。全球大学峰会最初名为八国集团大学峰会，从2008年开始每年召开一次，从第四届起，改名为全球大学峰会。

---

① 国家教育发展研究中心．2007年中国教育绿皮书 中国教育政策年度分析报告［M］．北京：教育科学出版社，2007：194-195.

② Moscow Declaration. G-8 Ministerial Meeting on Education，Moscow，1-2 June，2006. http://www. ungei. org/news/files/unesco_B95DEC8C. pdf，2017/09/10.

表 2-8　2008—2013 年八国集团（全球）大学峰会议题表[①]

时间	届别	地点	议题
2008 年	第一届	日本北海道	教育的可持续性
2009 年	第二届	意大利都灵	教育和研究可持续、负责任地发展
2010 年	第三届	加拿大温哥华	大学与社会：为了可持续的未来而转型
2011 年	第四届	法国巴黎	可持续发展与知识社会：大学在 21 世纪如何建构与合作
2012 年	第五届	美国芝加哥	在全球社会中培养人才以推动创新
2013 年	第六届	英国伦敦	大学与经济增长

说明：因俄罗斯2014年被暂停八国集团成员国资格，故本表议题只列至2013年。

从表2-8可见，八国集团（全球）大学峰会围绕大学与社会、可持续发展、经济、创新等关系设置议题，在阐明大学作用及价值的同时，也发挥大学进行科学研究、服务社会的功能，为八国集团峰会面临的教育问题建言献策，其发布的宣言和给八国集团的建议，也对全球教育发展趋势形成了影响力，为各国的教育政策制定提供了参考和借鉴。

以第六届全球大学峰会为例，参会对象包括八国集团各国的大学、受邀发展中国家的大学、各国教育部门官员、国际知名企业、国际组织、教育研究机构、学生代表等。从参会对象可以看出全球大学峰会整合了不同的教育利益相关者，具有广泛的代表性，具备了全球教育治理多元主体参与的特征。本次全球大学峰会的议题是“大学与经济增长”，围绕该议题，峰会提出了大学是经济增长的助推器，世界学术秩序应适应全球化发展的变革，利用信息与通信技术促进教育发展、企业需求与未来的大学发展，发展跨国教育等观点。

综上所述，八国集团以其在西方工业国家的代表性和引领性，通过各种教育治理工具，如发布行动计划、设置教育议题、召开部长级会议、衍生一

① 根据文章整理：赵中建，陈晨．大学与经济增长——来自第六届全球大学峰会的呼吁［J］．世界教育信息，2013（18）．

系列有关教育的论坛等，不仅对八国集团成员方的教育政策及改革产生了重要影响，同时也为全球其他国家的教育发展提供了指引和参考。当然，鉴于八国集团的性质，其对全球教育治理的影响力不可过高评估，也应该看到其局限性，随着俄罗斯的退出，八国集团变为七国集团，其代表性在全球层面更加有限，对全球教育治理的实质性贡献也需要谨慎评价。另一方面，八国集团国家内部也面临一些问题，如在八国集团各国的农村地区、城镇、城市和大都市区中，部分学生仍处于不利社会地位和弱势学校的双重困境。[①]从他们的状况也可以看出八国集团内部仍有许多教育的棘手问题需要面对，因而对八国集团的全球教育治理能力不能盲目乐观。

第七节 二十国集团的全球教育治理

一、概况

二十国集团（G20）是针对全球经济和金融议程中重大问题进行国际合作的主要论坛。1999年9月，七个主要工业国家加拿大、法国、德国、意大利、日本、英国和美国的财政部长和中央银行行长在华盛顿宣布成立二十国集团，每年定期召开会议。G20包括19个国家及1个区域组织，具体是阿根廷、澳大利亚、巴西、加拿大、中国、法国、德国、印度、印度尼西亚、意大利、日本、韩国、墨西哥、俄罗斯、沙特阿拉伯、南非、土耳其、英国、美国、欧盟。1997年—1998年的金融危机重创了全球经济及社会发展，这表明国际金融体系在经济全球化的背景下存在漏洞，同时也显示出主要发展中国家没有有效地参与讨论和决定有关全球经济问题。[②]为此，二十国集团确立了相应目标：各成员方之间加强政策协调以实现全球经济稳定、可持续增

① Dundas，Traci Lynne. Socially Disadvantaged Students in Socially Disadvantaged Schools: Double Jeopardy in Mathematics Achievement in the G8 Countries.The Graduate School，University of Kentucky，December 10，2009.

② What is the G20.[EB/OL].[2017-09-14]. http://en. g20russia. ru/docs/about/about_G20. html.

长；促进金融法规制定以减少和防止未来发生金融危机的风险；建构现代化的国际金融体系。

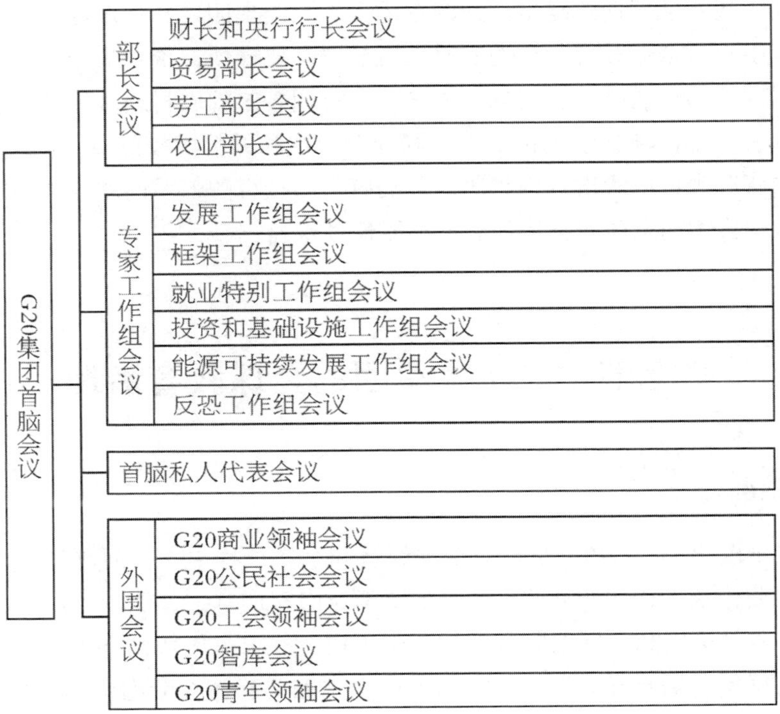

图 2-1　二十国集团（G20）组织架构图[①]

从图2-1可见，G20集团首脑会议由部长会议、专家工作组会议、首脑私人代表会议、外围会议几个部分组成，每类会议下面又分不同主题的会议，从不同角度、不同领域丰富了峰会的内涵。G20没有常设秘书处，G20过去、现在和未来的主席组成三人循环管理小组，称为“三驾马车”。[②]G20

① 陈雨露．大金融与综合增长的世界：G20 智库蓝皮书 2014—2015［M］．北京：中国经济出版社，2014：397.

② G20，https://en. wikipedia. org/wiki/G20，2017/09/16.

的现任轮值主席负责工作衔接，设立临时秘书处，协调小组的工作并组织相关会议。大部分成员方坚持G20应该保持其非正式组织的形式，反对成立正式的秘书处。①各国对此有不同意见，2010年，法国总统尼古拉·萨科齐提议设立一个类似于联合国的常设G20秘书处，总部可以设在首尔或者巴黎。巴西和中国支持设立秘书处，而意大利和日本表示反对，韩国提出设立网络秘书处。可见，各国对此问题难以形成共识。无常设秘书处，可以确保峰会论坛的非正式属性，确保主席国的自主权和议题的灵活性。当然，亦有其弊端，由于没有常设秘书处，因此无法确保机构经验的传承和体制的连续性。“连续性给予各成员方代表更多的经验和更大的专业性，并着眼于更长远的发展目标。连续性也促进领导人建立个人关系，并使各国产生责任感，从而有助于使集团成为人际交往的俱乐部。”②

表 2-9　历届 G20 首脑峰会基本情况表

时间	地点	主要议题
2008 年 11 月 15 日	美国华盛顿 / 国家建筑博物馆	恢复全球经济增长，加强国际金融体系，改革国际金融机构
2009 年 4 月 2 日	英国伦敦 / 伦敦展览中心	采取共同行动刺激经济尽快走出危机，反对保护主义，改革目前的国际金融体系
2009 年 9 月 24 日—25 日	美国匹兹堡 / 戴维 L. 劳伦斯会议中心	建立全球经济的重大事项决策机构，对银行实施更严格的监管
2010 年 6 月 26 日—27 日	加拿大多伦多 / 多伦多会议中心	减少债务，发达工业国家减少预算赤字
2010 年 11 月 12 日	韩国首尔 / 首尔国际会展中心	对银行采取更严格的规定（称为巴塞尔Ⅲ），并对金融风险和国际货币基金组织（IMF）的投票权股份进行改革；在经济政策问题之外，发展政策问题首次列入会议议程

①② 陈东晓，史丽娜．中国与二十国集团：新兴市场国家与全球经济治理［M］．上海：上海人民出版社，2015：20，21．

续表

时间	地点	主要议题
2011 年 11 月 3 日—4 日	法国戛纳 / 戛纳展览中心	经济政策协调，金融监管、发展，国际货币体系改革，原材料和大宗商品，国际治理改革
2012 年 6 月 18 日—19 日	墨西哥洛斯卡沃斯 / 洛斯卡沃斯会议中心	减少青年失业率和创造高质量的就业与社会保障的覆盖面，促进收入公平；强调发展议程与农业和绿色增长之间的联系
2013 年 9 月 5 日—6 日	俄罗斯圣彼得堡 / 君士坦丁宫	打击偷税漏税，自动交换税务信息；重组国际金融机构、批准监管标准、监督金融部门和限制 G20 成员方的主权债务门槛
2014年 11 月 15 日—16 日	澳大利亚布里斯班 / 布里斯班会议展览中心	重申对自由贸易的承诺，并同意迅速执行世贸组织贸易便利化协议；银行监管领域采取行动；促进妇女、年轻人、老年人、残疾人和长期失业者参与工作
2015年 11 月 15 日—16 日	土耳其安塔利亚	对移民和难民运动进行首次调查；金融部门改革；支持全球气候协定
2016 年 9 月 4 日—5 日	中国杭州 / 杭州国际会展中心	长期加强全球经济的包容性增长，利用新的增长来源提高生产潜力；可持续增长和社会福利的联系；社会的数字化为发展和增长提供重要推动力；重申针对移民和难民运动领域采取具体行动
2017 年 7 月 7 日—8 日	德国汉堡 / 汉堡展览中心	确保经济稳定性，改善可持续性，负责任地发展；提高共享全球化和世界互联互通的广度和深度，应对当前孤立主义和民族主义重现的趋势；要承担对非洲的责任

续表

时间	地点	主要议题
2018年11月30日—12月1日	阿根廷布宜诺斯艾利斯	峰会的概念框架基于3个支柱，即多样性、人类以及可持续发展。峰会三项主题为“未来就业，在数字革命时代获得高质量培训以开发新技能；加强基础设施建设，发展可持续工程是国民幸福的基石；人类食品未来，面对人口快速增长和气候挑战的优质食品管理”
2019年6月28日—29日	日本东京/大阪	全球经济、贸易与投资、创新、环境与能源、就业、女性赋权、可持续发展以及全民健康

从表2-9可见，历届G20峰会均以全球经济和金融问题为主要议题，直到2010年，G20首尔峰会推动发展议题，达成《首尔发展共识》，目的是消除发展中国家的贫困问题，缩小发展差距。至此，发展议题正式纳入G20峰会，这是发展中国家与西方国家博弈的结果。在联合国可持续发展目标和2015年巴黎气候协议通过后，G20探讨的问题越来越具有全球意义，如移民、数字化、就业、医疗保健、妇女的经济权力及发展援助等。发展议题逐渐成为峰会必不可少的选项。

二、全球教育治理参与

（一）发布二十国集团公报，推动全球教育治理

二十国集团峰会为展示成果，每次峰会结束后均发表公报，并附上一系列行动计划、改革议程等，以此协调各国关切的优先事项，其中就有涉及教育的内容，如金融教育、青年教育与培训、反腐败教育等，对推动二十国集团各成员方的教育变革起到重要指导作用。2012年墨西哥洛斯卡沃斯G20峰会《二十国集团公报》提出对加强全球金融教育的呼吁。“在金融教育方面，我们赞同经合组织和国际金融教育网络的高水平原则，呼吁经合组织、国际金融教育网络、世界银行与全球普惠金融合作伙伴组织合作，提供更好

的工具来提升金融教育，并期待把进展报告带到下一次峰会。”[①]金融教育是现代公民教育的重要组成部分，也是保障经济社会发展的前提，因此，二十国集团倡议金融教育具有时代意义。2013年俄罗斯圣彼得堡峰会指出，G20国家仍有1亿的失业者，在G20国家的求职者是全球其他地区的两倍多，青年失业率高，没有就业或受过教育或培训的年轻人数量自2007年以来上涨了5%。“这些丑陋的伤疤代表了大量人口失业的社会和人类悲剧。此外，贫富差距达到了30年来的最高水平。”[②]用“丑陋的伤疤”“人类悲剧”来形容青年人失业、缺少教育与培训，的确让人触目惊心。“我对执行有效的反腐败教育计划并提高对该计划的认识给予高度评价，该计划旨在建立并强化对腐败的零容忍文化。”[③]反腐败教育也与当前社会健康发展息息相关，引起二十国集团的关注。2014年澳大利亚布里斯班G20峰会发布的《二十国集团领导人公报》指出，我们坚决致力于采取教育、培训或就业等行动，确保降低青年的高失业率，我们的就业计划包括投资于学徒、教育和培训，并鼓励招聘年轻人、鼓励创业。[④]针对各国青年的高失业率，有针对性地加强青年的教育和培训，是二十国集团倡导的重要教育政策。2016年9月5日，中国杭州G20峰会发布了《二十国集团领导人杭州峰会公报》，并在公报后附了《二十国集团创新增长蓝图》《二十国集团落实2030年可持续发展议程行动计划》《二十国集团深化结构性改革议程》三个文件，均有涉及教育领域的阐述。

2017年G20德国汉堡峰会，也在公报后附了《在数字经济中改变妇女和女孩的未来》，“承诺消除教育中的性别差异”，“在早期的阅读材料中，为妇女展示科学、技术、工程和数学（STEM）方面的积极榜样，她们在早

① G20 Leaders Declaration. Targeted News Service； Washington，D. C. [Washington，D. C] 19 June 2012. P8.

② Ramos，Gabriela. Organisation for Economic Cooperation and Development. The OECD Observer， Paris 300（Third Quarter 2014）: 8-9.

③ 金中夏，等．中国与G20：全球经济治理的高端博弈［M］. 北京：中国经济出版社，2014：340.

④ G20 Leaders Communique. Targeted News Service； Washington，D. C. [Washington，D. C] 16 Nov 2014. P2.

期获得数字技术教育和数字技能是特别重要的，鼓励女孩学习STEM学科，为终身学习奠定基础，让女孩适应数字经济的发展”。[①]此外，妇女和女童教育、发展针对年轻人和女性的以高等教育、数字扫盲为重点的全纳教育体系、非正规教育、通用信息技术和专业技能发展等均在文件中得到了强调，这些都是教育领域最重要、难度最大的问题。同时，公报还重申联合国教科文组织提出的千年发展目标及2030可持续发展议程相关目标，与国际组织遥相呼应，显示出对权威国际组织的高度认同，也表明二十国集团对全球重大教育问题的支持态度，为各国教育政策的制定提供了基础。

（二）召开部长会议发布相关教育主张

G20峰会通过召开部长会议，对专门领域的问题进行探讨，并发布相关宣言。部长会议包括财政部长和中央银行行长会议、贸易部长会议、劳工部长会议、农业部长会议，劳工部长会议很多时候把就业、教育和技能培训作为主要议题。2010年4月21日，G20的劳工部长在华盛顿举行了为期两天的会议，在一份联合声明中，二十国集团承诺采取措施加速在本国创造就业机会，促进就业培训和教育方案的实施。2011年在法国戛纳召开的G20峰会就表达了要增强全球化的涵盖范围，坚信要恢复全球经济增长和信心，在行动及政策上就必须以就业和社会包容为核心。[②]因此，2011年成立了G20就业工作组，它的工作以青年人就业为重点。在2012年的G20墨西哥洛斯卡沃斯峰会上，G20认可劳工与就业部部长们的建议：立即采取适当的就业市场措施培育新的工作机会，尤其是针对年轻人和经济危机中的其他易失业人群。再次确认对年轻人的承诺：为他们提供更多的工作机会以丰富他们的生活前景；也承诺将加强在教育、技能培训等方面的合作，包括实习机会以及在职培训，这将为学生在学校与工作之间提供成功的过渡。大多数成员方承诺采

---

① G20 #eSkills4Girls Initiative，https://www. g20. org/Content/DE/_Anlagen/G7_G20/2017-g20-initiative-eskills4girls-en. pdf? blob=publicationFile&v=4，2017/09/17.

② 陈雨露．大金融与综合增长的世界：G20 智库蓝皮书 2014—2015［M］. 北京：中国经济出版社，2014：384.

取措施为年轻人提供适当的就业市场和培育新的工作岗位来减少失业。[①]“承诺是各成员方代表的个人行为，体现的是他们对某些议题和二十国集团整体治理的重视，他们对开展治理工作方式的构想，以及他们实现这一构想的决心和能力。”[②]从2010年至2012年，连续三年，G20劳工部长会议均对就业、教育及培训提出了倡议，并作出了承诺，为全球范围内的教育相关改革提供了动力。

为了对峰会的承诺进行跟踪评估，2010年，G20成立了发展工作组，与其他G20工作组、经合组织及其他国际组织建立联系，并从这些组织搜集相关数据信息，进行汇总。G20的承诺也取得了实际效果，根据2017年德国汉堡G20峰会发布的《G20发展承诺年度进展报告》[③]，在教育与培训领域，二十国集团已在2016年建立了“知识共享平台”，用于促进教育和培训工作；在亚美尼亚、吉尔吉斯斯坦、约旦、塔吉克斯坦和越南建立了职业和技术教育培训的远程培训模式；在越南和亚美尼亚开发了职业教育机构的仿真训练工具和技能技术测试工具等。这些进展应该归功于二十国集团的督促及各国对承诺的履行。

（三）G20外围会议对全球教育的推动

G20峰会期间有一系列外围会议：G20商业领袖会议、G20公民社会会议、G20智库会议、G20青年领袖会议。这些外围会议的召开，对首脑峰会的议程提出建议和意见，同时也形成舆论影响，从而引起峰会的关注乃至被纳入正式议程。2017年德国汉堡G20峰会期间，汉堡举行了全球公民节，教育委员会主席Gordon Brown和专员Shakira Mebarak紧急呼吁世界各国领导人把教育列入当年的峰会议程。教育委员会成立于2015年，该委员会由Gordon Brown主持，由26名高级成员组成，这些成员来自挪威、智利、印

① 陈雨露．大金融与综合增长的世界：G20智库蓝皮书2014—2015［M］. 北京：中国经济出版社，2014：386.

② 约翰·J. 柯顿．二十国集团与全球治理［M］. 郭树勇，徐谙律，等，译．上海：上海人民出版社，2015：64.

③ Annual Progress Report 2017[EB/OL].2017-09-19. https://www. g20. org/Content/DE/_Anlagen/G7_G20/2017-g20-hamburg-annual-progress-report-en. html?nn=2186554.

度尼西亚、马拉维和联合国教科文组织等国家或国际组织。教育委员会的目的是让世界各国领导人、决策者和研究人员一起协商起草全球倡议和开拓筹资途径，为儿童和青年提供平等的教育机会。[①]与G20公民社会会议相呼应的是G20青年领袖会议，它是年轻人表达他们的需要、意见和建议的平台。年轻人是未来的领导者，不同文化背景和专业背景的年轻人在G20青年领袖会议上就国际对话的未来提出自己的想法。随后发布的《G20劳工和就业部长会议声明》，针对年轻人教育、培训，为难民和移民提供教育，确保青年教育和培训的较高参与率和完成率等均进行表述。如促进高等教育，加强职业教育和培训系统，允许带薪休假和利用学习账户重新学习技能；为难民提供高质量的教育、语言、技能和职业培训，确保来自不利社会经济背景的青年群体在教育和训练方面具有更高的参与率和完成率。[②]劳工和就业部长会议的这些内容最后也写进了G20峰会公报中。可见，G20外围会议对正式的官方会议及其议程产生了积极而重要的影响。

综上所述，二十国集团作为世界上代表性最广的非正式论坛，充分利用不同层级、不同类型的会议、论坛等，在成员方、国际组织、非政府组织等的共同协商下，最终形成全球教育治理的相关公报、声明或宣言、承诺等，以此推动教育领域的变革与发展。如发布二十国集团公报推动全球教育治理、召开部长会议发布相关教育主张、召开不同利益相关方参加的外围会议、设置二十国集团及全球教育热点议程等。当然，我们也要看到，G20峰会由于其非正式、非强制性的特点，尽管有一些评估举措，但仍缺乏有针对性的长效监督评价机制，它的一系列文件精神能否在各国被落实贯彻并有力执行，我们仍需要保持谨慎的态度。

---

① On the Eve of The G20 Summit，Education Commission Members Call On World Leaders to Fund Global Education. PR Newswire Europe Including UK Disclose； New York（Jul 6，2017）.

② L20 STATEMENT TO THE G20 LABOUR AND EMPLOYMENT MINISTERS' MEETING. BAD NEUENAHR，GERMANY，18–19 MAY 2017. http://www. dgb. de/l20，2017/09/18.

第八节　全球教育合作组织的全球教育治理①

全球教育合作组织（Global Partnership for Education，简称“GPE”）是一个新兴的多边国际机构。它在全球范围内针对教育问题协调各国、全球各利益相关者统一行动，重点支持失学儿童数量高、学业完成率低的国家的教育发展。它在全球倡导教育、协调合作伙伴、整理与传播知识和数据方面发挥着独特而重要的作用。

一、概况

（一）发展历程

全球教育合作组织最早发端于“全民教育快车道倡议”（Education for All-Fast Track Initiative，简称“EFA-FTI”）。该倡议由世行于2002年带头发起，旨在推动教育援助领域的国际合作。这是援助机构与发展中国家之间的一个全球合作伙伴计划。2011年，基于多方面因素考量，EFA-FTI进行了品牌重塑和结构重组，更名为“全球教育合作组织”，之后以全新的形象在全民教育和全球教育治理中发挥重要的作用。全球教育合作组织现已将新的全球教育目标作为其愿景，呼吁到2030年为所有人提供包容性、公平的优质教育。②

全球教育合作组织的发展历程以2011年的改组为分界点，大致分为改组前和改组后两个发展阶段。1990年，世界全民教育大会上通过的《世界全民教育宣言》发起了一场旨在实现所有儿童、青年以及成人均享有基础教育的全球运动；2000年，世界教育论坛提出了六项全民教育目标；同年的联合国千年宣言，确立了千年发展目标（Millennium Development Goals，简称“MDGs”），为“全球教育合作组织”的创立奠定了基础。面对人类共同的利益，民族国家、国际组织以及非政府组织等纷纷将教育纳入自己的发展议程。不同国家和地区的教育发展不均衡，且差异显著，因此全民教育目标

---

① 该部分内容主要参考王建梁，单丽敏．全球教育治理中的“全球教育伙伴关系组织”：治理方式及成效［J］．外国教育研究，2017（8）．

② Global Partnership for Education（全球教育合作组织）|Devex. https://www. devex. com/organizations/global-partnership-for-education-全球教育合作组织-51262，2019-01-31.

的实现需要采取多主体参与、多层次、多领域和多形式的方式。成立之初，EFA-FTI作为一个国际多边教育援助框架，其宗旨是在施援方与受援方之间建立合作伙伴关系，推动受援方实行国家主导的发展战略，提高援助的有效性。2005年，EFA-FTI获得千年计划、世界银行/国际货币基金组织发展委员会的支持，同时也在发展中国家获得了声望。EFA-FTI作为一种新的筹资机制得到国际社会的认可，但是作为中长期教育改革的框架却并不理想。据2011年全民教育全球监测报告，EFA-FTI在2009年拨款2.22亿美元，而低收入国家的外部资金缺口高达约160亿美元。[①]面对如此大的资金缺口，EFA-FTI的原有机制显得力不从心，无法免于国际社会的诟病。

经过近十年的探索与努力，EFA-FTI在参与全球教育治理、推动全民教育目标实现的过程中作出了显著的贡献，但其自身问题也愈加凸显：援助资金匮乏，施援方主导的治理结构影响援助效果，对脆弱国家和地区教育的支持力度不够。[②]这些问题严重阻碍了其在全球教育治理中发挥更大的作用。2011年，该组织改组为“全球教育合作组织”。改组后，理事会席位中纳入发展中国家合作伙伴以及私营部门和基金会，打破了先前施援国占主导地位的局面，使得多方利益相关者的话语得以表达。[③]此外，全球教育合作组织先后制订了两个新的战略计划。第一，2012年至2015年制订了新的战略计划，将学习环境、教师质量、早期阅读和计算、国家体制、边缘儿童以及脆弱和受冲突影响国家的儿童纳入到全球教育合作组织发展进程中，这一计划弥补了之前对受冲突影响国家和地区支援有限的不足，进一步提升了全球教育合作组织在全球教育治理中的参与力度。第二，2016年制订了《全球教育合作组织2016—2020战略计划》。为响应联合国提出的最新全球教育目标，即到2030年实现为所有人提供全纳、公平、有质量的教育。该计划将联合国“可持续发展目标4”[④]作为全球教育合作组织下一阶段的发展愿景，期

---

① UNESCO. The Hidden Crisis：Armed Conflict and Education[R/OL]. [2016-09-30]. http：//un.esdoc. unesco. org/images/0019/001907/190743e. pdf.

② UNESCO. Reaching the Marginalized[R/OL]. [2016-09-30]. http：//un.esdoc. unesco. org/images/0018/001866/186606E. pdf.

③ Francine Menashy. Understanding the roles of non-state actors in global governance：evidence from the Global Partnership for Education[J]. Journal of Education Policy，2016（1）：98-118.

④ 可持续发展目标4：确保全纳、公平的优质教育，为所有人提供终身学习的机会。

望通过全纳的合作伙伴关系，专注于打造有效且高效的教育系统和不断增长的资金投入，动员全球和国家努力为实现平等、优质教育和全民学习作出贡献。[①]全球教育合作组织通过一系列改组，实施新的战略发展规划，实现了自身的变革与转型，适应了全球教育治理发展趋势的要求。

（二）治理结构

1. 双层次治理结构

全球教育合作组织经过十几年的探索与改革，经历了重组，其组织架构日趋完善，形成了现行的双层次治理结构：全球治理层面和国家治理层面。两个层次的治理有机结合，为其有效地参与全球教育治理提供了组织保障。

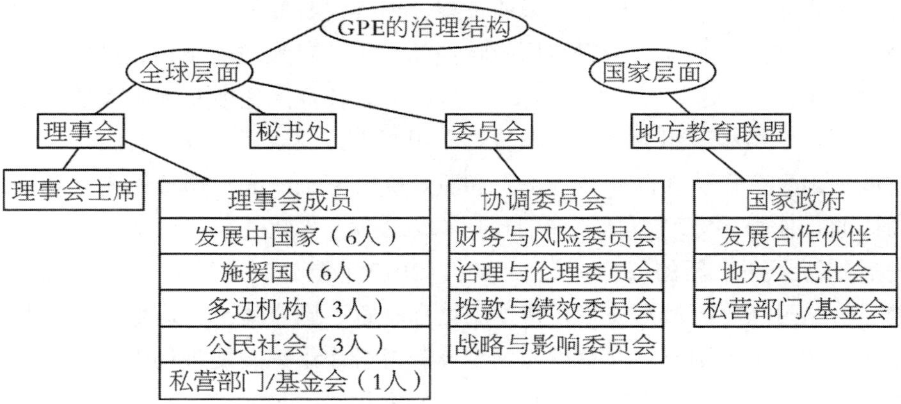

图 2-2　全球教育合作组织的治理结构[②]

（1）全球层面

全球层面上，全球教育合作组织的治理结构包括理事会及其主席、五个委员会以及由首席执行官领导的秘书处。

理事会是最高管理机构，负责战略方向和政策制定。其职责包括审查全

---

① GPE 2020. Improving learning and equity through stronger education systems[EB/OL]. [2016-10-11]. http：//www. global partnership. org/content/gpe-2020-strategic-plan.

② 资料来源：GPE. About us [EB/OL]. [2017-05-15]. http://www. globalpartnership. org/about-us.

球教育合作组织的年度目标，调动资源，监测财政资源和资金，倡导伙伴关系，监督秘书处的预算和工作计划。

理事会主席是理事会和全球教育合作组织的代表，代表全球教育合作组织和理事会出席各种公众场合，适时召集并主持全球教育合作组织大会、理事会会议等，但对于理事会的决议没有投票权。理事会的38名成员拥有投票权，理事会成员包括发展中国家、施援国、公民社会、私营部门和基金会，以及多边机构，反映了全球教育合作组织成员广泛性和多样化的性质。

五个委员会通过透明和高效的方式履行其职责，共同支持理事会的工作。五个委员会分别是协调委员会、财务与风险委员会、治理与伦理委员会、拨款与绩效委员会、战略与影响委员会。

秘书处扮演着非常重要的角色，负责日常业务工作，主要为合作伙伴提供行政和行动支持，促进与所有合作伙伴的合作。其工作主要体现在四个方面：国家支持，战略、政策和绩效，合作伙伴关系和外部关系，财务和运营。

（2）国家层面

在国家层面上，全球教育合作组织以地方教育联盟为治理结构的基础和核心。全球教育合作组织将所有教育合作伙伴，包括政府、发展合作伙伴和其他利益相关者聚集在地方教育联盟，它是在政府教育部领导下开展的，用于教育政策对话的合作论坛。地方教育联盟参与教育部门计划和项目的制订、执行、监测和评估。从其成员中选出一个协调机构，作为沟通纽带，联结政府、发展合作伙伴和秘书处，以协助地方教育联盟的工作。此外，由政府选择，经地方教育联盟批准的拨款代理机构负责监督全球教育合作组织拨款的实施情况。

全球教育治理是多层次的。全球教育合作组织的双层次治理结构既保证了该组织在全球层面发挥顶层设计的作用，又确保了其在国家层面进行差异化、个性化的教育治理。

2. 组织主体构成多元

全球教育治理参与的主体包括国家政府、非政府组织、政府间组织、私营部门、各类基金会等。从超国家的层面来看，国际组织在全球教育治理中发挥着不可忽视的作用。与联合国教科文组织、世界银行、经合组织等以主权国家作为构成主体的组织或机构不同，全球教育合作组织将国家政府、国际多边组织、非政府组织、私营部门和私人基金会等聚集在一起，通过协商教育计划和决策标准，动员世界各地的公共和私人捐助者提供发展援助，以支持和监测其计划的实施。截至2016年，全球教育合作组织吸引了65个发展中国家合作伙伴，30多个施援国家和组织以及公民社会组织、国际组织（包括联合国教科文组织、联合国儿童基金会和世界银行）和私营部门（如微软公司和培生集团）、基金会（如威廉和弗洛拉·休利特基金会）。全球教育合作组织将民族国家、多边机构、公民社会组织、私营部门和基金会等行为主体纳入到理事会中，为多方利益相关者提供了一个平台，使得不同行为主体可以在同一“整合空间”内参与政策制定。

另外，全球教育合作组织合作伙伴间强调无等级指导模式，该模式中所有合作伙伴平等。英国学者斯科尔特曾指出全球治理体现出民主和民主合法性的不足，即使在最好的情况下，决策的制定也是基于“非常有限的受影响者”。全球教育合作组织纳入不同利益相关者，采用民主决策的方式，一定程度上抗衡了这种合法性匮乏的现象，从而确保了全球教育治理的有效性。①

二、参与全球教育治理的方式

全球教育合作组织是一个国际组织，更是一个融资平台，通过向发展中国家合作伙伴提供财政支持和技术支持来促进全民教育和千年发展目标的实现，这是一种新的潜在的全球教育治理模式。②经过十几年的发展，全球教育合作组织取得了显著的成果，在双层次治理结构的基础上，对比其他相关国际组织，全球教育合作组织参与全球教育治理的方式在共性中体现出个

① Francine Menashy. Understanding the roles of non-state actors in global governance: evidence from the Global Partnership for Education[J]. Journal of Education Policy, 2016 (1): 98-118.

② Kazuo Kuroda. Globalization and Development of Global Governance in Education: Implications for Educational Development of Developing Countries and for Janpan's International Cooperation [C/OL]. [2016-11-13]. Japan Education Forum XI. http://home. hiroshima-u. ac. jp/cice/wp-content/uploads/2014/ 05/E-Summary-Kuroda. pdf.

性，形成了彼此交叉却又独特的治理方式。

（一）召开国际性会议，凝聚全球教育共识

全球教育合作组织理事会每年召开两次面对面的会议，回顾过去一段时间的进展，并制定下一步的战略决策。其主要任务包括：参与理事会的报告，就全球教育合作组织的发展向理事会提供建议；全面统筹资源的调动，保证援助的持续性与有效性；协调各方行动，促进全民教育目标的实现；为所有不在理事会成员中的其他利益相关者提供一个交流的渠道并吸纳新会员。①

除了面对面会议，全球教育合作组织还会以视频会议和邮件会议的形式讨论援助方式或教育领域发展。为达成国际共识，全球教育合作组织决策往往需要基于大多数理事会成员（包括代表发展中国家合作伙伴、施援国、公民社会组织、私营部门、基金会以及多边机构的理事会成员）的同意。

全球教育合作组织的覆盖面虽不及联合国教科文组织，但是更聚焦于教育领域的某些关键问题。例如，全球教育合作组织在2016年3月提出一份计划：建立一个“全球危机平台”，全球和国家行动者可以通过该平台在政治、行动和财政上满足受危机影响的儿童和青年的教育需求。②

（二）提供融资和技术支持，增强发展中国家教育治理能力

自2003年起，全球教育合作组织为发展中国家合作伙伴提供的资助达46亿美元。全球教育合作组织根据贫困、教育脆弱性和国家脆弱性三个维度来确定受援国，一般选定最贫困且教育需求最大的国家，这些国家儿童辍学率高，学校毕业率低。低收入国家、中低收入国家、小学毕业率低于85%的国家、小型内陆发展中国家等都在其资助范围内。

参与全球教育合作组织的65个发展中国家有刚果民主共和国、津巴布韦、阿富汗等世界上最贫穷的国家以及南苏丹、乍得等脆弱和受冲突影响的

---

① 曲梅，张婷婷，朱晓玲．国际教育援助的新平台——“教育全球伙伴关系”述评[C/OL]．[2016-09-30]．第二届中国教育国际化与信息化论坛论文集．http：//www.docin.com/touch/detail.do?id=977606124.

② 全球教育合作组织. Charter of the Global Partnership for Education[EB/OL]. [2016-10-07]. http：//www.globalpartnership.org/content/charter-global-partnership-education.

国家。冲突或战乱导致这些国家各关键领域行政能力很弱，教育系统几乎崩溃，它们的教育发展极度依赖施援方。仅有财政支持还不足以推动受援国教育的发展，全球教育合作组织为这些伙伴国提供初始援助，帮助教育部门规划进程。当发展中国家政府带头规划并负责实施时，全球教育合作组织帮助受援国基于国情进行教育需求分析，加强其技术能力，并引进其他国家的人才和资源。同时，全球教育合作组织支持对受援国规划进程的研究，促进不同国家之间共享最佳实践经验，例如为发展中国家合作伙伴创造机会，让它们讨论并从彼此经验中学习。全球教育合作组织帮助受援国制订教育计划，并监测其实施，这大大增加了施援方的信心，从而为受援国吸引到更好的财政支持。与同样提供财政支持和技术支持的世界银行相比，全球教育合作组织国际教育援助工作的成果相对突出地体现在两个方面：其一，它已成为一些中等低收入国家基础教育重要的外部融资来源；其二，它形成并不断发展出一套成熟的国际援助框架①，切实提高了国际教育援助的有效性。

（三）构建基于成果导向与监督问责的全球教育合作网络

全球教育合作为全球教育治理构建了一种全球性的合作伙伴关系，有利于更好地调动全球力量帮助发展中国家发展教育，但是这种合作伙伴关系必须建立在成果导向和相互问责的基础上，否则很难达到预期成效。全球教育合作组织采用成果导向的援助方式，每项援助的后续资金拨付与受援国教育目标实现程度相联系，若援助没有达到预期目标，之后就不能获得资金或减少拨款。②但是在脆弱和危机环境中，全球教育合作组织会采用更加灵活、快速反应的供资方式，以满足这些国家迫切的教育需求。当教育计划付诸实施后，全球教育合作组织会继续参与其中，通过国内援助机构和秘书处对其进行严格的信用监督。同时，全球教育合作组织的合作伙伴关系植根于相互

① 与《全球教育合作组织 2020 战略》相对应，全球教育合作组织开发出一套新的“金融和投资框架”（Financing and Funding Framework，简称“FFF”），该框架包含不同融资机制，确保全球教育合作组织增加且平衡教育融资，实现全球教育合作组织 2020 的宏伟愿景。

② 郑崧，郑超．全民教育快车道倡议：对有效援助原则的践行及其启示［J］. 外国教育研究，2012（10）.

问责制。每一个合作伙伴都必须达到清晰明确的具体目标。全球教育合作组织会通过一个结果框架系统地衡量行动所产生的影响。不仅施援方要对援助的效果负责，受援国也要承担相应的责任。

三、参与全球教育治理的成效

信息化与全球化加速的时代，在应对全球共同面临的问题和挑战时，单一民族国家显得势单力薄，发达国家、发展中国家、国际组织以及非政府组织参与的全球教育治理成为趋势。全球教育合作组织旨在促进全民教育各项目标的发展，促进发展中国家教育治理能力的提高，增加发展中国家儿童的受教育机会，促进教育公正，改善学习结果。随着自身的改革与发展，全球教育合作组织作为国际上重要的援助机构之一，已深度参与到全球教育治理的进程中，并取得了显著成效。

（一）推动全球教育议程，为全球发展中国家教育提供金融支持

受教育权是人类的基本权利之一，1948年首次被列入联合国《世界人权宣言》中。此后，全球教育合作组织与联合国对受教育权进行了进一步研究阐释，并推动残疾儿童受教育权写入《残疾人权利公约》。[①]《残疾人权利公约》指出，所有残疾儿童都享有接受主流教育及必要单独帮助的权利。世界卫生组织在2011年《世界残疾报告》中指出：世界各国的首要任务之一，就是确保残疾儿童在包容的环境下接受高质量的教育。应实行系统性的改革，消除障碍，安排合理的措施及支持服务，以确保残疾儿童也能享有接受主流教育的机会。

全球教育合作组织召开筹资会议，为全球发展中国家教育提供金融支持。为解决资金匮乏的问题，为发展中国家教育提供充足的资金支持，全球教育合作组织发起“全球教育合作组织补充运动”，2012年至2014年共筹资15亿美元。2014年，全球教育合作组织在布鲁塞尔举行了第二届补充认捐会议，发起第二次补充认捐运动，发展中国家和施援伙伴承诺为2015年至2018年的发展提供285亿美元。2018年2月5日，10位时任国家元首、3位前

① 王梦奎. 反贫困与中国儿童发展［M］. 北京：中国发展出版社，2013：466.

任国家元首和60多位部长参加了全球教育合作组织筹资会议，成为同类最高级别的教育筹资活动。[①]1 200多名参与者出席会议。捐助国承诺为全球教育合作组织提供23亿美元资金。50多个发展中国家宣布，它们将在2018年至2020年间将教育方面的公共支出增加到1 100亿美元。阿拉伯联合酋长国加入了全球教育合作组织，成为第一个阿拉伯捐助国，并承诺提供1亿美元。塞内加尔除了承诺增加自己的教育支出外，还是第一个来自非洲的捐助国。荷兰和西班牙重新加入，中国首次参加。[②]与之前的筹资会议相比，这次会议不仅筹资规模得到扩大，还发展了新的成员。全球教育合作组织的筹资模式推动了全球教育投资，其与低收入国家和中低收入国家政府携手合作，加强了合作国家的教育体系。全球教育合作组织支持各国政府制订强有力的国家教育计划，以便能够将资金输送到其优先领域，有助于提高所有儿童的教育质量。全球教育合作组织获得前所未有的全球支持以应对全球学习危机。捐助国和发展中国家作出重大的新财政承诺，将为数百万名儿童获得教育提供新的更好的支持。

（二）力促全民教育目标达成

在教育领域，世界全民教育计划是迄今为止国际社会所发起的最大规模的全球性教育运动。全球教育合作组织努力实现全民教育的各项行动实际上标志着其已经参与到全球教育治理的进程之中。自成立以来，全球教育合作组织参与全球教育治理最大的成效是不断推动全民教育目标的实现，在脆弱和受冲突影响国家的女童教育、性别平等方面取得的效果尤为明显。下面具体从脆弱和受冲突影响国家的教育、幼儿保育和教育、女童教育和性别平等几个方面阐述。

战争、自然灾害以及公共卫生、经济情况等冲突和长期危机，对全世界数百万儿童的教育构成了严重威胁。全球教育合作组织不断增加对脆弱国家教育系统的支持，以帮助儿童入学。在脆弱和受冲突影响的国家，全球教育

---

① 全球教育合作组织获得前所未有的全球支持，应对全球学习危机 . https://www. jrzj. com/206048. html，2019-01-31.

② Worldwide support for the Global Partnership for Education. http://www. thesierraleonetelegraph. com/worldwide-support-for-the-global-partnership-for-education/，2019-01-31.

合作组织项目实施赠款份额从2008年的21%增长到2015年的50%，增长了一倍多。截至2016年8月，全球教育合作组织基金为脆弱和受冲突影响的伙伴国家提供了超过15亿美元的资金。这些伙伴国的初等教育完成率从2000年的55%增长到2013年的68%。①

全球教育合作组织为了确保发展中国家更多的儿童有机会获得优质的幼儿保育和教育（Early Childhood Care and Education，简称“ECCE”），采取了一系列措施。全球教育合作组织为发展中国家合作伙伴提供技术和财政支持，辅助ECCE的分析、政策和战略，并将其纳入到它们的教育计划中；提供拨款来投资ECCE项目；通过向所有儿童，包括最贫困和最边缘化的儿童普及有效优质的ECCE政策和项目的最佳实践，支持合作伙伴国家的能力发展和知识共享。全球教育合作组织大幅增加在校学习儿童的数量。2002年至2014年期间，全球教育合作组织合作伙伴国的学前教育总入学率从16.8%增长至28.1%。从2013年起，所有要求获得全球教育合作组织财政支持的伙伴国（36个）都已将ECCE纳入到它们的教育部门规划中。②

女童教育和性别平等是全球教育合作组织的重点关注领域。全球教育合作组织的“2016—2020性别平等政策和战略”反映了全球议程从狭隘的仅关注女童教育到重点关注性别平等的转变。全球教育合作组织为促进性别平等的干预措施提供拨款高达1亿美元。全球教育合作组织的支持使得其合作伙伴国在2002年到2014年间增加了930万名女童入学。女童的小学毕业率从2002年的57%增长至2014年的71%。而男童的毕业率则从68%增长到75%。全球教育合作组织合作伙伴国中，男童和女童的中学毕业率分别从41%和35%增长到52%和47%。③

（三）促进全球发展中国家儿童教育发展

全球教育合作组织是唯一关注从小学到初中教育的多边合作组织。全球教育合作组织的愿景是为所有人提供包容、公平的优质教育，成立之初就致

---

① 全球教育合作组织. Focus Areas[EB/OL]. [2017-05-15]. http://www. globalpartnership. org/focus-ar eas/ countries-affected-fragility-and-conflict.

②③ 全球教育合作组织. Focus Areas[EB/OL]. [2017-05-15]. http://www. globalpartnership. org/focus-ar eas/early-childhood-care-and-education.

力于为最贫困地区的所有儿童提供高质量教育。近年来，虽然贫困地区的幼儿教育有所发展，但仍然极不均衡，偏远地区、少数民族地区依然比较落后。至2011年，全球低收入国家学前儿童毛入园率为21%，非洲地区为18%。全球教育合作组织与58个低收入国家合作，为它们提供资金、技术和政策支持。合作已经降低了该组织成员方中儿童失学的比例，从2000年3个孩子中有1个失学减少到2009年的5个孩子中有1个失学。2011年，全球教育合作组织帮助培训11万名教师，发放1 800万册教科书，并新建和修缮8 000个教室。[①]全球教育合作组织为符合要求的国家提供幼儿教育经济援助，并提供相应的技术支持和平台，包括帮助接受援助的国家制订学前教育计划，协助其实施计划以及进行监控和评估等。2014年6月，全球教育合作组织在比利时的布鲁塞尔召开了核心合作群体会议，讨论了如何为最贫困地区的儿童教育提供更早、更公平、更优质和更有效的投入等问题。这次会议明确了该组织未来的发展愿景。

全球教育合作组织使发展中国家政府对弱势群体教育更加重视。全球教育合作组织为发展中国家合作伙伴提供资金和指导，进行教育部门分析，制订和实施强有力的教育部门计划，包括应对和缩小边缘化儿童在入学机会、参与度以及学习之间的差距。在该组织的帮助下，其合作伙伴国政府逐渐加强对弱势群体的重视，例如厄立特里亚发起试点项目，将残疾儿童纳入到学校教育中；桑给巴尔政府通过引入全纳教育以及加强意识的活动，使得该国民众对残疾的态度发生了积极的转变；柬埔寨政府筛查出有视力问题的儿童，并为他们配备眼镜，确保他们能够继续留在学校学习。[②]2014年，超过300万名苏丹小学学龄儿童失学，其中女孩人数占50%以上。全球教育合作组织的资助资金对苏丹的基础教育产生了重大影响，帮助苏丹建造教室，购买教科书，支持苏丹首个国家学习评估项目，扩大学校补助制度。在全球教育合作组织的影响下，苏丹政府为提高入学率、留校率，缩小各州和地方之

---

① 左常升. 国际减贫理论与前沿问题2014[M]. 北京：中国农业出版社，2014：242.

② 全球教育合作组织. Focus Areas[EB/OL]. [2017-05-04]. http：//www. globalpartnership. org/focus-areas/children-with-disabilities.

间显著的性别差距作出许多努力。[①]

（四）促进发展中国家教育理念及治理方式的转变

全球教育合作组织促进了发展中国家教育理念及治理方式的转变。在全球教育合作组织的带领下，非政府组织（如地方公民社会）及私营部门、私人基金会等第三方力量，通过地方教育联盟逐渐参与到发展中国家的教育治理中，促进了发展中国家教育治理由政府一元主体模式转向政府主导、多方力量参与的多元主体治理模式。通过参与地方教育联盟，地方公民社会、私营部门、私人基金会以及教师代表组织在国家教育治理中拥有一席之地，并且大大促进了发展中国家教育治理的有效性。以也门为例，该国家因战乱冲突频发，教育规划受到严重影响。尽管也门政府想要实现所有儿童入学并接受优质教育的目标，在冲突影响下继续保证500多万儿童和青少年的教育，但事实上维持学校安全，防止学校系统崩溃已然勉强，约200万儿童因学校关闭而失学，能够留在学校的儿童，其学习情况也并不乐观。当国家政府一元主导模式在教育治理中失效，由全球教育合作组织支持的地方教育联盟作为第三方力量开始参与到国家教育治理中，帮助发展中国家合作伙伴制订、实施、监督和评估教育部门计划。通过促进教育部官员、发展合作伙伴和公民社会组织之间召开会议，也门地方教育联盟同意制订一个过渡期教育部门计划，这将有助于政府的发展合作伙伴更好地协调教育，更加有效地利用国内外的支持。也门地方教育联盟作为协调机构，在国家教育治理中发挥着重要的作用，不仅确保了全球教育合作组织的拨款在国家层面的使用，而且保证了合作伙伴（如公民社会、私营部门/基金会等）在对话中的参与。这样，更多的合作伙伴与政府一起应对教育危机，在国家层面上初步形成了政府主导、多方力量参与的多元主体治理模式。[②]

---

① GPE. News and Media［EB/OL］.［2017-05-04］. http://www. global partnership. org/news-and media/news/sudans-continued-eligibility-global-partnership-education-funding-beings-fresh-hope-education-reforms.

② 全球教育合作组织. Yemen’s local education group moves sector planning forward amid crisis［EB/OL］.［2017-05-20］. http：//www. globalpartnership. org/blog/yemens-local-education-group-moves-sector-planning-forward-amid-crisis.

（五）丰富与发展全球教育治理方式

在全球教育治理中，多边机构和组织发挥着重要的带头和组织作用，不同的国际组织凭借各自优势，以各自独特的方式参与到全球教育治理中。全球教育合作组织的出现，使得全球教育治理方式更加多元化，促进了国际社会中超国家行为体参与全球教育治理方式的发展。联合国教科文组织通过创新理念和思想的提出引领全球教育发展的方向；世行作为国际组织的一员，在由金融机构向知识银行转型的同时，在资金援助、技术支持以及知识生产与交流等方面为全球教育发展作出了重要的贡献；[①]经合组织通过PISA国际评估为全球教育治理提供数据和经验[②]，体现了大数据时代下的全球教育治理方式的特色；而联结多方利益相关者的全球教育合作组织作为全球教育治理的新兴力量，担任着践行者的角色，将理念付诸实践，除了提供援助，还切实监督援助资金和技术支持在发展中国家的使用，促进了全球教育治理方式的多样化，也保障了全球教育治理的有效性。不同的国际组织之间相互协作，共同构成了全球教育治理的运行体系。

四、未来展望

相比联合国教科文组织、世行等国际组织，全球教育合作组织以其独特的优势，通过更加有效的援助机制，在推动发展中国家教育、促进全球教育公平、提高优质教育机会等领域发挥着自身独特的作用，为教育发展和共同繁荣作出贡献。“全球教育治理的态势已经形成，并且可以预见，这一态势将会随着超国家机构的进一步参与而继续拓展。”[③]

当然，全球教育合作组织无论在其合作伙伴的覆盖面还是全球影响力方面都存在较大提升空间。仅从作为世界最大发展中国家的中国2018年才加入该组织，就可以看出其全球影响力尚待加强。未来，全球教育合作组织需要充分发挥自身优势与特色，才能在全球教育治理中发挥更积极的作用。

---

① 阚阅，陶阳．向知识银行转型——从教育战略看世界银行的全球教育治理[J]．比较教育研究，2013（4）．

② 邵江波．PISA 与全球教育治理：路径、影响和问题[J]．全球教育展望，2016（8）．

③ 王晓辉．全球教育治理——鸟瞰国际组织在世界教育发展中的作用[J]．北京大学教育评论，2008（6）．

第三章　世界知名智库参与全球教育治理

智库是为政府部门提供决策研究与咨询的专门机构，世界知名智库拥有遍布全球的机构及强大的专业研究能力。这些世界知名智库不仅为本国政府部门决策服务，也为其他国家及国际组织提供政策研究及咨询服务，在世界范围内具有重要影响力。随着教育对世界经济、社会发展的影响与日俱增，知名智库纷纷开展对教育领域的研究与政策咨询，如兰德公司、布鲁金斯学会、卡耐基教学促进基金会、澳大利亚教育研究委员会、日本国立教育政策研究所等，它们在教育领域做了许多卓有成效的工作，成为参与全球教育治理的重要力量，在全球教育变革与发展中扮演着促进者的角色。

第一节　兰德公司对全球教育治理的参与

一、概况

（一）创立及人员构成

兰德公司（RAND Corporation）成立于1948年，最初专门为军方服务，以研究军事领域政策为主，随着冷战结束及社会发展，逐渐拓展到为卫生、教育等部门提供政策研究咨询服务，后来开展研究生教育工作。它属于国际顶级智库之一，截至2018年10月，兰德公司有研究人员1 850人，由来自50个国家的顶尖专家组成，掌握80种语言，拥有博士学位的比例已过半，拥有硕士学位的比例高达91%，半数以上的研究人员同时拥有一个或多个硕士或博士学位。可见，兰德公司研究人员具备高层次教育背景及跨国研究的语言能力，也体现出其为参与全球教育治理在人才方面所作的国际化准备。

目前，兰德公司的研究领域广泛，囊括美国社会及全球事务，涉及国际政策、科学与技术、儿童问题、民事司法和公共安全等，具体包括孩子与家庭、教育与艺术、能源与环境、健康与保健、基础设施与交通、国际事务、法律与商业、国家安全、人口与老龄化、公共安全、科学与技术、恐怖主义与国土安全等。[①]教育与艺术、孩子与家庭、科学与技术等都直接或间接地涉及教育政策领域的研究。美国宾夕法尼亚大学智库与公民社会项目最新发布的《全球智库报告2017》显示，在全球教育政策研究智库排名中，兰德公司位居第四，与2016年排名保持一致，比2015年上升了一名。可见，作为综合性智库，其教育政策研究及参与教育治理的实力在全球也处于领先地位。

表 3-1　2017 年度国际顶级教育政策研究智库前十排名表[②]

排名	智库	国别
1	国立教育政策研究所	日本
2	城市研究所	美国
3	布鲁金斯学会	美国
4	兰德公司	美国
5	斯坦福国际研究所教育政策中心	美国
6	卡托研究所	美国
7	教育政策研究中心	美国
8	社会经济策略研究中心	捷克
9	数学政策研究中心	美国
10	教育政策分析中心	美国

随着社会的变革，兰德公司的研究范围逐步拓展，从单纯的为军方提供服务，到最终涉足教育领域。兰德公司对教育领域的关注及研究，体现出其作为国际顶级智库的战略意识，也展现出其参与全球教育治理的实力。

① RAND Corporation[EB/OL].[2016-12-06]. http://www. rand. org/research. html#policy-focus.

② James G. McGann. 2017 Global Go To Think Tank Index Report [EB/OL]. [2018-03-06]. https://repository. upenn. edu/think_tanks/13/.

（二）机构设置和人员配备

1. 机构设置注重精简和高效

兰德公司的教育研究主要是通过其下设的教育研究部进行。兰德公司教育研究部（RAND Education）是兰德公司的一个下属研究部门，它的使命是通过为客户（以政府为主）提供准确的数据和客观分析，帮助他们改善教育政策和辅助政策制定。兰德公司教育研究部功能的发挥得益于美国的决策咨询体制，该体制为智库参政议政提供了广阔的发展空间，随着美国决策咨询制度的建立和完善，智库也不断发展壮大。

第二次世界大战结束后，随着美国经济社会的飞速发展，美国政府面对逐日增多的内政和外交问题，深刻地意识到单纯依靠政府部门的力量来应对这些繁杂棘手的问题，已显得力不从心，需要专业机构客观专业地对问题进行调查、研究和分析，并及时提出系统性解决问题的有效对策。在这样的背景下，自20世纪70年代以来，兰德公司教育研究部凭借其研究对教育政策产生的深远影响而在该领域树立了权威地位，曾多次推动美国教育政策取得突破性的发展。其研究服务范围已从美国本土扩展到全球，研究资助经费来自世界各国的政府、基金会和民间组织等机构。兰德公司教育研究部的管理机构由3名成员组成，其中主任1名，副主任2名。2018年管理人员如下：

表 3-2　兰德公司教育研究部 2018 年管理人员情况表[①]

职位及姓名	工作地点	专业背景	研究领域
主任 V. Darleen Opfer	匹兹堡办事处	教育政策特聘主席，帕迪兰德研究生院教授；获弗吉尼亚大学教育政策研究博士学位、行为障碍研究硕士学位；获佛罗里达州斯泰森大学教育学士学位	教育政策、教育管理、教育公平、国际教育、教师和教学

① 根据网站内容整理：RAND Corporation，http://www. rand. org/education/bios. html，2018-08-22.

续表

职位及姓名	工作地点	专业背景	研究领域
副主任 LauraS. Hamilton	匹兹堡办事处	高级行为科学家，帕迪兰德研究生院教授；获斯坦福大学教育心理学博士学位，统计学硕士学位；获宾夕法尼亚大学教育心理学硕士学位；获杜肯大学音乐教育学士学位	学术成就、教育政策、教育改革、教育项目评估、教育技术、基础教育、校长、中等教育、教师效能
副主任 Heather L. Schwartz	新奥尔良办事处	政策研究员；获哥伦比亚大学教育政策博士学位；获斯沃斯莫尔学院英语学士学位	教育选择权改革、学前教育、教育项目评估、房地产市场

从上表可见，兰德公司教育研究部以设立办事处的形式进行管理，管理人员兼具管理和研究双重身份，既负责部门管理事务，又直接参与项目研究。他们都拥有多学科学位，研究领域宽广，尤其是Heather L. Schwartz副主任，除了研究教育领域外，还涉足房地产市场研究。兰德公司教育研究部人员构成多样化可见一斑。当然，研究部也配备了一些助理人员，辅助开展工作。

2. 研究人员具备全球领先的高素质和流动性

截至2018年10月，兰德公司教育研究部有70多位研究员，他们拥有多样化的专业背景和卓越的工作能力，都是各自专业领域公认的专家，有经济学家、行为科学家、政治学家、社会学家、政策分析师和统计学家等。超过70%的研究员拥有博士学位，其中包括精通高端统计建模和其他分析技术的专业人员。他们中很多都是在教育领域已经作出了杰出贡献并赢得了国际声望的著名学者。

同时，兰德公司整体团队为兰德公司教育研究部的工作提供了强有力的支持。兰德公司的研究人员主要有三个来源：曾在政府部门任职的高级官员或专家；名校毕业的青年博士；其他顶级智库的知名专家，另外还有小部分人员来自大学和企业等机构。这样的来源构成保证了研究队伍的高素质，以及与行政决策部门的良好沟通。兰德公司及教育研究部研究人员的专业背景如图3-1、图3-2所示。

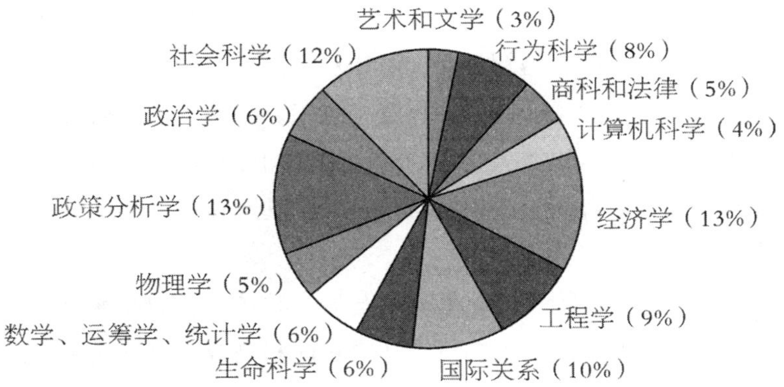

图 3–1　兰德公司研究人员专业背景占比图[①]

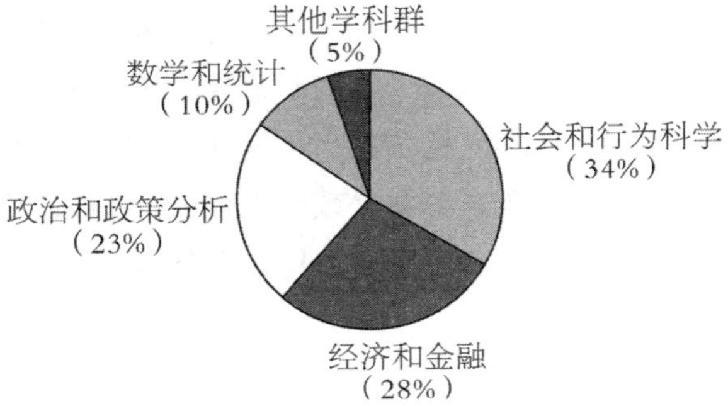

图 3–2　兰德公司教育研究部研究人员专业背景占比图[②]

由上图可见，兰德公司教育研究部的人员专业背景构成中，社会和行为科学占比最高，经济和金融、政治和政策分析类人员所占比重居其次，数学和统计也占一定比例，兼顾其他学科背景的研究人员。兰德公司教育研究部的人员专业背景多样化，文理搭配，注重学科交叉和不同学科观点的交流和

① RAND at a Glance，https://www.rand.org/content/dam/rand/pubs/corporate_pubs/CP600/CP628z4-2016-02/RAND_CP628z4-2016-02.pdf，2017/09/14.

② 数据来源：兰德公司教育研究部网站。

碰撞，保证了研究的全面性和创新性。同时，研究人员还具备思想平衡力及毅力，思想平衡力意味着理解社会、政治和经济现实的能力，思想毅力是对效率、及时性、精力和灵活性的一种强烈意识。另外，智库研究人员具有高流动性，他们在研究机构、大学、政府、企业间流动，能与各类政策制定者和实施者紧密接触，有利于政策信息的及时沟通及传递，从而保证研究的时效性和针对性。

因此，设置专门机构，并召集一批与研究领域相关的高素质研究人员是开展教育政策研究的基础。机构设置注重精简和高效，研究人员背景注重学科交叉，研究能力与实践经验并重，同时能通过“旋转门”及其他机制保持流动性，这些都是国际顶级智库地位得以确立的前提。

（三）客户及资金来源

客户及资金来源多元化。兰德公司教育研究部服务的教育政策研究需求客户分布比较广泛。以政府为主，各级各类政府占客户的72%，包括美国政府、美国州及地方政府、国际政府。私立基金会、其他行业和非营利组织约占28%，国际基金会和私人所占比例较小。可见，兰德公司教育研究部的客户及资金来源多元化，主要服务对象是政府类客户，各级政府也是其运行资金的主要来源，可以从一定程度上反映出其对政府教育政策的影响力。

二、研究方法、工具及研究领域

（一）研究方法与工具

兰德公司下设专门的研究方法中心负责开发、创新研究方法，并在具体研究项目中应用。兰德公司非常注重研究工具与方法的多样化和多学科交融，跨越学科界限。“兰德公司从成立之初即集合了他们所谓的‘运筹研究团队’，由来自多个不同学科的学者组成。”[①]兰德公司教育研究部依托研究方法中心这一平台，拥有一整套先进完备的研究设计和分析工具，能够采取创新而又不失严谨的方法来分析问题并提出解决办法，主要有应用网络分

① 唐磊．当代智库的知识生产：The Knowledge Production of Contemporary Think Tanks［M］．北京：中国社会科学出版社，2015：94．

析和系统科学、定性和混合法、游戏推演、因果推论、不确定性条件下的决策、可扩展性计算和分析等。[①]兰德公司创造性地把游戏引入科学研究，认为“游戏”具有任何互动过程的五个基本特征：①有多个独立的决策者；②通过竞争实现目标；③在互动中不断地发展变化；④有一系列规则进行治理；⑤相互作用的结果并不直接影响世界的状态。[②]这种方法被称为“严肃游戏”，它可以为未来的事物发展列出一张清单，具有很好的预见性，因此，通过游戏可以更好地研究问题的发展演变过程。兰德公司在研究中还创造性地使用了德尔菲法、头脑风暴法、系统分析法等著名研究方法。以系统分析法为例，它由跨学科研究法发展而成，最初被兰德公司用来描述分析过程，指出分析过程不只是分析军事作战，应该是全面分析军事作战过程中发生的全部活动。该方法后来发展成了兰德公司所有研究活动的核心方法论，即把要解决的问题作为一个系统，对系统要素进行综合分析，找出解决问题的方法。[③]这些方法的运用，能激发出研究团队中每个人的最大潜能和创造力，也能保证研究过程的客观性。

兰德公司教育研究部主要采用的研究工具和过程如下：实地调查与文献分析；重点调查；建立统计与计量经济学模型；评估干预项目的成效。实地调查与文献分析的主要目的是明确当前业界对所研究问题的认识，并帮助制订未来的研究计划，引发对重要问题的讨论，并从多个角度提供信息，为深入客观的讨论创造条件，指明政策性问题及需做的决策。重点调查可以帮助利益相关者和决策者从教育的多个角度看待问题。建立统计与计量经济学模型可以分离出特定因素产生的影响，研究不同团体之间的差异。评估干预项目的成效能够联系实施的过程与结果，对实施进程进行实时追踪并提供即时反馈。整个研究过程，工具与方法结合紧密，注重研究方法与工具的综合化和创新性，很好地适应了变化迅猛的社会形势及日趋复杂的治理问题，为教育政策研究及参与全球教育治理提供了有力的保障。

---

①② 具体参见：http://www. rand. org/capabilities/methods-centers. html.

③ 王辉耀，苗绿．大国智库［M］. 北京：人民出版社，2014：52.

（二）研究领域

兰德公司作为综合性智库，其下属的教育研究部由于研究人员背景丰富多样、研究能力较强，且客户及资金来源多元化，因而能在教育政策领域开展不同层次和主题的研究。具体见表3–3。

表 3–3　兰德公司教育研究部政策研究领域[①]

序号	研究领域	具体内容
1	教育治理模式的多样化	学区分权、定点式管理、市长控制
2	艺术与艺术教育	艺术教育需求、艺术教育的可行性、艺术教育政策
3	教育选择权改革	特许学校、凭单制、择校、私营部门管理
4	早期儿童教育	幼儿园和 K–3 教育策略和项目评估
5	教育公平	教育资源匮乏的群体、少数民族、移民、英语为第二语言的群体、残疾人群体
6	国际教育政策	所有政策区域
7	K–12 学校改革	设计、实施、评估、成本；初高中改革
8	校外时间	暑期学习项目、放学后项目、其他提高学生成绩的课外学习项目
9	高等教育	管理、教育项目、少数族裔的参与
10	校长、教师与教学	供应、需求、质量改进、领导力、绩效薪酬、增值模型
11	基于标准的改革、责任制与考试	不让一个孩子落后；增值与收益分析、投入、过程和业绩指标制定；新的教育考试方式
12	技术、信息与创新	计算机化的教育干预、以数据为基础的教育决策
13	职业与成人教育	高中改革、从学校到工作的过渡、劳动力培养

从上表可见，兰德公司教育研究部的教育政策研究贯穿不同学段，从学前教育、K–12到高等教育都有涉及；研究不同性质的教育，如普通教育、职业教育、成人教育等；还注重宏观与微观结合，宏观领域如教育治理模式

① 内容来源：兰德公司教育研究部网站。

多样化、国际教育政策、教育选择权改革、教育公平、教育技术与信息，微观领域如校长、学校、教学、校外时间等。兰德公司教育研究部对教育权和特许学校两个政策存在的问题开展了研究，这两个政策对美国家庭的选择影响深远，可能引发破坏公立学校、加剧学生学习结果不公平、增加学校间的隔离、破坏民主等相关教育问题。它从全国中小学获取数据，最后得出结论，在给出建议的同时，也明确提出一些问题难以解决，如公众对特许学校教育总需求、教育提供者的供给反应、特许学校的特点性能规模对公立学校的最终影响等。[①]可见，兰德公司教育部在缺乏足够证据的情况下，不会随意提出解决问题的策略，而是客观地陈述研究结论及存在的问题，秉持客观的研究立场。

针对美国各州普遍实施的暑期学习项目可能加大低收入家庭学生与高收入家庭学生学业差距的问题，兰德公司教育研究部通过研究来评估暑期学习项目的必要性、可行性和有效性。该研究为政策制定者和资助人提出了建议：联邦、州和地方政策制定者为新的或原有的项目提供稳定的资金支持；州级政策制定者应为资金来源与项目结合提供明确的指导；继续扩展暑期学习项目有效性的研究基础。[②]另外，兰德公司教育研究部还关注一般教育研究很少涉及的领域，如针对监狱罪犯和刑满释放回社区的人员进行的矫正教育研究，研究矫正教育工作者运用计算机辅助技术、音视频辅助技术、在线学习管理系统等开展个性化教学，为被监禁的成年人或青少年提供学习项目和职业培训项目等内容。[③]可见兰德公司教育研究部的研究已深入到教育的每个角落，体现出其教育研究具有浓郁的人文关怀取向。

兰德公司教育研究部开展的政策研究，主要基于国家教育系统的特定文化背景、价值观、国家目标、面临的挑战和所需成本，并强调通过对数据的透彻分析找到提高教育质量的有效办法。

---

① Gill，B.；Timpane，P. M.；Ross，K. E.；Brewer，D. J.；Booker，K. Rhetoric versus reality: what we know and what we need to know about vouchers and charter schools [R]. CA: RAND Corporation，2007: xxiii.

② Chappell Cathryn，Shippen Margaret. Use of Technology in Correctional Education [J]. Journal of Correctional Education，2013，64（2）:22-39.

③ 具体参见：http://www.rand.org/education/projects/t-is-for-technology.html.

表 3-4　兰德公司教育研究部代表性研究项目及成果概况表 [①]

时间	项目名称	成果
1975 年	支持教育变革的联邦教育计划	发现了政策实施的重要特征之一——“相互适应”。在此之前政策实施的这一特征并未被广泛认识。研究表明愿景美好和精心设计的改革政策在实践中未必能够获取成功
1987 年	监测数学和科学教育的指标体系	确立了将教育视为综合一体化系统的重要性。在绩效评估时，必须全方位考虑教育的各种要素
1990 年	特色高中	确认了优质高中取得成功的基本要素，尤其是领导力和文化价值观的作用
1994 年	学生成就和发展变化中的美国家庭	运用复杂的模型将家庭背景因素对学生成绩的影响与学校和教育政策的影响区分开
1998 年	六年之后美国的新学校	研究结果表明仅仅打破学校原有的旧模式不一定能带来有效的变革。教育改革要成功，对教育辅助结构的改变也很重要，尤其是整个学区范围内教育辅助系统的改革势在必行
1999 年	缩小教育差距：受益与成本	确定了缩小非西班牙裔白人与少数族裔之间成绩差异的可行性。研究表明增加用于公共医疗和社会福利的储蓄，提高高收入群体的所得税能够促进缩减种族间教育差距，而纳税人将受益于种族间教育差距减小的长远回报
2000 年	加利福尼亚州缩小班级规模	研究证明，即使是“已被事实证明可靠的”教育干预措施，例如缩小班级规模，如果没有足够数量的高水平教师来执行这一政策，也不一定会成功
2002 年	改革卡塔尔的教育体系	为卡塔尔的 K-12 教育体系设计了彻底的结构性改革方案。与卡塔尔方面密切合作，规划并协助实施了此项改革。最终，卡达尔首次采用了国际基准的课程标准并开设了以学生为中心的新实验学校。截至 2007 年，新实验学校就读的学生人数超过公立学校学生人数的 50%

① 内容来源：兰德公司教育研究部网站。

21世纪，全球经济一体化，科技和信息技术的迅猛发展，给各国教育提出了严峻的挑战，国家经济的发展和国民素质的提高都需要提高教育质量。兰德公司教育研究部以其强大的研究团队、专业知识、跨文化研究能力，获得世界各国的青睐。目前，兰德公司教育研究部在为美国本土服务的同时，也积极投身海外市场，研究项目遍布全球，如卡塔尔的改进K–12教育体系，叙利亚的开发、支持实施叙利亚教育愿景计划，韩国的改进“智能韩国21世纪”项目的评估体系，英国职业学习系统政策及其结果的评估，墨西哥的教师激励计划评估，荷兰高校增加科学和技术领域生源办法的国际比较研究等。

兰德公司教育研究部的研究项目紧跟时代发展步伐，具有很强的现实针对性。兰德公司教育研究部2014年发布了一个研究报告，名为“T技术项目：学前教育和数字鸿沟”①，此项目研究了数字化信息与通信技术对学前教育的影响及学前教育应当采取的回应方式，认为信息技术素养对儿童适应未来的数字化生存具有重要意义，学前教育应该承担起帮助学前儿童跨越“数字鸿沟”的使命。正确使用数字化信息与通信技术能有效改善家庭参与学前教育的状况：一是为家长和教师之间的沟通提供了更多更便利的渠道，恰当选择基于数字化信息与通信技术的沟通方式，可以有效弥补时间限制和语言障碍，让家长和幼儿园之间的沟通变得有序化和高效化；二是数字化信息与通信技术能够为家长提供儿童在幼儿园的活动经历，促进家庭在幼儿园教育中的参与程度。另一个与之相关的研究项目是“通过技术改善家庭参与儿童早期教育”②，该报告认为可以通过技术让家庭成员在家里成为更好的教育工作者，以此来改善儿童早期教育的效果，并能加强学校和家庭之间的联系和交流。兰德公司教育研究部的研究总是站在时代发展的前沿发现问题，并最终提出解决方案。

三、启示

（一）注重研究队伍多元化与高素质并举，注重人才队伍国际化

当前，国际智库研究领域不断扩展，原因在于政策研究所涉及的现象越

---

①② 具体参见：http://www. rand. org/pubs/research_reports/RR673z5. pdf .

来越复杂，需要多学科、多角度、多方法的综合性研究才能应对。综合性智库进行教育政策研究，由于其机构的综合性及研究人员构成的多元化，具备全球视野和战略高度，能从社会发展的不同视角审视教育的发展及问题，更易于产生高质量的教育政策研究成果。兰德公司属于综合性智库，设置教育研究部专门进行教育研究。高素质的人才源源不断地加入到研究团队中，从而能保持一流的研究队伍和研究水准。研究的高水准，让其在参与政府决策咨询、提供政策实施方案、提出问题解决办法的过程中，具有明显的优势。

（二）保持研究工具和方法的创新性与生命力，引领全球智库研究方法前沿

兰德公司教育研究部采用的研究工具和方法，综合了兰德公司的各种资源。研究方法都是多学科方法的综合交叉运用，并且根据研究领域的变化在不断地更新研究工具和方法。这能有效地帮助研究人员完成研究项目，提升研究的质量，让工具、方法更好地为教育研究服务。

（三）加强研用教一体化模式良性互动，积极参与全球教育治理

兰德公司教育研究部一面进行项目研究，一面把研究成果应用到具体社会领域。兰德公司教育研究部的研究人员也兼任研究生院的教授，承担培养博士的任务，实现了内部与外部的研究—应用—教学一体化（简称“研用教一体化”）模式。如兰德公司教育研究部的主任和副主任，他们既是管理者，又是研究人员，还兼任兰德研究生院教授。人才在内部实现复合化发展，既利于研究的深化，也可以促进研究理念和方法的传播，从而带动研究的创新。研究人员还与外界保持着良好的流动性，在政府、研究机构、企业等部门间流动，从外部实现研用教一体化。兰德研究生院历来注重培养学生的多学科交叉研究能力，注重从不同学科的角度分析复杂的政策问题，为学生提供多学科的分析工具和方法相关课程，与此同时，让学生进行在职培训，直接参与到公司的研究项目之中，在真实问题情境中学习政策分析。因此，课程与在职培训被认为是兰德研究生院开展高等教育的一个独特经验。这样的培养理念和策略为复合型高素质人才的培养打下了基础。当然，尽管研究人员流动频率高，但资深研究人员还是保持着相对稳定，做到了动静结合，有利于研究的延续性和创新性互补。

兰德公司充分运用其综合智库在研究人员及研究工具等方面的优势，在研究领域综合化及学科多元化优势的基础上，广泛开展教育政策及问题研究，积极参与全球教育治理，为多个国家和地区的教育政策制定作出了贡献，发挥了专门性教育智库难以企及的作用。当然，兰德公司教育研究部的很多研究项目分布在全球各地，由于对当事国国情把握的偏差或当事国自身执行的问题，为他国或地区设计的教育政策实施方案和教育体系并不一定都适应该国或地区的实际发展需要，这需要我们辩证地看待。

第二节　布鲁金斯学会对全球教育治理的参与

一、概况

（一）布鲁金斯学会发展历程

布鲁金斯学会（Brookings Institution）是一个独立非营利性的公共政策研究咨询组织，总部设在美国华盛顿特区。根据《全球智库报告2018》的统计，全球共有8 162个智库，布鲁金斯学会在全球顶级智库中排名第一，在教育政策智库中位居第三，[①]可见其研究能力和政策影响力之巨大。

布鲁金斯学会最早可以追溯到20世纪20年代，1916年圣路易斯市企业家、慈善家罗伯特·S. 布鲁金斯和其他政府改革倡导者成立了政府研究所。它倡导科学地研究公共政策，并为政府提供有效和高效的公共服务。后来，布鲁金斯相继创建了两个姊妹组织，分别是1922年成立的经济研究所和1924年创立的研究生院。1927年，两个研究所和研究生院三合一，合并的机构命名为布鲁金斯学会。学会的主要目标是致力于经济、政府管理、政治和社会科学等领域的研究，并以此促进政府改善这些领域的治理状况。

“质量、独立性、影响力”，这是布鲁金斯学会一直坚守的核心价值

---

① James G. McGann. 2018 Global Go To Think Tank Index Report［EB/OL］.［2018-03-06］. https://repository. upenn. edu/think_tanks/16/.

观。布鲁金斯学会注重政策研究的质量，研究的独立性和客观性，还注重政策及组织机构发挥的影响力。成立一百多年来，布鲁金斯学会对美国许多重大政策的制定和实施产生了重大影响。如二战时期物价管控政策、战后马歇尔计划、税制改革法案、20世纪90年代的都市新政策、21世纪初的儿童税收抵免优惠政策等的出台都受到布鲁金斯学会直接或间接的影响。智库研究人员组成的专家团队应用各自学科专业领域最先进的研究工具、方法和创新思维，快速高效地将理论与实际问题进行整合，以事实为依据，提出一系列问题解决方案，推动了世界的发展和进步。

独立性是美国智库坚守的核心价值之一。布鲁金斯学会保持研究独立性，研究结论不受资助者利益左右，或为某一党派服务，在政府、学术界、公众之间架起一座桥梁，既为政府提供政策咨询信息，又给公众打开了一扇了解政府公共政策的窗口，为公众提供各种有关公关政策的观点和深度分析，这样有利于各项政策落地前的充分讨论和辩论。一百年来，布鲁金斯学会一直保持着对政府公共政策制定和实施的特殊影响力。

（二）布鲁金斯学会的组织结构

布鲁金斯学会实行矩阵式管理结构，学会分设行政管理和学术研究两轨。行政管理设5个部门：财务部、运营部、联络部、发展部和出版社。学术研究设5个研究领域：外交政策、全球经济与发展、经济研究、城市政策、治理研究。每个研究领域下设若干研究中心，外交政策领域下设8个中心：布鲁金斯多哈中心、布鲁金斯印度中心、布鲁金斯—清华公共政策中心、21世纪安全与情报中心、东亚政策中心、中东政策中心、美国和欧洲中心、约翰·桑顿中国中心；全球经济与发展领域下设3个中心：全球教育中心、拉丁美洲倡议、发展援助与治理倡议；经济研究领域下设3个中心：儿童与家庭中心、社会动态与政策中心、布鲁金斯城市税收政策中心；城市政策项目下设2个中心：布鲁金斯—洛克菲勒国家与城市创新计划、全球城市倡议—布鲁金斯与摩根大通联合项目；治理研究下设3个中心：布朗教育政策研究中心、技术创新中心、移动经济项目。①

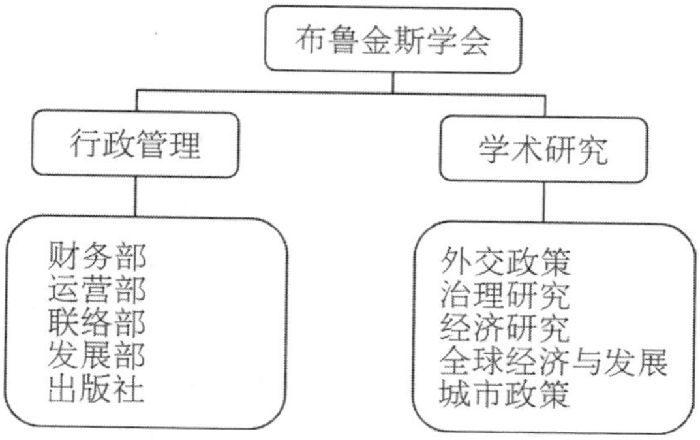

图 3-3　布鲁金斯学会的组织结构图

从布鲁金斯学会的组织结构可以看出，一是管理机制灵活。实行矩阵式管理，根据研究领域分设研究中心或项目，项目可根据研究随时调整，具有很强的灵活性，能很好地适应研究情况的变化。二是研究领域广泛，综合性强。布鲁金斯学会下设的5个研究领域，19个中心或项目，囊括了社会发展的各个层面，体现出研究的综合性特征。这也为其下属的布朗教育政策研究中心提供了多学科、多领域的研究资源。

二、布朗教育政策研究中心的成立及人员构成

（一）布朗教育政策研究中心的成立

20世纪以来，布鲁金斯学会的政策研究咨询对美国各个时期的经济、政治、社会变革产生了重要影响。1936年，开始关注美国教育领域的问题，1966年，科尔曼教授向国会递交《关于教育机会平等》报告，1983年美国政府发布《国家处在危险之中，教育改革势在必行》法案，教育在国家发展中的作用越来越凸显，于是，布鲁金斯学会开始把教育政策研究作为其重点关

① 根据布鲁金斯学会网站内容整理：Brookings Institution，http://www. brookings. edu/about/programs/metro，2016-06-09.

注领域之一，于1994年成立了布朗教育政策研究中心，专门研究美国及全球教育政策。另外，“布鲁金斯学会开始作为一个大学，并仍然保持edu后缀的网址”[①]，可以看出学会与教育之间联系紧密，布朗教育政策研究中心的成立也就顺理成章。

布朗教育政策研究中心（Brown Center on Education Policy，以下简称“布朗中心”）属于布鲁金斯学会治理研究领域下设的一个研究中心，“是综合类智库中较早开展教育政策研究的机构”[②]，其任务是应用严谨的实证分析、社会科学量化方法对美国的教育政策进行研究，为具有切身利益和需要的人参与决策提供帮助。布朗中心最近几年的研究工作主要涉及课程的影响、学术标准和问责制、班级规模、数学教育、美国学生在国际评估中的学术成就等。

（二）布朗教育政策研究中心人员构成

布朗中心有7名研究人员（含2名管理人员），人数不多，但研究人员均是高素质的、复合型人才。

表3-5　布朗中心2016年管理机构人员情况表

职位及姓名	专业背景	研究领域	备注
临时主任 William Galston 高级研究员	曾担任马里兰大学公共政策学院代理院长，哲学和公共政策研究所主任，公民学习与参与信息研究中心主任，国家公民革新委员会执行主任	国内政策、政治运动、选举，目前主要进行社会契约和政治极化研究	
副主任 Michael Hansen 高级研究员	劳动经济学家，获华盛顿大学经济学博士学位。是教育科学研究所、国家科学基金会、奈特基金会和“为美国而教”项目的主要研究员	教师质量原创性研究、增值测量、教师评价、基于纵向数据系统状态的教师激励和问责、学校转向、STEM学习	

① 胡光宇．大学智库［M］．北京：清华大学出版社，2015：92．
② 赵芳．独立、高效、创新、实用——美国布朗教育政策研究中心评述［J］．外国中小学教育，2016（1）．

续表

职位及姓名	专业背景	研究领域	备注
Beth Akers 研究员	教育经济学家，曾就职于白宫经济顾问委员会，获哥伦比亚大学经济学博士学位，纽约州立大学数学学士学位	教育经济、高等教育政策	同时在经济研究、儿童与家庭中心兼职
Adela Soliz 研究员	经济学家，获哈佛大学教育研究生院博士学位，哥伦比亚大学师范学院国际教育发展硕士学位，里德学院人类学学士学位	政策对社区学院的影响，目前主要研究社区学院营利性扩招行为的影响	
Stephanie Cellini 兼职高级研究员	乔治华盛顿大学公共政策和经济学副教授，国家经济研究局研究员，《教育财政与政策》副主编。获加州大学经济学博士、硕士学位，获斯坦福大学公共政策学士学位	教育政策、劳动经济学、公共财政。近期关注劳动力市场对营利性大学教育的回报、营利性高等教育机构对联邦和州的金融援助计划的响应	
Helen Ladd 兼职高级研究员	杜克大学桑福德公共政策学院经济学教授，获哈佛大学经济学博士学位，伦敦经济学院硕士学位，韦尔斯利学院学士学位。曾任公共政策和管理协会主席，曾任教于达特茅斯学院、韦尔斯利大学、哈佛大学城市和区域规划项目和哈佛大学肯尼迪政府学院	教育政策、教育问责制、教育不平等现象、教育券、教育种族隔离问题、学生成就。近期主要关注：学校的责任、教育财政、教师劳动力市场、学校选择	
Tom Loveless 兼职高级研究员	曾任布朗中心主任，获芝加哥大学教育博士学位、加州州立大学特殊教育硕士学位、加州大学伯克利分校英语学士学位。曾担任哈佛大学肯尼迪政府学院副教授，国家数学顾问小组主席	教育政策、教育改革、K-12学校。目前主要研究2017年布朗中心报告；与波士顿大学国际研究中心联合开展国际数学与科学测试趋势二十年研究	

7名研究人员中，2名兼职管理人员，其中主任还是临时职位，其余5名研究人员中，有3名是兼职研究员。布朗中心研究团队研究人员的专业有经济学、人类学、数学、教育学、特殊教育、英语、公共政策等。不同研究人员专业背景各异，就是同一人学业不同阶段的专业也大不相同。布朗中心研究员的学科专业背景多样化，以经济学研究背景为主，这与布鲁金斯学会注重采用跨学科的研究方法开展公共政策问题研究的传统有关。“学会的创始人认为跨学科是克服大学中教育专业化的一个途径。在谈到布鲁金斯的跨学科性质时，其网站上如此描述：我们始终保持既投身于社会科学的学科，也注重跨学科方法的价值。”①布朗中心注重跨学科的研究方法，必然影响到其人才的组合搭配，选择人才时必然注重学科专业背景的多元化。

三、布朗教育政策研究中心的工作内容

布朗中心的工作主要有两项：发布美国教育年度报告和布朗中心黑板公告。从2000年开始，布朗中心每年发布一份关于美国教育的报告，用学生学习的最新措施分析美国教育的状态，揭示和解释学业测试成绩的重要趋势，辨别和评估教育改革的前景等；布朗中心黑板公告主要是展示布朗中心学者和嘉宾对问题的分析和观点，每个星期四，布朗中心学者和临时邀请的嘉宾就美国教育的政策、研究进行简短的分析。

（一）发布美国教育年度报告

表3-6　布朗中心美国教育年度报告主题表（2000—2016）

年度	主题
2016年	1. 阅读和数学的共同核心的时代 2. 大学先修课程跟踪 3. 国际视角下的校长教学领导力
2015年	1. 男孩、女孩与阅读 2. 共同核心的测量效果 3. 学生参与

① 唐磊．当代智库的知识生产：The Knowledge Production of Contemporary Think Tanks［M］．北京：中国社会科学出版社，2015：93．

续表

年度	主题
2014 年	1. 从上海参加 PISA 测试争论得到的经验 2. 美国家庭作业 3. 共同核心进展报告
2013 年	1. 最新的三次国际数学与科学测试和国际阅读素养进步研究分数 2. 能力分组的复现和持续跟踪 3. 八年级的高等数学
2012 年	1. 共同核心州立标准学生成就效果预测 2. 国家教育进展评估（NAEP）测量成绩差距 3. 国际测试成绩误解
2010 年	1. 国际测试 2. 真正赢得力争上游的是谁 3.NAEP 和国家核心州立标准
2009 年	1.2009 年国家教育进展评估分数告诉我们什么 2. 学校会改变吗？一个实证调查 3. 我们知道特许学校转换什么
2008 年	1. 使用和滥用国际评估 2. 学生数学的错位 3. 城市学校的成就
2007 年	1. 国家的成就、2007 年 NAEP 数据、NAEP 表现水平 2. 私立学校招生的奥秘 3. 更多的时间意味更多的学习
2006 年	1. 国家的成就 2. 学生学习的幸福因素 3. 各州都如实报告测试成绩吗
2004 年	1. 国家的成就 /NAEP 数学项目 2. 中学数学教师的培训内容 3. 重新审视蓝带学校
2003 年	1. 国家的成就 2. 学生的家庭作业太多吗 3. 特许学校：成就、问责制与专家的角色

续表

年度	主题
2002 年	1. 国家的成就 2. 高中文化、美国学生出国留学的观念、团队运动的效果 3. 特许学校
2001 年	1. 国家的成就 2. 高中文化 3. 城市学校的成就
2000 年	1. 国家的成就 2. 仔细看看数学成就 3. 影响成就的政策和实践、计算器使用、模范学校

从上表的统计可见，布朗中心每年发布的美国教育报告，均有三个部分内容，可以概括为：①应用最近最好的证据来揭示和解释美国学生在州、国家和国际各级别评估项目测评中的最新成绩，包括国家教育进展评估（NAEP）、国际数学与科学测试（TIMSS）、国际阅读素养进步研究（PIRLS）、国际学生评估项目（PISA），并从数据中总结发现隐藏的重要发展趋势；②分析国家采取的改进学生学习的新措施对学生的影响，涉及各州政策、学校、教师各个方面，如特许学校、蓝带学校、共同核心标准、先修课程、能力分组、家庭作业、学科学习、教师培训等，进而分析美国教育改革的现实状况与可能性；③评估政策和实践对学生学习的影响，探讨富有争议的教育政策或问题，通过数据实证、调查访谈，呈现出对同一问题的不同观点，引起政府和民众对教育政策的反思。

1. 开展学生参加国家和国际测试情况研究

布朗中心发布的美国教育报告，分别从美国学生参加国内统一测试和国际测试两个层面来分析国家教育状况。

美国国内的统一性测试主要是美国国家教育进展评估，始于1969年，是美国全国范围内唯一有代表性的和持续性的评估，有三种测试类型：①主要国家教育进展评估指标测量国家成就，也可以反映当前课程和评价的实践；②国家教育进展评估长期趋势可以可靠地测量国家成就长期的变化；③国家教育进展评估测量参与州的学生成就。这几种类型的测试使用不同的数据收集过程和独立的学生样本。1971年，国家教育进展评估开始进行长期趋势测量；1990年，根据数学教师委员会的建议，开始用相同框架的主要国家教育进展评估指标来测量国家成就和州的数学测试。①该测试总共三次，在学生9岁、13岁、17岁时分别进行。

2000年的报告指出美国学生学术成就从1970年—1999年以来有所上升，但十分缓慢，报告用了“蜗牛的速度”来形容，具体到学科上有所差别，阅读成就上升很缓慢，数学成就上升比较显著。从测试的主要NAEP指标分析，美国学生越来越擅长数学，另一方面，NAEP长期的趋势说明数学成就持平。从年龄来看，9岁和13岁的学生学术成就比17岁的大。另外，从性别来看，女孩比男孩在阅读上成就要高，这不仅存在于美国学校，而是一个全世界学校都存在的现象。

表3-7 美国学生学术成就趋势表（1970—1999）②

阅读（1971—1999）		
年龄	标准差	Years
9	+0.10	+0.34
13	+0.11	+0.53
17	+0.06	+0.40

数学（1973—1999）		
年龄	标准差	Years
9	+0.38	+1.16
13	+0.30	+1.19
17	+0.13	+0.48

2001年的教育报告显示，根据数据分析（见表3-8），在20世纪90年代，美国学生数学成就取得了坚实的进步，阅读成就与80年代持平。许多美国教育专家认为，在美国衡量学术成就的最佳标准是国家教育进展评估（NAEP）。

① 2000 The Brown Center Report on American Education[EB/OL]. http://www.brookings.edu/.
② 2000 The Brown Center Report on American Education[EB/OL]. http://www.brookings.edu/.

表 3-8　美国学生阅读（左）、数学（右）主要 NAEP 成绩（1992—2000）[①]

年级	1992	1994	1998	2000
12	292	287	291	—
8	260	260	264	—
4	217	214	217	217

注：通过国家教育进展评估为四年级、八年级、十二年级提供测评。NAEP数据表示为比例分数，范围从0到500。八年级和十二年级没有参加2000年的测试。

年级	1990	1992	1996	2000
12	294	300	304	301
8	263	268	272	275
4	213	220	224	228

注：通过国家教育进展评估为四年级、八年级、十二年级提供测评。NAEP数据表示为比例分数，范围从0到500。

2003年的报告显示，在州的学术水平测试中，美国农村学校学生成绩高于全国平均水平，但这种成绩的优势并没有在申请大学的过程中得到体现，农村学生申请到大学的机会比城市和郊区学生少，结果导致美国的学院或大学损失了优秀的农村青年。农村学校也面临新的挑战，很难招聘到新的教师，有的农村地区一个教师教几门课程，很难满足学生的要求。政策制定者应该考虑如何增加农村学生申请学院或大学的机会，农村青年的学术未来不应当在高中之后结束。

国际数学与科学测试是由国际教育成就评价协会发起和组织的国际教育评价研究和评测活动。成立于1959年的国际教育成就评价协会曾经在20世纪60年代初组织了有十多个国家参加的第一次国际数学评测和第一次国际科学评测。20世纪70年代末80年代初，国际教育成就评价协会又组织了第二次国际数学评测和第二次国际科学评测。1994年，国际教育成就评价协会在美国国家教育统计中心和国家科学基金会的财政支持下，发起并组织了第三次国际数学和科学评测，这次活动被简称为“TIMSS”。1999年，这项活动继续进行，并被称为TIMSS-R或TIMSS-REPEAT。2003年，为了更好地延续这项有意义的研究活动，TIMSS成为国际数学和科学评测正式的缩写，从

① 2001 The Brown Center Report on American Education［EB/OL］. http://WWW.brookings. edu/.

而使1994年、1999年、2003年的三次测试有了统一的名称。这三次测试是当代青少年数学教育和科学教育的重要的国际比较研究，TIMSS主要测试四年级和八年级学生的数学与科学学业成绩，以及达到课程目标的情况。[①]这为了解世界各国学生的学术成就提供了比较的平台和窗口，为改进各国数学和科学教育提供了参照。

2000年报告指出，美国在TIMSS测试中，四年级后国际排名急剧下降。英国的《经济学人》杂志分析说孩子待在美国学校的时间越长，他们得到的分数就越低。究其原因，有学者认为这是美国经济衰退的影响，还有一个事实是许多欧洲国家的测试样本为十三到十四年学校教育的学生，这相当于美国大一到大二的学生。[②]因此，这种排名显然不公平。“根据美国教育部提供的数据，科学作为斯蒂文森高中的传统强项，2005年54%的高四年级学生达到或超过基本水平，比十年前降低3%。同时，根据随后跟进的一个国际教育项目——国际数学和科学研究趋势——的研究报告，美国初二年级学生的科学分数也比其他7个国家和地区低，其中有4个亚洲国家和地区以及3个欧洲国家。”[③]可见，美国学生成绩排名一直呈持续下降趋势，究其具体原因，布朗中心主任汤姆·洛夫里斯认为这是一个文化问题，“在美国，许多学生和家长不认真对待学习成绩，而‘在其他国家，年轻人有个任务，那个任务就是去上学’”[④]。

PISA测试进展。2008年报告指出，美国参加的PISA和TIMSS测试在管理、内容、理念和目标人群方面有不同。PISA测试阅读、数学、科学素养的范围已经超出学生在校学习的内容，涵盖学校、教师、课程、父母、家庭、同事、社区和流行文化等。PISA测试认为信仰、态度和价值观是学生素养的构成部分，有些涉及政治意识形态的公共问题会进入测试，可能导致产生偏差。所以，基于两种测试的不同，应该对它们加以合理运用。既然是科学测试，就要坚持科学，避免错误的发生。

---

① 具体参见：http://baike.baidu.com/view/5066494.htm，2016-06-12.

② Gerald Bracey. The TIMSS “Final Year” Study and Report: A Critique[J]. Educational Researcher, 2000（29）：4–10.

③④ 亚历克·克莱因.揭秘美国最好的中学［M］.上海：华东师范大学出版社，2009：91，92.

2. 学生学习状况的测试研究

2000年的报告认为，1998年—1999年，美国学生的学习成就继续上升，但由于州的样本量少，所以需要更多的数据才能得出有意义的结论。目前还不清楚为什么现在的学生比过去的学生更难获得高分。最令人信服的解释就是，学校、家庭、商业和公众政策强化了学生生活的其他方面的成就。美国教育部和国家科学基金会在这些问题上保持中立立场，因为应用的是联邦政府自己的NAEP数据，类似情况还需要继续研究。

家庭作业问题。2003年报告指出，一些主流的报纸和杂志报道美国学生的家庭作业正在夺走美国学生的童年，破坏家庭生活。这些报道具有误导性，根据美国密歇根州大学研究，从1980年以来，美国小学生的家庭作业有轻微的增加，原因是6岁—8岁的孩子没有家庭作业。NAEP的数据表明，80%的9岁儿童，家庭作业时间每天不到1小时，20个儿童中有一个超过2小时；初中和高中家庭作业数量一直保持稳定。加州大学洛杉矶分校的年度新生调查显示，高中的家庭作业自20世纪80年代以来一直在下降，根据TIMSS国际调查数据，美国高中学生的家庭作业在世界范围内属于比较少的。一项研究显示，10个父母中只有1个希望孩子的家庭作业更少，25%想要更多，三分之二认为合适。

性别差异对学业成绩的影响。2015年报告指出，性别差异对美国共同核心州立标准——英语语言艺术阅读成就有显著影响，在各项阅读测试分数上，女生都远远优于男生。这个现象已经持续了很多年。1942年，爱荷华州的一项研究证实，女生在阅读理解、词汇、基本语言技能方面表现比男生出色，开展时间最长的国家教育进展评估长期趋势测试（始于1971年），以及后来的国际阅读素养进步研究、PISA项目都显示了同一结论，表明这是一个全球现象。在60个国家参与的评估项目中，女生阅读表现均优于男生。芬兰最近十多年的卓越表现最令人惊讶，其PISA阅读测试分数遥遥领先，原因仅仅是因为芬兰女生表现优异，芬兰的PISA测试参与者中，男生得分494分，女生得分556分，两者间有62分的差距（经合组织参与国的平均得分是496分），如果芬兰只有男生参加测试，那么它的排名将是很平庸的。

PISA测试成绩与内在学习动机的相关性。在PISA测试中，有一个奇怪的现象是，从2003年到2012年的PISA数据分析，17个国家成功地增加了学生的内在学习动机，但它们的PISA数学成绩平均得分却下跌3.7分；14个国家的数据显示内在学习动机没有改变，它们的PISA成绩也改变很小；8个国家显示学生内在学习动机下降，令人费解的是，它们的PISA数学成绩却平均增加了10.3分。动机下降，成绩却上升；但相关性不等于因果关系。给我们的启示是，不是要降低学生学习动机，而是要分析学生成绩数据，谨慎地提出政策建议，教育研究成果的使用者也要给予研究者足够的信任，他们需要更多时间来改变建模分析方法，进行系统分析，而不是只注重在某个时间点或横断面的统计。

3. 教育改革及教育政策问题争论研究

计算器进课堂的争论。2000年的报告指出，美国学校一度对小学生在课堂上是否能使用计算器发生了激烈的辩论。全国数学教师理事会在1974年首次表示支持使用计算器，该理事会在1980年呼吁学校“尽早推出计算器和电脑进低年级教室的可行办法”[①]，1989年，该理事会建议计算器用于K-4年级。随着美国计算器和电脑的普及，纸和笔主导课程的情况将成为历史。在1990年，美国国家研究委员会在一份名为“重塑学校数学”的报告中，敦促学校从幼儿园开始用基于计算器的指导代替纸笔为主要工具的计算，认为计算器的使用可以减少常规的演算，儿童可以有更多时间进行发现和探索活动。

美国不同地区种族学生学习成就差异。2001年报告指出，目前的城市学校系统学生成就低，比较了城市和郊区（中心城市、城市边缘/大城镇、农村/小镇）、不同种族/族裔群体、不同经济地位家庭学生的阅读和数学成绩，最终发现城市学校非洲裔和西班牙裔学生成绩提升明显。大约有60%的非裔美国人和40%的西班牙裔学生在城市学校就读，阅读成绩稳步上升。白人、黑人、西班牙裔白人在郊区学校的学习成绩差距较小，但仍存在差异。一般情况下，优等生来自那些居住在郊区的较富裕的白人家庭，研究人员分析了在优等生中占一小部分的黑人、拉美裔和低收入群体学生的有关数据，发现

① Susan Walton. Add Understanding, Subtract Drill. Education Week, July 27, 1983, Education Week online archives.

“在八年级的数学方面，和后进生相比，这些群体中的优等生更多的是由经验丰富的教师所教授的。他们的教师像其他来自富裕家庭的优等生的教师那样，有正规的教师资格，或者本科主修或辅修过数学专业”[①]。由此看来，教师是影响学生成绩的关键因素。城市学校改革是有前途的，但是不能预见将来是成功还是失败，有很大的挑战性。面对过去几十年城市学校改革严峻的事实证据，要从20世纪的教育改革失败中吸取教训，改革本身没有错，是为了让学生获得更高的成就，改革意味着更多地改善教育，将对国家的社会福利产生深远的影响。

特许学校发展问题。特许学校是自1990年以来继公立学校、私立学校之后，在美国兴起的众多公办民营学校之中的一种学校类型。2003年报告指出，特许学校考试成绩落后于普通公立学校，在2002年—2003年的“失败学校”名单上，特许学校占了很大比例。另外，与公立学校或其他特许服务机构相比，教育管理组织经营的特许学校学生测试成绩偏低。这些发现让人开始质疑特许学校运动的观念：任何人只要有丰富的资源和对孩子的爱就能成功地启动和运行一所学校。它忽视了教育专业知识的重要性，未来的研究应该专注于辨别政策与实践在创造成功避免失败上的最大可应用范围。

蓝带学校计划的问题。蓝带学校是指学校在领导、课程、教学、学生成就和家长参与方面具有杰出表现而接受表扬的卓越学校。2004年的报告指出，布朗中心通过学校测试数据分析，发现至少根据阅读和数学测试成绩来看，有四分之一的蓝带学校不配获得2000年的蓝带奖励。2004年，蓝带计划可以少犯错误，将有更少的失败学校能够接受颁奖。从蓝带学校计划实施以来，有4 000多所学校得到了奖励。加州的杰出学校项目为蓝带学校计划提供了很好的范例，可以以此来避免之前的弊端。例如，2002年，加州官方邀请本州1 881所小学申请杰出学校奖，占加州公立小学总数的三分之一，共收到912所学校的申请，247所获得加州杰出学校奖，35所提名蓝带，最终32所获得蓝带奖励。

---

① 《教育周刊》. 奥巴马的教育蓝图［M］. 北京：教育科学出版社，2010：37.

私立学校招生问题。2007年报告指出，许多人认为私立学校比公立学校好，2004年的民意调查显示，超过一半的受访者表示如果教育券能支付所有学费，他们会送孩子到私立学校，但这和布朗中心研究数据不符，体现出两种趋势，表示愿意到私立学校的比例高，但实际私立学校的招生数一直在减少。

表3-9　美国公私立学校14岁—17岁学生入学率（1890—2000）①

年份	综合	公立	私立
	（单位：%）		
1890	5.6	3.8	1.8
1900	10.2	8.4	1.8
1910	14.3	12.7	1.6
1920	31.2	28.4	2.8
1930	50.8	47.1	3.7
1940	72.6	67.9	4.7
1950	76.1	68.1	8.0
1960	83.4	74.1	9.3
1970	92.2	83.8	8.4
1980	89.8	82.0	7.8
1990	92.4	84.1	8.3
2000	91.2	83.5	7.7

注：统计时间为春季学期，例如，1890年的入学率指向1889年秋天入学的学生。2004年秋季，分别有8.0%、86.9%的人上私立学校、公立学校。

来源：作者根据2006年教育统计摘要中的表52计算。

从表3-9可见，公立学校入学率保持高的增长态势，而私立学校入学率增长缓慢。从1890年到2000年，一百多年的时间里，私立学校学生入学率从1.8%升到7.7%，中间有些年份还有所回落。

① 2007 The Brown Center Report on American Education，http://www.brookings.edu/，p17.

表 3-10　美国中小学入学率（1890—2000）[①]

年份	小学		中学	
	私立	公立	私立	公立
	（单位：%）			
1890	10.8	89.2	31.9	68.1
1900	7.6	92.4	17.8	82.2
1910	7.9	92.1	11.4	88.6
1920	7.1	92.9	8.9	91.1
1930	9.8	90.2	7.2	92.8
1940	10.3	89.7	6.5	93.5
1950	12.3	87.7	10.5	89.5
1960	14.7	85.3	11.1	88.9
1970	11.4	88.6	9.1	90.9
1980	11.7	88.3	8.7	91.3
1990	13.3	86.7	9.0	91.0
2000	12.5	87.5	8.4	91.6

注：日期是指春季学期，例如，1890年是1889年秋天。

注：2004年秋季，分别有12.3%和87.7%的小学生到私立学校和公立学校就读。中学生的相应比例为8.4%和91.6%。

来源：作者根据2006年教育统计摘要表3计算。

从表3-10可见，私立学校小学入学率从1890年—2000年有所增长，私立学校中学入学率则呈下降趋势，公立学校与此相反，小学入学率比起私立学校有所下降，但中学入学率保持上升趋势。

布朗中心分析认为，其原因主要是天主教会学校面临的困难。天主教会学校早期占据私立学校的很大部分，1965年，天主教会学校有560万名学生。2003年，数量降至230万人。从2000年到2006年，全国天主教教育协会估计有近600个天主教学校关闭，学费、办学成本飙升，原来主要依靠修女开

① 2007 The Brown Center Report on American Education，http://www.brookings.edu/，p17.

展教育，随着修女的减少，现在只能依靠领取工资的教师，且工资水平要与公立学校相当。2004年，天主教会学校小学阶段学费平均为5 049美元，中学为8 412美元，涨幅很大，很多家庭负担不了这么高的学费，只有被迫选择对等的学费相对便宜的公立学校。

校长教学领导力问题。2016年报告提出，校长通过发展和设计教育目标，最有可能形成对学校的影响，但他们不太可能给老师提具体的教学建议。在一些国家，校长进行教学指导可能会被认为是干预教师的教学，有些国家，老师会从同事那里得到建议。在三个一直保持高学习成就的国家或地区——芬兰、香港、日本，校长特别不愿意给出教学建议。然而，保持高学习成就的韩国，校长则在给教师提供教学指导方面更积极。可见，不同国家，校长对教学指导的态度和具体做法不一样。

（二）布朗中心黑板

布朗中心黑板成立于2013年1月，每周都会发布一系列针对美国教育新政策、研究和实践的分析。2015年7月，为了提供更多、更及时、更多样的内容，布朗中心黑板作为布鲁金斯学会的博客开启。布朗中心黑板的内容包括作者的论文和博客文章两部分，它们都将作为支持在美国进行教育政策讨论的证据。布朗中心的研究人员都是博客的作者，他们有关教育的文章放在博客上，读者可以进行评论。

布朗中心黑板的内容涉及教育的各个方面，如NAEP测试、教育歧视、教育种族问题、教育信息技术等，每次针对一个主题，提出有争议的问题，引发大家的讨论。总之，布朗中心黑板给大家提供了一个平等交流讨论的平台，让不同观点能在这里得到碰撞，具有很大的自由度和灵活性。2016年6月17日，布朗中心黑板发布了一篇名为《为男大学生提供低成本的同伴顾问支持》的文章，文章指出当前美国大学的辍学率很高，一定程度上抵消了大学入学人数增加的趋势。有些家庭是第一代大学生，但这些家庭的辍学率很高。大学学位可以促进向社会上层流动，但是这些辍学的学生无法获得这种流动带来的利益。大学生最容易在入学第一年辍学，因为缺乏有教育经验的父母，他们往往很难适应大学生活。因此，许多教育机构已经设立了各种形式的指导项目，目的是加强学生毅力，重点是那些最脆弱的学生。但是，很多项目结果不甚理想。华盛顿特区的大学为了解决学生辍学问题，推出了一个同伴顾问项目，从大三大四的学生中选拔一些优秀学生，为大一的学生提供帮助，让他们更好更快地熟悉校园和适应大学生活。为男大学生提供男性的同伴顾问，男大学生接受男性同伴顾问建议和帮助的比例比女性的高16.5%，男大学生在同伴顾问的帮助下，能坚持到第二年的可能性显著增加。研究表明，男大学生辍学率降低与同伴顾问有因果关系，因此，可以通过增加男性大学生参与同伴顾问项目，来提高男大学生在大学的留存率。

由此可见，布朗中心黑板为我们展现不同的教育研究观点，并提供足够的证据来说明，作者、读者、政策制定者都可以通过这个平台对各种观点展开交流和讨论，为教育的发展奠定基础。

四、启示

（一）通过评估国际性测试可为全球教育测试提供指导

布朗中心注重深度研究与咨询功能的行使。通过前文的梳理可见，布朗中心的研究人员在专业刊物发表了大量研究性论文，编辑出版了众多著作，同时也发表了各种有关教育问题的专题报告，还每年定期发布年度报告，对中心每年的研究主题进行分析总结。布朗中心的研究领域涉及美国教育几乎所有热点领域，学生学习状况、学校发展、教育改革、国家测试、国际测试等。深度研究保证了政策研究的高质量，同时也增加了提供政策咨询的可信度。因此，作为教育智库，研究与咨询相辅相成，研究是咨询的基础和前提，咨询反过来促进研究的开展。布朗中心对全球性教育测试的成效进行评估，评估可以引发全球性测试的反思，为后续测试提供改进及指导意见，确保国际性测试的客观性和公正性。

（二）注重媒体的宣传效应，在全球形成影响力

布朗中心非常注重与媒体的合作和交流，充分发挥媒体的宣传效应。一种方式是与媒体合作宣传。“大国民间智库成立的目的都是为了实现自己的政治主张，帮助美国政府制定对内和对外政策，向议会提出政策方案，针对问题提出解决方法。从另一个角度看，因为它们常年不断地收集信息、发现问题，调查、研究、分析、预测、监督的问题全面、系统、及时，在不同时

期为政府和国会咨政、议政，不同程度地影响政府的决策、国会的立法和司法，在一定程度上对美国法律和政治制度的形成起到了促进作用，推动了经济和技术的发展。”[①]布朗中心也通过与媒体合作，宣传自己的教育主张，已经发布了针对教育问题的一系列政策方案和解决方法。布朗中心的研究人员都与知名媒体有广泛联系，多人都是美国著名传媒的专栏作家，如《华盛顿邮报》《纽约时报》《经济学刊》《教育评价和政策分析》《美国教育研究》等都与布朗中心有很好的合作关系，媒体借助布朗中心的权威观点，保持和扩大了受众范围，布朗中心则借助知名传媒宣传了对教育政策的解释和观点，直接或间接地影响了美国乃至世界的政府和民众，双方取得了双赢的效果。另一种方式是网站博客宣传。研究人员直接在布鲁金斯学会网站上开通博客，发表对公共教育政策的见解和观点，直接与民众进行沟通，普通民众可以发邮件或拨打电话进行沟通，达到了教育民众的目的。

（三）政治体制对智库发挥作用的影响

布鲁金斯学会成立至今，基于美国政治体制特点，灵活参与政府教育决策。它对美国许多重大决策产生重要影响，有的政策建议甚至被直接采用。布朗中心的许多研究成果对政府教育政策产生了重要影响，这不仅是因为布鲁金斯学会强大的政策研究能力，还因为美国政治体制的独特特点。美国独特的政治权力结构，即美国民众天然对代表国家的政府不太信任，权力制衡的政治思想和制度设计，让美国的智库可以有很多机会参与到政府的各类决策程序之中。中国的政治体制与美国差异巨大，中国国家体制内部已经形成规模庞大、功能齐全的研究力量，智库能否发挥如美国智库般的作用？在当前“智库热”的背景下，中国智库包括教育智库并未发挥想象中的作用和影响，这需要我们进行“冷思考”。“去政治的态度、实证主义与数量管理以及最能提供政治理念的基础学科之不兴，都导致中国社会科学在价值层面的贫乏。这种贫乏，不免从母领域传递到政策研究领域。”[②]这也可以说明，中国智库要真正具备影响力，还有很长的路要走。在中国当前的政治体制之

① 沈进建．美国智库的形成、运作和影响［J］．中国社会科学评价，2016（2）：15.
② 郦菁．政策研究困境与价值缺失的中国社会科学［J］．文化纵横，2016（4）.

下，政府官方教育智库有畅通的渠道发挥智库功能，但对大学教育智库、民间教育智库而言，如何发挥政策建议和咨询功能，是需要进一步研究的重要问题。

第三节　卡耐基教学促进基金会对全球教育治理的参与①

一、概况

（一）卡耐基教学促进基金会的创立

卡耐基教学促进基金会（Carnegie Foundation for the Advancement of Teaching，以下中文简称“教促会”）是独立的教育政策研究中心，属于全球知名教育智库，也是世界上最早的教育智库之一。它由美国著名企业家、慈善家安德鲁·卡耐基创立，其创建的初衷是为大学教师发放养老金。1905年11月15日，在纽约卡耐基家中成功召开了首次董事会议。首届董事会议推选查尔斯·艾略特为董事会的执行主席，卡耐基担任名誉主席。

第一届董事会的成员或对高等教育有着丰富的管理经验，或广泛接触高等教育日常工作，或在金融、财务等领域颇有建树。而卡耐基也摒弃了通常人对“学术人”管理能力的怀疑。第一届董事会的25人中22位为教育领域的专家，且多为支持教育变革的大学校长，也正是这样的专业人才配置和专家治理格局设定，对基金会后来的改革和发展产生了深远的影响。

继1905年获得纽约州特许状后，1906年3月19日，基金会又获得美国国会颁发的特许状，并将基金会名称改定为“卡耐基教学促进基金会”，扩大了基金会的使命，加入了“教学促进”的新方向。

① 该部分内容主要参考周洪宇，付睿，邓凌雁．国际思想库——国外教育智库研究［M］．武汉：湖北教育出版社，2016．

（二）组织结构

1906年，教促会在组建章程和制定内部细则时，对该机构的人员和内部结构进行了设计安排，按照当时的规定，由25人组成的董事会，管理、支配和负责基金会的资产、事务。设董事会主席、副主席、秘书各一名，董事会25位成员任期不限。随着时代变革，董事会的结构经历了数次调整。进入21世纪，教促会适时调整了管理层的安排，布里克就任后，大规模地进行了人员的精简。当前的教促会董事会仅有14名董事[①]。调整后的董事会成员更富教育改革实践经验，对美国教育领导和组织情况更为了解。

表3-11　教促会现任董事表

姓名	个人基本情况	在教促会的职务
安德斯·阿隆	哈佛教育研究生院实践教授	董事会主席
安东尼·S. 布莱克		教促会会长
迪施·巴卡姆卡	斯坦福管理公司名誉董事、总经理兼首席财务官	
帕姆·格罗斯曼	宾夕法尼亚大学教育研究生院院长	
安德鲁·胡	哈佛教育研究生院教育学教授	
蒂莫西·诺尔斯	学院集团创始人和管理合伙人	
莉莲·劳瑞	美国教育考试服务中心学生和教师评估副总裁	
西奥多·奎因	野花基金会合伙人	
海耶娃·拉奥	斯坦福大学商学院组织行为与人力资源教授	
莎伦·罗宾逊	美国教师教育学院协会名誉主席	
索尼娅·桑泰利西斯	巴尔的摩市公立学校首席执行官	

① Board of Trustees[EB/OL].[2019-04-12]. http://www. carnegiefoundation. org/who-we-are/board-of-trustees/.

续表

姓名	个人基本情况	在教促会的职务
马塞洛·苏亚雷斯	加州大学洛杉矶分校教育与信息研究研究生院、瓦瑟曼学院院长，杰出教育学教授	
黛安·塔文纳	公立学校峰会创始人兼首席执行官	
兰迪·温加滕	美国教师联合会主席	

上表所列董事中，除会长外，其他成员都不是常驻教促会斯坦福大学办公室人员，因此，基金会的日常管理很自然就落在会长、副会长、财务主管等人身上。会长由董事会根据执行委员会提名，通过投票的方式选举产生。会长接受董事会领导，是教促会的首席执行官。会长是执行委员会的主席，接受董事会和执行委员会的监督，对基金会管理方面的所有事务负总责，同时负责监督基金会的所有事务。执行办公室是由此前长期存在的执行委员会演变而来。1906年，教促会《内部细则》规定，执行委员会由会长和其他6位董事组成。布里克担任教促会会长期间，执行办公室成员为6人，由会长、副会长两名（一名负责管理，一名负责项目运营）、会长助理、执行业务专家、司务长组成。

教促会的员工和下属部门会根据现实需要经常变动，从最新公开材料上看，截至2019年3月，教促会共有全日制员工66人，分属11个下属部门。[①] 全日制员工中包括教促会会长一位，副会长两位（项目副会长和行政副会长），此外还有司务长、副会长行政助理等。11个下属部门分别是执行办公室、外联处、社区学院路线部门、分析团队、技术协作团队、核心运作团队、外部支持和伙伴关系部门、改进的科学团队、社会联动网络启动和发展团队、学士后团队、学生社团促进协会。11个部门中的人员有重叠交叉，许多成员身兼多职，但是分工明确。

① Staff Directory [EB/OL].[2019-04-12]. http://www. carnegiefoundation. org/who-we-are/staff-directory/.

表 3-12　教促会下属部门及成员表[①]

部门	员工人数
执行办公室	6
外联处	3
社区学院路线部门	12
分析团队	7
技术协作团队	8
核心运作团队	9
外部支持和伙伴关系部门	4
改进的科学团队	8
社会联动网络启动和发展团队	5
学士后团队	7
学生社团促进协会	7

教促会的人事结构和安排有三大明显特征：一是精简性，二是灵活性，三是针对性。首先，教促会的人事安排充分体现了“寻找最合适的人”的用人原则，教促会也曾表示希望职员来自尽可能多样化的专业领域，并不介意他（她）曾经接受的是哪个领域的训练，教促会注重的是他们应该有责任心，应该绝对真诚，愿意努力工作。[②]其次，教促会的教育项目和部门设置会因美国教育发展和研究的需要而随时调整，所以一些不合时宜的人员和机构会被删减，而另一些新的员工和项目机构又会随着新的任务安排而被增设。面对某一个具体的项目时，教促会普遍地采用临时雇佣的方法，寻找该领域最优秀的人来主持或提供咨询建议，从而教促会就没必要为了一个新的项目而花时间培训一个新的职员。临时雇员一般是有合同期限或其他附带条

① 依据教促会网站公布的员工信息和项目、机构相关情况整理。

② 李政云．卡耐基教学促进基金会与美国高等教育发展［D］．杭州：浙江大学，2007：138.

件的，这样即便发现教育项目可行性不强或不能达到预期，聘用关系可以及时终止，而不会对教促会整体运作产生不良影响。最后，对于某些具体教育问题的解决，需要针对性地选人用人。教促会是美国唯一一家致力于高等教育政策研究的顶级智库，所以对相关专业领域尤其是高等教育界人士来说有很大的吸引力。教促会充分利用广泛的社会资源，选择已经具备相当基础的个人或机构作为项目负责人或参与者，这不仅缩短了项目筹备的时间，保障了教促会政策研究的可行性和可信度，同时也提高了项目运作效率。

当然，这种精简、灵活和针对性强的用人制度是以教促会丰富的教育组织协调能力、良好的社会声誉和号召力、强大的社会互动能力为前提和保障的，这些为教促会带来了丰富的社会资源。因此从这点来说，教促会真正体现了“小机构、大网络”的体制框架。

二、21世纪卡耐基教学促进基金会的发展策略与运作

（一）“改进的科学”与教育改进工作新范式

安东尼·布里克从2008年9月开始担任卡耐基教学促进基金会的第九任会长。布里克接任教促会会长之职时，教促会已成立100多年。在普里彻特、加德纳、皮菲、博耶、舒尔曼等人的领导下，一方面，教促会的研究视域已从高等教育扩展到学前教育、基础教育、中等教育、教师教育、职业教育、终身教育等领域；另一方面，教促会从宏观—中观—微观的整体视野，提出了不计其数的教育政策建议书、政策报告、技术报告、专题报告，涉及教育方方面面的问题。而新会长布里克的历史使命就是在前任会长奠定的教育成就的基础上，重新思考和解答教促会如何更有效地促进教育发展，如何继续发挥本机构在美国教育界的咨政和开拓引领作用。那么，如何凸显教促会教育领导地位和独立公共政策研究功能是一个不得不优先考虑的棘手问题。

布里克就任教促会会长后，转而将博耶和舒尔曼时期的“教与学学术”

理念进行更新[①]，代之以一种新的教育与研究视角——改进的科学，引领教促会教育研究和发展工作的革新，通过对教促会的教育实践和社会组织方式的反思和总结，加速改进工作，使其变得科学化。

教促会寻求一种更系统更有效的方法指导教育改革的开展，在对大量机构和组织的运作、实施方式深入研究后，借鉴健康促进研究所的方法——该机构曾将“质量改进”概念引入健康服务领域，布里克将教育者日复一日的平常工作作为未来教促会的研究的问题域，专注于解决教育实践场域的一系列的明确问题，寻求改进。

教促会2010年的一份报告指出[②]，近些年来对教育改革和改进工作不满的声音不绝于耳，人们认为学校教育以及大学中的许多长期存在的问题一直未能得到妥善的解决，这些问题包括基于种族差异的学术成就差距、高中生高辍学率、很多儿童不能熟练地读写、社区学院的学生令人担忧的成功率。教促会却只能无奈地指出，即使类似教育问题获得了公共政策的关注，并引发了不同团体一系列的研究，但大多数团体组织的努力迄今为止并没有满足人们的希望和期待，这样的教育问题现在仍然是棘手的。

（二）卡耐基峰会成为教育领导者、实践者、研究者的合作平台

随着全球范围内越来越多的智库日益重视推销思想、塑造公众舆论、左右政策偏好，教促会也在继续推进教育研究和实践的同时，在增强智库影响力方面采取了崭新的策略。2014年，教促会举办了第一届卡耐基教育改进工作峰会（以下简称“卡耐基峰会”）。卡耐基峰会是教促会为了扩大其智库影响力而采取的一项引人注目的宣传与联合策略和手段。

从2014年起，教促会每年在美国圣弗朗西斯科召开卡耐基峰会。卡耐基

---

① 这并不表示教促会自此就不关注教和学以及教育公平、高等教育等教促会传统研究领域了，相反，2008年以来教促会开展了“学生补习数学”“教师评价”“教师反馈”等研究，发布了《美国高等教育质量与公平：系统问题，系统方法（2016）》《卡耐基学分（2015）》《美国高等教育机构分类（2015）》。“改进的科学”意味着教促会在所有行动中更加注重新策略、新思维、新文化，更具反思性。

② Getting Ideas into Action: Building Networked Improvement Communities in Education [EB/OL]. http://www. carnegiefoundation. org/wp-content/uploads/2014/09/bryk-gomez_building-nics-education. pdf.

峰会上，教促会的专业人士会对与会人员宣讲“改进的科学”的系统理论与方法，传播社会改进联动网络的组织原则与实践方式，并邀请来自不同机构的教育领导者、实践者和研究者分享他们关于教育改革和发展的经验和看法。

在短短两三年的时间里，卡耐基峰会迅速发展，获得了全球教育界越来越广泛的关注。2016年的第二届卡耐基峰会，有来自11个国家的1 000多位人员参加，其中涉及400多个教育机构和组织，包含了四年制大学、两年制学院或学术研究机构的管理者、研究人员和教师，K-12教育机构管理者和教师，非营利性机构和私人企业的人士，政府部门的官员等。①卡耐基峰会已经成为一个教育领导者、实践者、研究者相互交流和学习的宝贵平台。

教促会在今天新的历史条件下，也面临新的挑战和压力。尽管教促会作为独立研究与政策中心的地位已逐渐巩固，但是依然受到来自其他慈善基金会竞争以及政府的压力。随着美国教育问责的日益严厉，慈善基金会以及中小学和高等教育机构的工作都面临更多的公共检查和评估。有迹象表明，21世纪伊始，美国几个主要的慈善基金会开始从教育领域撤退，这使作为运作型基金会的教促会在获取更多外部资源方面可能面临更多困难。

三、对全球教育治理的贡献及影响

（一）《弗莱克斯纳报告》奠定了美国乃至世界医学教育的基本体系

教促会发布的教育研究报告里影响力最大是1910年由亚伯拉罕·弗莱克斯纳完成的一份医学教育方面的报告——《美国和加拿大的医学教育：致卡耐基基金会关于教育改革的报告》（简称“《弗莱克斯纳报告》”）。该报告奠定了美国乃至世界医学教育的基本体系，对世界医学教育产生了深远影响。

《弗莱克斯纳报告》在真实、客观调研的基础上，揭露了美国医学教育中存在的弊端，同时还为“重建”美国医学教育提出了大刀阔斧的改革建议。《弗莱克斯纳报告》标志着美国的医学教育从传统的带徒培训的学徒制

---

① 2016 Participating Organizations［EB/OL］. http://www. carnegiefoundation. org/get-involved/events/summit-improvement-education/2016-participating-organizations.

向以大学为基础的现代医学教育制度的转变，是美国医学教育发展史上的转折点，奠定了美国现代医学教育发展的基石，对美国医学教育产生了深远的影响。

《弗莱克斯纳报告》加速了美国医学教育改革的进程，促进了美国医学院校入学标准的正规化、美国医学院校学制的标准化、医学教育人才培养的精英化。与此同时，它的公布还引起了社会各界对医学教育的普遍关注，激发了慈善家和公众对医学教育的兴趣和支持。

（二）推动高等教育的质量与公平

1968年12月公布的《质量与平等：联邦政府在高等教育中的新责任》（以下简称“《质量与平等》”）是卡耐基高等教育委员会的第一份政策报告，也是最重要、影响力最大的一份报告。

《质量与平等》报告主要面向高等教育政策制定的决策者——美国国会和联邦政府中高等教育事务相关人员提出，其内容基本上是政策性分析与建议，充分体现了教促会的教育智库作用——代表公共利益，利用其高等教育委员会的专业知识和专家人才的优势，将关于美国高等教育的基础和应用研究转化为决策者可理解、可信赖、可接纳的“行动蓝图”或政策建议。

《质量与平等》报告所关注的议题、独立开展公共政策建议报告的目标、简洁有力的政策建议方式，不仅为委员会以后的高等教育研究树立了范式，还确立了委员会关注的优先领域，同时它也奠定了委员会在政策影响团体中的强有力地位，也为委员会获得各界的关注奠定了基础。报告一发表，立刻引起了各界的广泛评论，其中包括《商业周刊》、《时代》杂志、《纽约时报》和《星期六评论》等各大报刊传媒。该报告产生了深远的社会影响，其部分主要观点在1972年的高等教育法修正案中有具体体现，1972年佩尔法案中很多关于高等教育的条款也都体现了卡耐基高等教育委员会的诉求。

从1984年到1986年底，教促会开展了一项有关“本科生学习生活和学习经验”的高等教育研究。1987年1月13日，博耶代表教促会执笔的《大学：

本科生的经验》[1]（以下简称“《大学》报告”）发布，引起了高等教育界的关注。博耶指出，“我们惊叹于美国高等教育的多样性，没有两个相同的大学”，而且我们现在的高等教育过多关注研究生教育和专业教育项目而忽视了本科生项目，《大学》报告思考的“大学的结构和运行过程是怎样影响大学生生活的”这一问题，将教促会的视野拉回到了对本科教育研究的关注。

《大学》报告提出，学生学习的核心课程与他们的生活和他们正在继承的世界之间需要有更多的一致性。有必要使学生跳出孤立的个人兴趣圈，掌握更全面地看待知识、更正确地对待生活的观点。[2]报告认为当时美国高等教育中存在的八大问题是：中学与高等教育之间没有连续性；高等教育目标不明确；教师既要搞研究又要搞好教学之间的矛盾；课堂中的依从与创新之间的紧张关系；校园中社会生活和学习生活相互分离；在如何管理院校这个问题上利益相关者的意见不一致；如何测量大学教育的成果面临一些问题；归根到底最重要的问题就是大学与社会缺乏联系。[3]在指出当时美国本科教育存在的八大问题之后，报告主要从五个方面对本科教育改革提出了自己的建议，即加强高等教育入学指导，促进中、高等教育的衔接，确保新生质量；明确教育目的，重视学生个性与共性、学习的职业性与社会性的和谐发展；协调处理好综合基础课程与专业课程的关系；加强校园文化建设，拓展校园内外联系；关注教学，使课堂教学成为师生共同的智性生活挑战过程[4]。除此之外，报告还就核心课程、博雅教育、大学与外部世界的联系、教师教学与学生学习成绩的考核、计算机科学等提出了自己的建议。

这份报告用深入的调查结果让美国社会各界民众对本科教育的真实情况有了更深入、可信和充分的了解，教促会为美国本科教育改革设计的“行动蓝图”，有助于推动高等教育改革。同时，随着1987年《大学》报告的发布，教促会在全国性教育问题讨论中的重要地位又一次凸显，之后美国对本

① 1993年徐芃、李长兰、丁申桃将该报告名称翻译为《大学：美国大学生就读经验》，1986年复旦大学高教所译为《美国大学教育：现状、经验、问题及对策》。

② 温伟力．“博耶报告”影响下的美国研究型大学本科教育改革［J］．外国教育研究，2012（9）．

③④ 厄内斯特·博耶．大学：美国大学生就读经验［M］．徐芃，李长兰，丁申桃，译．北京：北京师范大学出版社，1993．

科生教育以及教学的关注无不受到《大学》报告的影响。20世纪80年代对中等教育和本科生教育的研究进一步加强和巩固了教促会的地位和声望。①

20世纪，美国大学普遍存在着“重科研、轻教学”的情况，甚至在教授中流行着“不出版就解聘”的说法，美国高等教育中，科研与教学的关系早已成为众多学者批判和关注的对象。特别是《大学》报告发布后，人们普遍认为应该对“教员”进行更多的审视和关注。

在这种背景下，博耶认为对大学教师的学术进行反思的时候已经到来，1990年发布了《学术反思：教授工作的优先事项》（以下简称“《学术反思》”）。

《学术反思》所追求的是超越传统的教学与科研之间的争论，结束科研与教学之间错误的二分法。博耶认为应该将四种不同形式的学术在教师的工作实践中内在地交叉融合在一起，从一个崭新的视角思考教师的优先职责与大学的使命之间的关联，为理解“学术”提供一种新的范式并扩展学术的内涵。《学术反思》从理论上构建了教学与科研的关系，“学术”不再局限于“探究的学术”，通过发现、综合、应用和传授知识与技能，大学教师工作的内涵大大扩充了，从理论上来说提高高等教育质量就不必以削弱科研的精力、减少科研的时间为前提。相反，科研也是教学发展的内在动力，应该促进和支持大学教师对自身教学实践的学术性反思来实现教师不同角色和工作的内在结合。通过对学术内涵的扩充，巧妙地化解了公众对大学教师的批判，同时也提高了教学的地位，《学术反思》一书出版后，“教学学术”开始成为教育改革的中心话题。

（三）推动全球高等教育机构分类

为支持教促会高等教育委员会的高等教育政策和研究工作，20世纪70年代初，卡耐基分类作为一种辅助性研究工具被提出来。1973年，在卡耐基高等教育委员会主席、前加州大学校长克拉克·克尔博士主持下，教促会向外界公布了“卡耐基高等教育机构分类”。1973年版卡耐基高等教育机构的分类以大量真实、客观的数据为基础，将美国大学和学院分为5个层次、18

① 李政云．卡耐基教学促进基金会与美国高等教育发展［D］．杭州：浙江大学，2007：111.

个类别，主要是依据学院或大学所授予学位的层次、教育职能和任务、学术或职业课程设置等指标进行分类，而不是通常意义上的高等教育质量或社会声望。此种分类法所显示的美国高校的结构和层次在一定程度上反映了美国经济与社会发展对专门人才的需求，成为研究美国高等教育的重要依据，也奠定了卡耐基分类后续版本（1976年版、1987年版）的基本框架。

卡耐基分类体系是一个动态变化的体系，随着时代的进步和美国高等教育的发展，为了更准确地反映美国高等教育的实际情况，教促会对卡耐基分类不断修改和完善，先后发布了1976年版、1987年版、1994年版、2000年版、2005年版、2010年版和2015年版七个修订版。①从总体上看，后续各版本都基本保留了1973年版的基本结构和框架，并不同程度地有所损益地对分类框架进行了修改。

2016年2月2日，新的卡耐基高等教育机构分类发布，基于使用惯例，该版本被称为2015年版本。最新2015年版卡耐基基本分类共划分7个层次、33个类别，这样的分类框架与之前版本一样，没有变化。其中博士型大学3类，硕士型学院与大学3类，学士型学院2类，学士型/副学士型学院2类，副学士型学院9类，专门机构13类以及最后一类部落学院。

表3-13　2015年版卡耐基基本分类框架表②

博士型大学 1. 博士型大学（极强研究活动） 2. 博士型大学（较强研究活动） 3. 博士型大学（适度研究活动）
硕士型学院与大学 1. 硕士型学院与大学（大型） 2. 硕士型学院与大学（中型） 3. 硕士型学院与大学（小型）

① 1976年版和1987年版卡耐基分类并没有在1973年版的基础上做明显的改动，而1994年版卡耐基分类修订规模相对较大。

② Basic Classification Description［EB/OL］. http://carnegieclassifications. iu. edu/classification_descriptions/basic. php.

续表

<table>
<tr><td colspan="2">学士型学院
1. 学士型学院（艺术与科学）
2. 学士型学院（多元领域）</td></tr>
<tr><td colspan="2">学士型 / 副学士型学院
1. 学士型 / 副学士型学院（学士—副学士混合型）
2. 学士型 / 副学士型学院（以副学士为主型）</td></tr>
<tr><td colspan="2">副学士型学院
（根据学制、学生情况、专业设置的不同，下分 9 个类别）</td></tr>
<tr><td rowspan="2">专门机构
（根据学制年限和专业设置的不同，下分 13 个类别）</td><td>两年制专门机构：
1. 两年制专门机构（医疗职业）
2. 两年制专门机构（技术职业）
3. 两年制专门机构（艺术设计）
4. 两年制专门机构（其他）</td></tr>
<tr><td>四年制专门机构：
1. 四年制专门机构（宗教信仰）
2. 四年制专门机构（医学院 / 中心）
3. 四年制专门机构（健康）
4. 四年制专门机构（工程）
5. 四年制专门机构（科技）
6. 四年制专门机构（商业与管理）
7. 四年制专门机构（艺术、音乐与设计）
8. 四年制专门机构（法律）
9. 四年制专门机构（其他）</td></tr>
<tr><td colspan="2">部落学院</td></tr>
</table>

总体来说，2015年版卡耐基基本分类修订程度不大，但是，其中较为明显的变化表现在学士型/副学士型学院、副学士型学院和专门机构这三个类别。具体而言：第一，学士型/副学士型学院的共性是每年授予副学士学位的比例都应高于50%，但2015年版又进一步对学士型/副学士型学院进行了细分，学士型/副学士型学院（学士—副学士混合型）可以提供10%以上、50%以下的学士或更高水平的学位；学士型/副学士型学院（以副学士为主

型）可以提供低于10%的学士或更高水平的学位。[①]学士型/副学士型学院的分类细化反映了当今美国高等教育需求的变化。第二，副学士型学院虽然都是以授予副学士学位作为最高层次学位的机构，但是2015年版又根据学制、学生情况和专业设置的不同，划分为9类，相比之前2010年版的14个类别，分类有所减少，分类更加简洁。第三，专业机构的划分是2015年版中最为显著的变化。专业机构所授予学位的75%以上应集中在某一单一领域，如法学、医学、工程、音乐，学位可以包含本科和研究生层次，分两年制与四年制两种基本学制。这体现了对专业教育的重视。

（四）推动中等教育改革

1980年，教促会开展了一项关于美国中等教育的研究。他们从美国的东海岸到美国的西海岸，历时2 000多个小时，访问了所选定的15所中学。[②]观察员们在每所学校待上20天，在某些情况下可能还会更久，其间他们与学校的校长、教师、学生和学生家长进行不同程度的交流。在中学调研时关注的重点问题有：①哪些行为表现可以视为与学生深入学习有关？②应如何评价校长在学校的作用？③用何种方式观察学校达成共识的东西？[③]除此之外还成立了一个由27位来自美国各界的热心人士组成的此项目的咨询机构——教促会国家高中咨询会，成员有记者、公司经理、高中校长、大学教授和大学校长等。[④]

在参阅了许多有关文件并与美国各层次教育工作者举行了多次座谈之后，1983年，由博耶执笔的《高中：美国中等教育报告》（以下简称“《高中》报告”）发表。《高中》报告是博耶在卡耐基教学促进基金会发表的第一份综合性的研究报告。

这份报告阐明了中等教育的重要使命，讨论了中等教育改革的目标、高

---

① Basic Classification Methodology［EB/OL］. http://carnegieclassifications. iu. edu/methodology/basic. php.

②③ Ernest L. Boyer. High School: A Report on Secondary Education in America ［R］. New York: Harper & Row，1983：A−ii.

④ 成员的更多信息请参阅教促会报告：Ernest L. Boyer. High School: A Report on Secondary Education in America ［R］. New York: Harper & Row，1983.

中课程、教师、学习、技术、教学、学校领导以及社区支持等。《高中》报告建议对中学的课程认真安排，注重核心课程和课程的关联，课程内容应以人类共同的连续性观念、经验和传统作为核心，而语言则是“基础的基础”，极力主张家庭、企业和社区要为学校教育提供更多的支持，为学生提供服务社会的机会，增强学生的社会责任感。

这份政策建议的读者不仅仅是教育行政部门和学校，而是包括学生、家长、学校管理者、大学教授、学校董事会的政策制定者以及华盛顿的联邦教育事务官员在内的广泛群体。“提高教育质量已经不只是学术问题或政策问题，而是每一位美国公民关心的要事”，教促会将高中锁定为“一个人们就是来读书和学习的地方”[①]，而非“旨在使学生留在学校，不流失在街头游荡”的青少年收容所或职业技能训练班。教促会《高中》报告的目标是“提供政策建议，激发美国社会对中等教育的讨论，进而重申国家对公立学校的历史承诺”。该报告在美国20世纪80年代中等教育改革大辩论、教育政策的形成过程中起到了促进作用。

综上所述，卡耐基教学促进基金会依托人才优势，重视智库专业能力建设，管理扁平化，为研究提供了充足宽松的空间，重视成果营销和推广，积极提升自身影响力，树立问题意识，立足实践，关注教育进程。它通过专业的研究推动高等教育质量与公平、高等教育分类标准的建立等，对世界教育的发展产生了深远影响。

第四节　美国教育政策研究联盟对全球教育治理的参与

美国大学在世界高等教育领域中处于领先地位，在教育智库建设方面，美国大学也走在国际前列，它们以一定的合作机制结成联盟（我们称之为大学教育智库共同体），共同体成员间有着共同的利益及责任，彼此信任，多

---

① Ernest L. Boyer. High School: A Report on Secondary Education in America ［R］. New York: Harper & Row，1983：A–i.

方协作，联合开展教育政策研究、咨询及传播工作，为各级政府的教育决策及教育政策制定提供证据或实施方案，在教育领域发挥着重要作用。教育政策研究联盟是美国乃至全球大学教育智库共同体的典范。

一、概况

（一）创立与发展

教育政策研究联盟（Consortium for Policy Research in Education，简称“CPRE”）由美国7所顶尖大学联合成立，成员有：宾夕法尼亚大学、哥伦比亚大学教育学院、哈佛大学、斯坦福大学、密歇根大学、威斯康星大学麦迪逊分校和西北大学。在《全球智库报告2018》[①]中，美国教育政策研究联盟在“顶级教育政策智库”中排名第20位。

教育政策研究联盟的历史可以追溯到20世纪80年代。1985年，苏珊·富尔曼在罗格斯大学的伊格尔顿政治学院创立教育政策研究中心并担任主席。20世纪90年代初期，教育政策研究中心改为教育政策研究联盟。1995年，苏珊·富尔曼调到宾夕法尼亚大学教育研究生院担任院长，教育政策研究联盟也随之迁到宾夕法尼亚大学，现在，其办公地址位于宾夕法尼亚州费城。

从创立之始，教育政策研究联盟就进行政策、财政、学校改革、学校治理方面的研究，在此基础上设计、实施、影响州和地方的政策，从而改进中小学教育。后来，其研究领域进一步拓展，开始深入研究教育政策和组织、学校和课堂实践之间的关系，以及这些问题对学生学习的影响。同时，它还积极传播研究者的知识，分享新观念，引发对话，并告知决策者、从业者和研究团体相关研究结论。

教育政策研究联盟具有半官方非营利性质，资金来源渠道多样化。它作为一个根据联邦教育部“全国研究与发展中心计划”而成立的研究机构，研究经费最初主要来自教育部每5年一期的一揽子拨款，以及教育管理、财政政策制定和管理协会的资助及基金会的捐助，但随着联盟在20世纪90年代

① James G. McGann. 2018 Global Go To Think Tank Index Report［EB/OL］. https://repository.upenn. edu/think_tanks/16/，2019-04-12.

后期将研究范围从原来主要研究联邦和州的教育政策扩展到包括地方一级在内的教育政策和策略，其经费来源的渠道也呈现多样化。①目前，教育政策研究联盟的资金来源主要包括美国教育部、国家科学基金会、纽约卡耐基公司、高盛基金会、国家教育与经济中心、洛克菲勒基金会等。②经费来源的多样化，保证了其研究过程的相对独立性和自主性，从而能最大限度地确保研究结果的客观与公正。

（二）组织及人员结构特点

1. 协同合作

美国教育政策研究联盟的前身是教育政策研究中心，成立之初，美国教育政策研究中心下设政策研究中心和财政研究中心，改名为教育政策研究联盟之后，两个中心合并。当前，美国教育政策研究联盟设管理委员会负责联盟的日常管理，共有9名成员，其中主任1名，合作主任3名。目前，其研究人员除了来自美国顶尖大学，还来自著名研究机构。教育政策研究联盟研究团队共有50人，其中高级研究专家32人，研究专家6人，研究人员5人，研究助理2人，工作人员5人。

表3-14　教育政策研究联盟管理委员会成员情况表③

序号	姓名	职务	基本情况
1	Susan Fuhrman	主任、创始人	获西北大学历史学学士和硕士学位、哥伦比亚大学教育学院政治科学和教育学博士学位。哥伦比亚大学教育学院院长，国家教育研究院院长，曾任宾夕法尼亚大学教育研究生院院长、美国教育研究协会副主席、卡耐基教学促进基金会董事会成员、培生集团国际教育和出版公司非执行董事。研究领域：学校改革、教育政策

① 赵中建．“美国教育政策研究中心”的个案分析［J］. 外国教育资料，2000（3）:36-38.

② CPRE. CPRE About［EB/OL］. http://blog. sina. com. cn/s/blog_4a0e98360102x30h. html，2016-12-12/2016-12-13.

③ Leadership & Management Committee. http://www. cpre. org/researchers#leader_ship.

续表

序号	姓名	职务	基本情况
2	Tom Corcoran	合作主任	哥伦比亚大学教育学院副院长助理、持续教学改革中心主要研究者，曾担任新泽西州州长教育政策顾问、新泽西教育部办公室主任。研究领域：学校改革、教师教育、教育政策、教学改进策略
3	Allan Odden	合作主任	获哥伦比亚大学硕士和博士学位、纽约协和神学院神学硕士学位、布朗大学航空航天工程学士学位。教育领导和政策分析名誉教授，威斯康星大学麦迪逊分校人力资本战略管理主任，曾是南加利福尼亚大学教育政策和管理教授（1984—1993），南加州大学、斯坦福大学、加州大学伯克利分校组成的一个教育联盟的加州教育政策分析主管，美国教育财政协会主席。研究领域：学校财政公平与充足、学校资源有效利用、教师薪酬和评价
4	Jonathan Supovitz	合作主任	宾夕法尼亚大学教育研究生院教育政策和教学、学习和领导教授。目前他的研究主要集中在学校和地区如何使用不同形式的数据来支持教学和学习的改进；主持一个持续评估项目——费城学校形成性评价项目的实施和评价研究
5	David Cohen	高级研究专家	密歇根大学约翰·杜威学院教育及学校教育方向教授，密歇根大学杰拉尔德·福特公共政策学院教育政策和公共政策教授。曾进行过学校影响、学校和教学改革多样性、教育实验和大规模干预项目评估等研究。目前与人联合进行一个大型纵向研究——改进极端贫困小学阅读/语言艺术和数学教学与学习。研究领域：教学测量、改进教学
6	Margaret Goertz	高级研究专家	宾夕法尼亚大学教育研究生院教育政策教授。曾担任教育政策研究联盟副主席，曾是美国教育部教育科学研究所教育系统研究审查小组、政府问责办公室 K-12 教育顾问小组、联邦综合援助中心国家评估技术工作小组成员，曾任教育财政与政策协会主席。研究领域：教育财政、教育政策执行、问责制、基于标准的改革、教师政策等

续表

序号	姓名	职务	基本情况
7	Michael Kirst	高级研究专家	加州教育委员会主席，斯坦福大学教育和工商管理名誉教授。曾在斯坦福大学任教，获哈佛大学政治经济和政府学博士学位。曾担任美国参议院附属委员会人力、就业和贫困项目主任， 美国教育部办公室中小学教育规划项目总监。研究领域：教育治理、政府间关系、K-16 政策联动、学校董事会、国家政策
8	Fritz Mosher	高级研究专家	哥伦比亚大学教育学院研究顾问。获哈佛大学认知和社会心理学博士学位。曾长期担任卡耐基基金会项目官员和政策分析师，曾担任美国教育部部长助理，负责研究和改进工作
9	James Spillane	高级研究专家	人类发展和社会政策教授，其工作是探索政策在州、学区、学校和教室各个层级的实施过程，致力于发展实施过程的认知视角，探索当地决策者、管理者和教师如何实施政策，据此了解州和国家的改革。研究领域：学校领导、分布式领导、社会网络分析、组织领导、政策的实施

从上表可见，教育政策研究联盟管理委员会的成员均来自顶尖大学或知名研究机构，具有良好的受教育经历、丰富的研究经验和管理经验，许多成员曾在不同级别的政府、研究机构工作，涉及研究领域广泛。同时，由于是多所大学协同工作，为保证研究的顺利开展，合作主任分别来自不同的大学，负责所在学校与联盟学校间的协调合作事宜。

2. 研究队伍多元化

教育政策研究联盟的组织人员构成中，以研究人员为主，工作人员为辅，注重研究人员来源的多元化，包括专业背景、工作经历等，从而保证研究的多角度、客观性。

表 3-15　美国教育政策研究联盟研究人员来源统计表[①]

序号	大学或机构	研究人员数量	备注
1	宾夕法尼亚大学	20	其中，高级研究专家 8 人，研究专家 3 人，研究人员 5 人，工作人员 4 人
2	哥伦比亚大学教育学院	11	其中，高级研究专家 7 人，研究专家 1 人，研究助理 2 人，工作人员 1 人
3	哈佛大学	1	高级研究专家 1 人
4	斯坦福大学	1	高级研究专家 1 人
5	密歇根大学	6	高级研究专家 6 人
6	威斯康星大学麦迪逊分校	4	高级研究专家 4 人
7	西北大学	1	高级研究专家 1 人
8	加州大学	1	高级研究专家 1 人
9	特拉华大学	1	高级研究专家 1 人
10	教育领导与政策分析部	1	高级研究专家 1 人
11	杜尔大学	1	高级研究专家 1 人
12	教育研究威斯康星中心	2	研究专家 2 人
合计		50	

从上表可见，教育政策研究联盟研究团队人员来自于10所大学，其中，宾夕法尼亚大学、哥伦比亚大学教育学院、密歇根大学是研究人员的主要来源学校，除了10所大学外，还有来自其他研究机构的研究人员。这表明教育政策研究联盟具有开放性，吸纳不同学校、研究机构的成员加入研究团队。另外，高级研究专家占团队的64%，且许多成员兼任各种研究机构的管理者或研究人员，可见团队研究实力雄厚，注重打造高质量的研究人员队伍，工作人员数量明显少于研究人员，其主要职责在于辅助研究人员，为研究工作

① 数据来源：美国教育政策研究联盟网站。

提供保障。

（三）研究内容及特点

教育政策研究联盟的使命是寻求新的贡献及创造基于证据的知识，传播教育政策和实践的重要结论。以使命为核心，教育政策研究联盟研究和发布了一系列从幼儿教育到高等教育相关主题的内容，涉及美国的地方、州和国家各个层次。教育政策研究联盟的研究可以概括为“三阶段四领域”：第一阶段（1985—1990），主要从教育政策角度研究课程与学生标准、教师政策、教育指标与监测、教育改革运动的演进等；第二阶段（1990—1995），研究范围从教育政策扩展到教育政策和学校财政；第三阶段（1996年至今），积极寻求各种有效的教育改革方法。[①]其研究领域根据时代的变革，不断地进行扩展和调整。许多项目持续时间长，提倡跟踪研究。其研究范围主要分为四个领域：教育政策、教育财政、学校改革、学校治理。

1. 教育政策研究，注重国家、州、地方学区和学校间的关系

教育政策是进行教育改革的依据，对教育发展具有指导作用，美国国家层面的教育政策是通过立法形式确定的，各州享有教育自主权，可以制定本州的教育政策，以此推动教育改革。教育政策研究联盟开展了许多教育政策方面的研究，为美国教育政策与教育改革提供了政策研究和咨询平台。如“州和地方教育改革政策：从国会到课堂”（1996—2001）项目，该研究的目的是监测教育改革的进展。联邦政府、州、学区、非政府参与者（如专业组织、基金会和其他民间组织）已经采取了前所未有的措施，通过开发具有挑战性的学术标准和旨在鼓励不同教学方式的新评估设计，以此提高教与学的质量。项目试图理解这些政策的影响，特别是对州和地方政策以及课堂实践的影响。该项目通过对各级教育改革对州及地方政策、学校课堂实践的影响分析，据此评估教育改革的进展情况，从而得出经验与教训。该项目最终发布成果《从国会到课堂：美国基于标准的改革》《年度进展中联邦的角色：灵活性与问责的权衡》《州能力建设的策略：基于标准改革的需要》《州

---

① 赵中建．“美国教育政策研究中心”的个案分析［J］. 外国教育资料，2000（3）：36-38.

教育能力建设策略：进步和持续的挑战》《评估和问责文件》等。这些成果既为美国联邦政府的教育改革提供参考，也为各州、学区的教育改革提供借鉴和指导。

政府政策、地方学区和学校管理、学校教育的核心技术工作——教学和学习，这个三角关系是美国教育长期面临的挑战。以前的研究一直认为政策、管理和教学之间的本质关系是分离或松散的结合。教育政策研究联盟"政策、管理的技术核心：支持重构的设计基础"项目改变了上述观点。项目组通过对组织常规的分析，展现了政府监管与指导的特色，探索用通用标准来促进政府管理与学校的结合标准化，通过检测教师和学生的表现成就，促进课堂教学的规范化和透明化。通过这种途径，政府监管或先进的核心理念将融入到学校正式的基础规范之中。该研究为政府监管、学区和学校管理、教学之间关系的转变提供了可行的策略，为提高教师的教学水平及学生的学业成就奠定了基础。

2. 教育财政研究，注重教育资源的配置

教育财政是教育改革的一项重要内容，对教育质量及教育资源配置有重要影响，教育政策研究联盟重视教育财政的研究。如"重新设计学校财政"项目（1996—2002）[①]，该项目旨在重新设计公立学校财政系统，以适应地方财政收入差异变化，让学生接受高标准教学。提高教育系统效率，依据学校表现分配资金。该项目制作了"州至学区学校财政系统手册"，研究世界各国基于学校的财政系统，并调查学校如何更好地利用学校资源的具体策略。目的是确定一个新公立学校财政结构、公式，作为学区策略的一部分；学区可以使用一次性预算下放到学校，作为学区和学校层次的具体策略；应用不同资源改进教育系统效率，如应用现有资源提高学生成就。这个项目还开发了学校资源重新分配的研究案例，明确资源分配与分配目的、分配过程的关系与标准，学校可以据此完成资源分配这类比较困难的任务。

① Allan Odden. Redesigning School Finance Connecting School and Work [EB/OL]. 1998-09-06 [2016-08-03]. http://www.cpre.org/redesigning-school-finance.

表 3-16　“重新设计学校财政”项目成果一览表 ①

序号	成果名称	完成人	完成时间
1	创建学校财政政策，促进新目标实现	Allan Odden	1998 年
2	改善公立学校财政系统：新现实需要重新设计学校财政结构	Allan Odden	1999 年
3	重新分配资源：没有增加负担的前提下如何提高学生成就	Allan Odden and Sarah Archibald	2000 年
4	反思支持全校改革的学校预算	Allan Odden	1998 年
5	帕内尔小学：一个通过资源再分配来实现整个学校改革模式和提高学生成就的案例研究	Sarah Archibald and Allan Odden	2000 年
6	克莱顿小学：一个针对减少班级人数、加强教师规划时间、加强识字资源重新分配的案例研究	Allan Odden and Sarah Archibald	2000 年
7	萨利小学：一个资源重新分配的案例研究	Allan Odden，Sarah Archibald and Anita Tychsen	2000 年
8	霍利斯特小学：一个资源重新分配的案例研究	Allan Odden， Sarah Archibald and Anita Tychsen	1999 年

从表3-16可知，该项目的成果包括4个案例研究，3个调查报告，1部出版物。选取4所小学，对其资源分配进行了个案研究，其余4个报告（含出版物）从学校财政结构、提高学生成就等角度对资源分配进行研究。可见，教育政策研究联盟的研究项目注重调查、案例研究，从局部和整体来对问题进行分析，保证了研究结论的准确与客观。

3. 学校治理研究，注重学校改革与学业成就结合

学校是连接政府、社会与学生的中介和桥梁，学校治理是教育治理的关键。教育政策研究联盟重视学校治理的研究与咨询服务。如“问责制的效

① 内容来源：美国教育政策研究联盟网站。

果”项目[①]，该项目分两个阶段开展研究，第一阶段，研究不同类型的学校（如公立学校和特许学校）如何在不同的政策环境中开发一种可以产生高质量教学效果的问责制，及如何开发出具备这种能力的教学。第二阶段，集中研究学校内部问责过程与其外部问责制度之间的关系，该阶段集中关注公立高中学校，包括综合高中、精英高中、特许高中。通过研究，发布了1份政策简报，3份研究报告。政策简报对美国50个州的问责制评估情况进行了简要汇总；其中一份研究报告对德克萨斯州高中的州级考试成绩与高中教学效果的关系进行了分析，一份对美国50个州的问责系统进行了评估，一份是学校对问责制的应对情况分析。该项目的其他成果涉及跨州高中比较、公立与私立高中比较与案例研究。

与私立学校相比，美国公立学校的表现一直不佳，学校的政策是否对学生的学业成就产生影响，是困扰美国公立学校的问题，为此教育政策研究联盟进行了相关研究。如“杜瓦尔县公立学校”项目[②]，该项目的目的是通过设计学校政策实施效果的识别系统，来判断学校政策是否对学生的学习成就产生影响，进而改进识别系统，最终提高学生学习成就。该项目出版了《仪表板灯：监控执行地区教学改革的策略》，对项目的研究成果进行了深化总结，提出监控地区教学改革执行的策略方法。

学校改革是学校治理的重要方面，美国学校改革步伐从未停止过，从特许学校到蓝带学校，美国不断地通过各种学校改革政策促进学校发展。自教育政策研究联盟成立以来，学校改革一直是其研究重点。如“学校与工作衔接”（1996—2002）项目[③]，为期6年，该项目得到美国国家高等教育进步中心的赞助。项目设计和分析了三个主要的国家级调查：一是全国的雇主调查，详细调查雇主对员工的教育和培训情况；二是全国员工调查，从参与全

---

① Leslie Santee Siskin，Martin Carnoy，Richard Elmore. Accountability for Results [EB/OL]. 2001-04-20[2016-09-12]. http://www. cpre. org/accountability-results.

② Jonathan Supovitz. Duval County Public Schools [EB/OL].2004-12-01[2016-08-10]. http:// www. cpre. org/duval-county-public-schools.

③ Peter Cappeli，Robert Zemsky. Connecting School and Work [EB/OL]. 2002-12-23[2016-10-20]. http://www. cpre. org/connecting-school-and-work.

国的雇主调查中确定组成样本；三是针对全国35岁—55岁家庭户主调查，包括受过高等教育的父母的经验。通过调查，该项目侧重于研究政策环境和市场如何发出信号，让学生认识到学习的重要性；在州的改革背景下，雇主对学校的看法与学生的准备是否不同；在学校或离开学校两种情况下，成人自身的工作经验是否对他们的学习重要性信念有影响。

教师质量是学校改革的一个重要部分，教师质量关系到课堂教学的质量，直接影响学生的学业成就。为此，教育政策研究联盟专门对教师质量进行了研究，研究得到了国家教育治理、财政、政策制定和管理研究所，美国教育部教育研究与改进办公室的赞助。该研究项目以此前全国代表性的学校和人员调查数据为基础，数据涵盖13年（1987—2000）的时间，在此基础上对教师质量进行全面的调查，发布了一系列研究成果，如《国会专家证词》，此成果在第一千零五届国会众议院教育和劳动力委员会的听证会上发布；《教师真的短缺吗？》由教育政策研究联盟和教育与政策研究中心联合发布，该报告分析了可能影响教师短缺的因素；《教师流动和教师短缺：一个组织的分析》，该报告2001年发表于《美国教育研究杂志》，分析了教师流动和短缺的根源，通过统计数据分析得出哪类学校存在教师流动，哪类学校更多，为什么会存在等；前参议员约翰·格伦主持的《美国数学和科学教师的流动》项目，总结了国家数学和科学教师流动的数据比率和原因，该报告是为21世纪国家数学和科学教学委员会准备的。

总之，教育政策研究联盟的研究紧密结合美国国家、州、地方学区及学校的实际问题及现实需求，通力协作，利用共同体成员分布在美国不同区域的地理优势及研究实力的优势，开展全国性研究，为美国教育政策制定、教育财政、学校治理等提供了大量富有指导价值的知识产品。

（四）研究成果的出版与传播

1. 出版物丰富多样

教育政策研究联盟作为教育智库，具备政策研究与咨询服务的双重功能，在进行专业研究的同时，也注重通过印制或出版各种与研究相关的出版物，把最新的研究成果面向社会公开发布，积极传播，以达到其影响政府机构和大众的目的。

教育政策研究联盟的出版物主要包括研究报告、政策简报、工作文件、期刊文章。研究报告主要是对已结题成果进行公布，包括研究目的、研究内容、研究方法、研究结论、研究人员、最终成果等的展示。如2016年4月出版的报告《在学校的学习新需求：考虑代数的政策环境》，内容包括问题描述、研究概述、调查设计、样本与数据收集、数据分析、报告主体（共6章内容，具体分析美国各地区对代数内容的需求）、总结、参考文献、附录（共4部分，包括术语解释、样本结论、使用分析工具说明、调查）。政策简报主要是刊登教育政策研究联盟研究人员的研究论文、研究报告的摘要，让读者能快速了解教育政策研究联盟的研究状况。如2015年10月出版的政策简报简要介绍了研究项目《通过反馈和指导改变校长的领导能力》的基本情况，包括研究的基本结论与发现、研究人员的基本信息介绍等。工作文件主要是提供给教育政策研究联盟联盟单位、项目赞助机构等进行交流。如2014年3月出版的工作文件介绍了《从内部进入：一个学校共同核心知识和交流的检测》[①]的研究情况，该项目属于通用基金未来发展教育评估系列成果，得到通用基金赞助。文件详细介绍了共同核心知识及其影响力在学校的分布情况，以及如何运用这些信息帮助教师参与到共同核心中，并影响他们对共同核心的理解和实施。共同核心是美国联邦政府2010年面向全国发布的《共同核心州立课程标准》的简称，共同核心为K-12年级制定了统一的课程标准，目前已有46个州执行这一标准。期刊文章主要是与研究项目有关的发表在各类期刊上的文章，如2013年5月出版的《问责表象之下：可回应性、责任和能力建设在挪威》[②]，该文章属于“世界各地问责和学校发展的改进方法”项目的成果之一，2013年1月发表于荷兰《教育变革》，由施普林格科学和多德雷赫特商业媒体联合在线出版。可见，期刊文章不仅在美国本土发表，还在项目涉及的国家发表，无形中扩大了教育政策研究联盟在全球的影响力。

---

① Jonathan Supovitz，Ryan Fink，Bobbi Newman. From the Inside In: An Examination of Common Core Knowledge and Communication in Schools [R]. GE Foundation，2014，04.

② Thomas Hatch. Beneath the surface of accountability: Answerability，responsibility & capacity-building in Norway [J]. Journal of Educational Change. 2013 (14) : 113-138.

2. 网络、多媒体等传播形式多元化

除了利用出版物传播联盟的政策研究成果与主张，教育政策研究联盟还积极利用网络、多媒体进行传播。教育政策研究联盟官网是其最大的传播平台，分决策者、教育者、研究者三个主体，访问者可根据需要进入相应主体板块浏览或检索。教育政策研究联盟还设置“多媒体”“新闻编辑部”板块。“多媒体”板块，可以查看其近期研究行动，相关视频资源可以通过链接登陆YouTube观看。“新闻编辑部”板块包括两部分内容，一部分是“新闻中的教育政策研究联盟”，汇集各机构、媒体发布的与教育政策研究联盟相关的新闻，通过该板块可以了解其最新动态，如威廉·T. 格兰特基金会、《教育周刊》都曾刊登有关教育政策研究联盟研究的新闻；另一部分是新闻发布，即教育政策研究联盟自己发布的新闻，主要介绍联盟近期的研究项目成果。教育政策研究联盟通过各种途径，发布新闻、项目进展、研究成果，起到很好的传播和推广作用。

二、启示

（一）注重多方协作

在美国教育政策研究联盟成立之前，教育智库一般以政府机构、公司、单独的大学研究机构为主，如美国教育政策研究中心、布鲁金斯学会布朗教育政策研究中心、兰德公司教育研究部等，教育政策研究联盟的成立改变了这一现状，它整合了美国顶尖大学的研究力量，多方协作，彼此信任，充分发挥大学在学科体系、研究人员、教学、社会服务等方面的独特优势，项目研究、知识生产与资讯传播并重，为世界范围内的大学类教育智库及教育智库共同体的建设作出了表率。

（二）注重问题导向和基于证据的研究

纵观教育政策研究联盟的研究项目与内容，可以发现其研究均是以问题为起点，继而开展调查，收集数据、事实、案例，以此作为证据材料，分析原因，找出解决问题的策略或可行性方案。基于证据的教育研究已成为国际教育研究的主流，教育政策研究联盟充分运用大学分布在美国不同州的优势，进行大规模的准实验研究、定量研究、定性研究，多州政策调查、混合方法评估，并能进行研究工具开发，体现出专业性。其实，美国许多教育智库均注重开展基于证据的研究，如兰德公司教育研究部、布鲁金斯学会布朗教育政策研究中心、卡耐基教学促进基金会等进行的教育研究都非常重视基于证据的研究，用数据、事实、案例来分析、论证问题，提出解决策略和方案。注重问题导向和基于证据的研究已成为美国教育智库研究的趋势。

（三）注重研究对象本土化与研究时间的延续性

教育政策研究联盟的研究注重本土化。其绝大多数研究项目扎根美国本土，对美国国家、州、地方学区、学校的研究比较深入，在教育政策、教育财政、学校改革、学校治理、教师教学改进、学生学习成就等方面研究成果较为丰富。教育政策研究联盟的一些研究报告被直接作为国会证词使用，对美国教育政策的制定，乃至教育的发展产生了重要影响。其研究还注重延续性，对研究项目进行长期跟踪和调查，研究项目期限一般是3年—5年，有的项目长达13年—15年及以上，如威斯康星大学麦迪逊分校作为联盟合作学校，其承担的教育财政研究项目一直进行了15年，教师待遇补偿项目也持续了14年的时间，还有许多项目是在前期研究项目的证据材料与数据基础之上进行的。教育的周期较长，教育研究的期限也要相应加以延长，才能系统、客观地观察教育现象，收集材料和数据，得出可靠的结论。教育政策研究联盟注重研究的延续性，对教育智库开展教育研究与咨询具有重要的借鉴意义。

（四）注重研究成果传播的广泛性与针对性

教育政策研究联盟作为教育智库，十分注重研究成果的传播，且其传播方式具有广泛性与针对性结合的特点。“西方国家在教育政策制定过程中，大众传媒的权利主要体现在‘制造’政策问题，并进行扩展和阐释，使之成为‘危机’问题，扩大影响力，使公众开始关注并讨论这些问题，最终引起政府的关注。”①可见，传媒对政府政策和社会舆论的影响力巨大，教育智库要影响政府教育的教育决策，就必须重视成果的传播和宣传。教育政策研

① 穆晓莉，黄忠敬．美国教育政策研究中心成员组织及特色——以威斯康星大学麦迪逊分校为个案［J］．中国高等教育评估，2009（2）：65-68.

究联盟通过联盟官网、联盟单位网站、各类媒体宣传研究人员的研究进展、研究成果，既对政府政策产生影响，也对民众进行教育。教育政策研究联盟网站根据用户类型将网站内容进行分类，决策者、教育者、研究者能很快找到自己需要的信息，具备良好的用户体验效果，其“新闻编辑部”注重对外宣传，有利于提升联盟的知名度和影响力。同时，教育政策研究联盟的联盟单位也培养研究生，其研究项目作为研究生培养的内容之一，在人才培养中也具有重要作用。

总之，教育政策研究联盟开创了大学教育智库共同体合作研究的先河，注重多方协作，研究队伍的多元化，研究对象本土化与研究的延续性，应用多种途径进行研究的咨询与传播，对世界各国大学教育智库共同体，乃至未来国际性大学教育智库共同体的建设具有引领作用和示范意义。当然，因涉及协作大学及部门众多，在效率方面必然会有所损耗，这需要我们在教育智库共同体建设过程中加以合理设计，方能把效率损耗降到最低。

第五节 德国教育智库对全球教育治理的参与

德国是世界上最早建立智库的国家之一，如1925年成立的德国基尔世界经济研究所，其大部分智库建立于第二次世界大战之后。20世纪90年代末，德国智库经历了新一轮的增长及运作模式的现代化，这主要是受到信息革命所带来的新技术手段、政策议题复杂化与专业化、两德统一及欧洲一体化与全球化深入等因素的影响。[①]德国联邦政府将建设教育智库作为提升教育国际竞争力的重要措施。进入21世纪，德国教育智库进入了一个稳定发展的新时期，德国教育的稳步、快速发展与德国教育智库的贡献密不可分。德国教育智库主要有两大类：一类是政府或基金会资助成立的教育研究机构，如德国国际教育研究所、德国高等教育发展研究中心、德国成人教育研究院、德国科学与政治基金会等；另一类是高校附属教育研究机构，如卡塞尔大学

① 顾俊礼．列国志·德国［M］．北京：社会科学文献出版社，2015：343．

国际高等教育研究中心和维滕贝格高等教育研究所等。德国教育智库依托政府、高校或基金会，与国家政府部门保持紧密联系，深入开展教育理论、应用和管理等研究，打造跨学科、国际化合作平台，建立数据库，以信息化方式辐射社会，并参与全球教育治理，一定程度上影响了全球教育的发展。

一、德国教育智库概况

德国教育智库的研究涉及各级各类教育，如基础教育、高等教育、成人教育、终身教育、比较教育等，它们为德国教育的改革与发展提供了大量科学的决策研究与咨询，也为德国的教育发展及参与全球教育治理提供了强大的智力支持。

德国国际教育研究所（Deutsches Institat für Internationale Pädagogische Forschuag，简称“DIPF”）是德国第一个跨地区国际教育研究机构，于1952年在法兰克福建立，现为莱布尼茨学会成员。德国国际教育研究所的宗旨是生成、索引和传播教育知识，为当前教育系统面临的挑战制订解决方案。它主要从事教育理论、教育实践、教育政策、教育管理研究，教育基础科学服务和教育系统评估。[①]它善于从法律、经济、政治、社会、文化、心理和历史的角度研究教育问题。它与德国其他研究机构一起，构成了德国教育科学能力不可或缺的核心力量。

卡塞尔大学国际高等教育研究中心成立于1978年，成立之初名为“高等教育和职业研究中心”，2006年3月改为现名。新名称的选择是为了更加强调该中心活动的国际性质，它不仅是德国而且是欧洲重要的跨学科研究机构。它的研究重点是高等教育机构和高等教育研究的问题，以及高等教育与社会其他领域的交叉问题研究。现阶段研究的主要领域有：学生和毕业生、知识的转变、治理与组织、创新与转移、全球化、社会不平等和性别问题等跨领域问题。[②]围绕这些议题所开展的项目都不同程度地与国外研究机构合

① DIPF News—DIPF|Leibniz Institute for Research and Information in Education. https://www. dipf. de/en/dipf-news，2019-01-29.

② INCHER-Kassel: About INCHER. http://www. uni-kassel. de/einrichtungen/en/incher/about-incher. html，2019-01-28.

作，目的在于提高德国高校的国际影响力，促进国际范围内的师生流动。

德国高校教学研究会是一个由高校教学研究人员以及对高校教学改革感兴趣的相关人员所组成的专业科学协会。其成立的目的主要是为高校教学研究和发展提供一个平台，以促进关于教学及相关重要问题的讨论。协会提供的服务内容主要包括国际交流、教学质量提升和教学进修模块化和认证指导。协会通过多样的实施方式实现协会各项工作的开展，主要有建立专业化的服务网站、出版系列丛书、举办年会和开展研讨会等。[①]

德国科学与政治基金会成立于1962年，是决策服务型公民教育智库，现名为德国国际与安全事务研究所。它属于非营利性机构，具有绝对独立的法律地位。为了确保其研究符合国家的公共利益，在智库经费来源上，除了少数来自于社会个人的捐赠外，绝大部分都来源于联邦和州政府的财政拨款。在财政管理方面，基金会仿照公司董事会管理模式，并设立专家委员会对财政、人事、学术事务等进行监督，目前有140名员工。[②]德国科学与政治基金会自创立之初就一直关注与国家重大利益紧密相关的教育经济问题。进入21世纪，基金会逐渐发展壮大，研究范围不断拓展，从公民教育问题到国家安全政策再到国际资源维护等，都在其研究范围之内。

德国成人教育研究院暨莱布尼茨终身学习研究中心成立于1957年，是一家专门从事继续教育理论和实践研究的机构。它隶属于莱布尼茨学会，是接受联邦和州政府资助的非营利性学术组织，每年获得拨款约550万欧元，有85名员工，与专门从事继续教育研究和实践的20家协会和组织建立了协作关系。[③]它承担与社会和教育有关的实践学习及成人教育任务，为继续教育领域的利益相关者提供研究结果和服务。[④]

---

① 吴薇，杨莹莹．德国高校教学研究会的建设及启示［J］．教育科学，2017（2）．

② 袁利平，武星棋．公民教育智库建设的国际比较及启示——以美国、澳大利亚和德国三国公民教育中心为例［J］．外国教育研究，2018（11）．

③ 侯定凯．德国成人教育研究院的研究主题与机构评估［J］．世界教育信息，2015（10）．

④ Mission Statement. https://www. die-bonn. de/docs/Leitfaden（mh）. pdf，2019-01-29.

二、德国教育智库的特点

（一）独立运作并与政府紧密联系

德国教育智库从资金来源、管理制度方面确保了其能独立运作，并与政府保持密切的合作关系。在资金来源方面，德国教育智库的经费来源多元化，如联邦政府及教育部、州教育部、各种基金会。这样既保证了智库正常运转的资金来源，又防止了政府垄断经费、干预研究。以卡塞尔大学国际高等教育研究中心为例，该中心获得了来自欧盟委员会、联邦教育部、大众基金会等的巨额赠款。同时，还有众多的赞助者，如国家的教育部和一些负责经济、社会和内政的国家部门，德意志联邦政府，各种德国和外国基金会，联邦就业局，以及一些与本国及其他国家的高等教育领域有着良好合作关系的德国发展援助机构、政府间机构等。德国国际教育研究所的资金来源情况是：1952年—1964年由黑森州拨款；1964年—1977年，根据《哥尼斯堡协定》，由11个州共同支付；1977年后，根据联邦与州签订的《促进科学研究的总纲协议》，由联邦和黑森州各承担一半。[①]德国国际教育研究所的资金来源经历了一个变化的过程，但主要还是由政府提供资金支持。在管理制度方面，德国教育智库实行的是一种较自由的内部自治的体系，类似于董事会管理模式，并设立专家委员会对财政、人事、学术事务等进行监督。例如，卡塞尔大学国际高等教育研究中心下设咨询委员会、执行委员会进行管理，咨询委员会由知名智库负责人或专家构成，执行委员会则由主任、执行副主任、经理、秘书处等构成。德国高校教学研究会由一个理事会领导，下设认证委员会、研究委员会和工作组、数字媒体与高校教学工作组、健康教学工作组、培训工作组、会员关系和青年发展工作组、培训师交流工作组。研究会每年都会举行成员大会。因此，德国教育智库在研究上具有独立自主的地位，发布的报告严谨、客观、中立，体现了德国“学术与政治保持距离”的传统，有助于提升决策的质量。[②]

① https://baike. baidu. com/item/德国国际教育研究所/22551515?fr=aladdin，2019-01-29.

② Torsten Kaelvemark，Marijkvander Wende. National Policies for the Internationalization of Higher Education in Europe［M］. Stoekholm：the National Ageney for Higher Education，1997：96-97.

（二）研究人员的专业性与异质性

社会的迅速发展所带来的复杂性和不确定性，使得现实教育重大问题的涉及面和复杂程度远远超过了某个单一学科的范围。跨学科、跨国界成为研究教育问题的必然趋势。德国教育智库研究人员的构成具有专业性和异质性特征，由多学科背景、多职业经历、不同国籍的人员组成。因而，德国教育智库擅长采用政治、经济、管理、文化等多元化视角对问题进行全方位研究。此外，也有来自政府部门、企业等的人才参与德国教育智库研究与管理。卡塞尔大学国际高等教育研究中心的咨询委员会顾问来自德国科学与人文委员会、不来梅大学、欧洲经济研究中心、巴黎组织社会学中心等。维滕贝格高等教育研究所顾问委员会就吸纳了政府的高等教育立法顾问。卡塞尔大学国际高等教育研究中心与德国学术交流服务局、校长会议、中欧大学协会等机构直接合作，在德国和其他国家建立合作研究小组。这些机制确保了研究队伍的专业性和异质性。

德国科学与政治基金会对研究人员的专业素养要求很高，在选取研究人员时，要经过专家集体评审，研究专业、学历以及资历等都被纳入考核标准之中，尤其重视人才的质量和人才资本的多元性。[①]在智库人才的配置上特别注重异质性，研究队伍融合了各个研究领域的人才，增强了智库研究的创造性和科学性。通常能参与智库研究的人员大都具备某专业领域的专家资格，大学的教授、学者在智库内兼做研究的情况也较为多见。德国科学与政治基金会在人员管理上也实行董事会管理形式，但美国管理模式中的“旋转门”机制在德国公民教育智库中并不显著。德国政府为了确保智库研究的主权独立，在法律上规定凡是在政党中担任要职的政治家都不允许出任智库的领导职位。智库的研究方向和项目锁定一般通过董事会、学术委员会和高级研究人员共同商议后确定，从人才的选拔到智库内部的管理都极其追求公正性和客观性。

---

① 袁利平，武星棋．公民教育智库建设的国际比较及启示——以美国、澳大利亚和德国三国公民教育中心为例［J］. 外国教育研究，2018（11）.

（三）研究领域广泛多样且具有前瞻性

德国教育智库的研究内容主要包括教育理论、教育应用、教育管理以及教育信息化建设等。这些研究为德国教育战略重大问题做了基础性、前瞻性探索，推动了德国教育政策的制定、实施和评估，对提高德国教育的国际影响力发挥着重要的支撑作用。德国教育智库还开展德国教育的重大政策和项目的实施效果、个案调查、国际合作项目研究。例如，德国国际教育研究所主张将基础研究与创新发展工作及其实施结合起来，造福社会。[①]20世纪80年代后，德国国际教育研究所的研究项目着重在社会与文化变动中的教育与学校、教育体制中的分散问题、多种文化混杂社会中的教育三个方面。研究所下设综合与比较教育、职业技术教育、教育心理学、教育社会学、教育经济学、教育立法和管理、教育统计和方法论7个研究部。其研究涉及教育的挑战、教育监测、国际大规模评估、教育改革与影响等。[②]从研究部门的多样性及研究范围可以看出其研究领域的广泛性。卡塞尔大学国际高等教育研究中心的项目包括德国研究生小组2017、社会不平等的决定因素、高等教育辍学和学习计划改变的后果、年轻研究人员的劳动力市场、知识社会中的学术职业、组织发展国际化研究等。[③]德国成人教育研究院开展的研究主要有成人学习过程，成人教育的课程、师资和院校的设计，成人教育系统的财政、政治和法律问题，不同社会人群（移民、低技能者、长期失业者、文盲、年长者）的继续教育，继续教育从业者的专业化，成人能力评估，非正式学习的认证，专题性历史遗存保护项目，提供基于数据的各类研究报告。[④]德国成人教育研究院的研究涉及成人教育的各个层面，包括成人教育的财政、政治、法律、各类人群、评估认证、历史等。

德国教育智库的研究内容广泛多样，既有对教育理论的探讨，又有对教

---

① DIPF News — DIPF | Leibniz Institute for Research and Information in Education. https://www. dipf. de/en/dipf-news，2019-01-29.

② DIPF - Knowledge for Education — DIPF | Leibniz Institute for Research and Information in Education. https://www. dipf. de/en/directlinks/education-policy，2019-01-29.

③ INCHER-Kassel: Research. http://www. uni-kassel. de/einrichtungen/en/incher/research. html，2019-01-28.

④ 侯定凯．德国成人教育研究院的研究主题与机构评估［J］. 世界教育信息，2015（10）.

育历史、现实实践和未来发展趋势的研究；既有对德国本土的研究，又有与国际进行比较的研究。其研究体现出历史与现实、国内与国际、横向与纵向相互融合的特点。德国在欧洲一体化进程中发挥着重要的作用。“在欧洲一体化，也就是东西欧相互开放的进程中，统一的德国在科学和研究方面也承担着特殊的政治责任。”①德国教育智库的研究也反映了这种政治责任。同时，德国作为世界教育强国，智库成为受国家委托的公共机构，具有为政府决策提供咨询的义务，所做的研究都紧贴国家教育发展战略需求。其教育智库的研究内容体现出前瞻性、预测性的特点，具有对德国未来的教育、欧洲教育乃至世界教育发展趋势进行预测的功能。

（四）通过国际化网络参与全球教育治理

跨国合作研究是德国教育智库发展的一个重要策略，是德国教育智库参与全球教育治理的重要途径。跨国合作研究以多国合作项目形式开展，采用比较和追踪研究方法。例如，卡塞尔大学国际高等教育研究中心与欧洲教育和社会政策研究所、芬兰于韦斯屈莱大学、英国开放大学、葡萄牙技术大学、美国亚利桑那大学、日本广岛大学、日本劳工研究所等开展了各种项目合作。卡塞尔大学国际高等教育研究中心的研究项目有：博洛尼亚进程的进展——欧洲46国调查，德国研究计划——走向全球，欧洲高等教育的流动性监测，奥地利高等教育毕业生职业生涯，拉丁美洲和欧洲的研究生跟踪调查项目等。②卡塞尔大学国际高等教育研究中心还通过人才的培养构建国际化研究网络，它每年均招收一定数量的博士生，现有来自中国、德国、印度、墨西哥、土耳其和越南等国的学生，③研究氛围具有国际性和跨学科性，也为中心今后开展跨国研究奠定了基础。德国国际教育研究所的研究涉及东欧、西欧和发展中国家。德国科学与政治基金会则在欧洲多国设立了办事

① Wissenschaftsrat. Empfehlungen des Wissenschaftsrates zur Internationalisierung der Wissenschaftsbeziehungen [R]. Köln：15. Mai 1992.

② INCHER-Kassel: Research. http://www. uni-kassel. de/einrichtungen/en/incher/research. html，2019-01-28.

③ INCHER-Kassel:PhD at INCHER-Kassel. http://www. uni-kassel. de/einrichtungen/en/incher/about-incher/phd-at-incher-kassel. html，2019-01-28.

处，与欧盟、北约、联合国等进行交流和合作。可见，德国教育智库不同程度地构建了全球化研究网络，积极介入全球教育治理。

（五）成果传播多元化与数据化

教育智库的影响力提升离不开研究成果的有效传播。德国教育智库不仅注重成果传播的多元化，也特别注重数据化建设。德国国际教育研究所下设数据处理、图书情报和埃里·希海拉基金会等服务机构。其所辖图书馆是原联邦德国教育研究领域中最大的专业图书馆，拥有各国的教育杂志、书籍和精确的统计资料。研究所出版研究报告和论文，主办刊物《观点与信息》。卡塞尔大学国际高等教育研究中心的网站国际化特点鲜明，有德、英两种语言版本，许多研究成果用英文撰写，拓展了其国际学术影响力。德国高校教学研究会的网站建设较为完善，并且尽可能地实现专业化服务，其官方网站的内容和信息丰富，此外还建设了分主题网站，如高校课外辅导网站、博士生网站。[①]卡塞尔大学国际高等教育研究中心建有研究信息服务与专题研究图书馆，有约25 000册学术文献和期刊，25种国际高等教育研究期刊和摘要的汇编，其自办刊物每年两次刊发最新研究成果、项目、调查报告等。[②]大量的免费开放性资源使其不仅仅是为德国教育部门服务，而且成为世界了解德国教育的一扇窗口。德国成人教育研究院专设数据和信息中心，该部门的主要功能是收集、整理并发布数据和信息。采用的形式和手段包括出版系列出版物、在线文本、举办继续教育论坛、数据统计、文献搜索、建设专业图书馆等。出版的书籍主要针对成人教育实践工作者和研究者，为他们提供学习课程和专业知识，涵盖与教育政策相关的书籍、有关继续教育的国家报告、国内外实证调查报告、国别教育制度分析的综合性报告、课题和研讨会的成果等；出版的期刊包括《继续教育研究杂志》《成人教育季刊》等；出版物由专业的出版公司负责编辑出版。[③]可见，德国教育智库的研究成果内

① 吴薇，杨莹莹．德国高校教学研究会的建设及启示［J］．教育科学，2017（2）．

② INCHER-Kassel: RIS/Special Research Library. http://www. uni-kassel. de/einrichtungen/en/incher/risspecial-research-library. html，2019-01-29.

③ DIE PUBLICATIONS. https://www. die-bonn. de/institut/dienstleistungen/publikationen/default. aspx?lang=en，2019-01-28.

容数据化，呈现形式丰富，传播手段灵活多样，有效提升了其国际影响力。

三、启示

（一）协调研究独立性与政府合作之间的关系

学术研究具有独立性，它有自己的优劣标准，有自己的建制和专业利益。德国高等教育智库良性发展的经验很好地证明，一个享有充分自主权的研究机构才有可能做好研究。[①]德国政府在智库发展过程中持开明态度，并没有过多控制干涉智库的研究领域和发展方向。德国教育智库在同国家的关系上，既独立运作又与政府联系紧密。德国教育智库能保持研究的客观性与独立性，得益于学术与政治保持距离的传统，资金来源的多元化和管理制度的现代化。教育智库研究的独立性与政府合作并不一定冲突，研究的独立性在于确保研究的质量，与政府合作、紧密联系，准确把握政府需求，也是保障研究质量的重要方式。从政府层面看，既要用国家财政保证教育智库稳定的资金来源，又要建立机制促进智库多方吸纳各种社会资本。基金会对教育智库的资助客观上成为促进教育公平的途径，基金会日益成为公民志愿行为的现代化手段，这是社会进步的表现，因为公民自由意志与国家的政治框架的博弈和平衡是推动民主化进程的重要力量。[②]我们国家应出台相应的政策，鼓励社会资本对智库进行资助。政府及教育管理部门也应充分放权，让教育智库自主研究，激发其活力和创造力。

（二）服务国家与参与全球教育治理并行

智库是知识与政策的桥梁，是民众与政府沟通的中介，也是沟通国内外、参与全球教育治理的重要平台。德国教育智库具有非常强的国家、社会服务意识，在为国家教育发展服务的同时，也为社会提供服务。此外，德国教育智库还注重国际合作，参与全球教育治理，跨学科、多部门、跨国合作成为智库研究的常态。德国高等教育发展研究中心每年发布全球高校的排名，为人们选择院校提供参考，为国家制定高校战略提供参考依据。德国高校教学研究会与其他组织进行了很好的交流和协作，如国际教育发展联盟、

①② 袁琳，王莹．德国高等教育国际化智库：职能、特点与启示[J] 现代教育管理，2014(4).

欧洲学习指导研究协会、欧洲学生指导论坛等，有效地促进了研究会的发展。德国高等教育发展研究中心为非洲和亚洲国家的校长提供“国际院长课程”，担起德国教育外援的任务。德国国际教育研究所自2009年以来，参与了PISA项目的研究，并在这方面开展了不同的工作。对于PISA 2015和PISA 2018，研究所是第一家负责制定青少年学习状况调查问卷并评估其国际实施状况的德国机构。[①]这些项目展现出德国教育智库研究网络发达，研究对象广泛的特点，折射出其参与全球教育治理的实践理念。因此，教育智库为国家服务可以和参与全球教育治理有机结合，互相促进。

（三）注重数据积累分析与成果多元化传播

智库的影响力是智库赖以生存的根本和核心竞争力。[②]德国教育智库善用信息技术，以互联网、电子刊物、社交网络、多媒体技术等方式，定期发布研究成果，宣传、解读教育相关政策，传播研究成果，影响与引导公众和舆论。语言是促进传播与交流的主要媒介，对促进教育智库成果的传播，提升智库影响力有重要价值。德国教育智库网站基本采用德语和英语两种语言，为其成果传播和影响力提升提供了保障。德国成人教育研究院有两大核心部门，即数据和信息中心、研究与开发中心。数据和信息中心的主要功能是为应用性研究收集、整理和发布数据和信息；研究与开发中心负责开展研究工作，为实践部门提供服务，开发创新性的方案。它旨在通过对有效、先进的成人学习和教育手段的研究，促进全体成人的个人发展、社会参与，改善就业状况；还致力于提升德国继续教育的国际受关注度，并将其研究工作置于欧洲背景下加以讨论。德国科学与政治基金会非常重视信息数据库的建设，数据库收集学生与学者每年的流动数据、院校及专业的分布、国际交流与合作项目等。[③]基金会在数据收集基础上，对其进行整理分析，进而发现

---

① DIPF – Knowledge for Education — DIPF | Leibniz Institute for Research and Information in Education. https://www.dipf.de/en/directlinks/education-policy，2019-01-29.

② 朱瑞博，刘芸．智库影响力的国际经验与我国智库运行机制[J]．重庆社会科学，2012（3）：110-116.

③ 袁利平，武星棋．公民教育智库建设的国际比较及启示——以美国、澳大利亚和德国三国公民教育中心为例［J］．外国教育研究，2018（11）.

存在的问题，提出解决之策。同时，基金会以书籍、论文、报告等形式发布传播成果。这为德国教育改革、政策调整和实践完善提供了科学的依据和参考，也为全球其他国家或国际组织深入了解德国教育提供了窗口和资源，也是促进全球教育发展的一种举措。

四、结语

相较德国，中国的教育智库发展相对滞后。当前，中国正在由世界教育大国迈向世界教育强国，发展高质量教育、参与全球教育治理是建设教育强国的重要任务。发展高质量教育离不开高质量的教育政策研究与咨询。教育智库在提供高质量教育政策研究与咨询方面扮演着重要角色。因此，德国教育智库为中国在加强教育智库建设，提升研究人员专业能力，改进管理体制机制，提升成果传播实效，参与全球教育治理等方面提供了参考与借鉴，对提升中国教育决策水平，深入推动中国参与全球教育治理具有积极意义。

第六节　澳大利亚教育研究委员会对全球教育治理的参与①

一、澳大利亚教育研究委员会概况

（一）发展历程

澳大利亚教育研究委员会（Australian Council for Educational Research，简称“ACER”）是澳大利亚具有代表性的国家级教育智库之一。它成立于1930年，是由美国卡耐基公司资助成立的一个研究机构。1930年4月1日，首届首席执行官肯·坎宁安和秘书玛丽·坎贝尔在墨尔本市中心柯林斯与罗素大街角落的两个房间建立了委员会的第一个办公室。1942年—1945年，

① 本节内容参考：王建梁，郭万婷．专业化发展理念下的澳大利亚教育智库建设——以澳大利亚教育研究委员会为例［J］．高校教育管理，2014（3）．

由于二战的影响，委员会常规工作暂停。1946年起，联邦政府和州政府向它提供部分资金，确认它是一个重要的国家机构。2003年，政府停止对它的资助。

它是一个独立非营利性的非政府组织，不依赖任何学校、州教育部门或政治党派。委员会没有直接的财政支持，收入主要来源于合同研究和开发项目，开发和销售政策产品和服务，收入的盈余部分直接返回到研究和开发中。如今，澳大利亚教育研究委员会已发展成为世界领先的教育研究中心，在国际教育智库领域享有良好的声誉。

表 3–17　澳大利亚教育研究委员会发展历程时间表[①]

时间	事件
1928 年	詹姆斯·拉塞尔代表美国卡耐基基金会访问澳大利亚，对教育进行评估和调查，同意进行适当方式的援助
1929 年	接受官方命名“澳大利亚教育研究委员会”，并且每个州（昆士兰除外）出一个代表来执行委员会章程
1930 年	2 月，与卡耐基基金会达成资助协议，澳大利亚教育研究委员会正式成立；委员会开始运行，K.S. 坎宁安被任命为首席执行官，任期从 1930 年到 1954 年；委员会第一本出版物、教育研究系列第 1 卷、C. 芬纳和 A.G. 保罗写的《个人教育》正式出版；IQ 测试获得声望
1935 年	图书馆组织建立并运行到 1948 年。委员会帮助澳大利亚建立免费的图书馆服务
1937 年	委员会在澳大利亚举办国际新教育奖学金大会。8 月，大会开始在布里斯班举行，七周后移到珀斯进行总结。大会取得了巨大的成功，有超过 8 000 人参加
1939 年	卡耐基基金会停止资助。委员会储存了一些最初的资助资金，这使组织在战争期间能正常运转，直到 1946 年获得政府的支持

① 该表根据澳大利亚教育研究委员会网站内容整理：https://www. acer. edu. au/about-us/corporate-profile/history.

续表

时间	事件
1940 年	委员会开始进行军队新兵能力倾向测试
1955 年	W.C. 雷德福博士开始担任主任，直到 1976 年。雷德福之前曾担任主任助理
1957 年	创立《澳大利亚教育杂志》，出版至今
1958 年	委员会办公室从墨尔本柯林斯街搬到朗斯代尔街
1962 年	合作奖学金测试项目开始为私立学校测试
1963 年	委员会办公室搬到霍桑
1977 年	J.P. 基夫斯博士被任命为主任，直到 1985 年
1985 年	巴里博士被任命为主任，直到 1998 年
1994 年	办公室搬到当前总部所在地坎伯威尔
1997 年	出版社成立
1998 年	杰夫・马斯特斯博士被任命为主任（后改称首席执行官）
2001 年	委员会创立亚太教育研究协会，负责联系整个地区的组织
2002 年	在悉尼设立办公室
2003 年	政府停止资助。自 1946 年以来，委员会只收到来自联邦和州政府的一小部分资助。委员会中标管理“2006 年 PISA 项目”
2004 年	获得澳大利亚校长中心，后来变成了委员会领导中心
2005 年	委员会成功中标管理“2009 年 PISA 项目”；肯・罗主持联邦政府项目“教学素养国家调查”
2006 年	在布里斯班设立办公室；《澳大利亚教育证书设置报告》交付给国家教育、科学、培训部，3 月公开发布；相比前一年的 120 万美元，通过网络获得的收入超过 460 万美元
2007 年	在珀斯设立办公室；电子商务交易额相比上一财政年度几乎翻番，通过互联网获得收入超过 840 万美元；坎伯威尔大道建筑出售

续表

时间	事件
2008 年	铁路大道建筑完工，现在墨尔本大多数员工主要办公地点在坎伯威尔，与铁路大道建筑相邻
2009 年	首席执行官马斯特斯教授受邀参加 4 月份的 G20 峰会，讨论陆克文政府的生产力议程；委员会在印度的一个联络办公室变为全资子公司——澳大利亚教育研究委员会印度私人有限公司；首席执行官马斯特斯教授复核昆士兰小学的语文、数学和科学标准；委员会的员工超过 300 人
2012 年	在线评估和报告系统启动，使整套 PAT 系统首次能网上测试
2013 年	在线评估和报告系统成功完成超过一百万次评估
2014 年	委员会通过澳大利亚政府高等教育质量和标准机构注册成为高等教育提供者
2015 年	在雅加达设立办公室

由表3-17可见，澳大利亚教育研究委员会逐渐从政府中独立出来，设立协会并在世界各地设立办公室，逐渐把业务范围从国内扩展到全球，积极参与全球教育治理。

（二）使命、目标和价值取向

澳大利亚教育研究委员会的使命是创造和推广基于研究的知识、产品和服务，以促进人的终身学习。[①]其目标是重点支持学习者和专业人员学习，支持那些维持教育机构和系统运转的人员，支持学习社会。具体分为四个层面：一是学习者和他们的需求。每一个学习者能致力于寻找适合他们的基础和需求、具有挑战性的学习机会。二是专业学习。每一个专业学习人员都具备高超的技能、知识并进行优秀实践。三是学习场所。每一个学习社区都有好的资源和热情致力于为所有的学习者改善学习结果。四是学习型社会。在学习型社会，每个学习者都能体验成功并有机会实现他们的潜能。澳大利

① Mission，goals and values，https://www. acer. edu. au/about-us/corporate-profile/mission-goals-and-values，2016-07-17.

亚教育研究委员会的目标围绕学习者、学习场所、学习型社会几个方面来阐释，从个人到社会，从普通学习到专业学习，学习环境和场所都有涉及，可以说全面涵盖了实现终身教育的因素，与联合国教科文组织终身学习研究所所倡导的理念与目标有共通之处。

澳大利亚教育研究委员会的价值取向是追求高标准的质量和公平。具体为：一是知识专业化。创造高质量、创新研究和基于研究的服务和资源，以改善学习。二是倡导创新。用创新、灵活和大胆的方法开发知识、服务和资源。三是保持独立性。通过研究提供建议和评论，树立公信力、不结盟。在响应性上，预测、理解、满足并超越客户和顾客的期望。四是进行反思和改进。自我反思、倾听和学习其他人，以改进工作质量、效率和生产率。五是构建积极的人际关系。创建一个相互尊重、公平、开放和支持身体和情感健康的组织环境。六是帮助个人取得成就。鼓励个人贡献、获得成功和追求卓越。

（三）人员与组织结构

澳大利亚教育研究委员会设有理事会，现有主席1人，副主席1人，成员7人，共9人组成。

表3-18　澳大利亚教育研究委员会理事会成员名单①

序号	姓名	职位	背景
1	Tony Cook PSM	成员	昆士兰科技大学教育学士；教育部儿童、青年和学校分部副部长
2	Robyn Baker ONZM	副主席	获地中海维多利亚大学、克赖斯特彻奇教育学院、奥塔哥大学理学学士学位，教育顾问
3	Brian Croke	成员	牛津大学博士，新南威尔士天主教教育委员会，执行董事
4	Anthony Mackay AM	主席	获莫纳什大学教育学学士学位、伦敦大学教育硕士学位，教育战略中心执行董事

① 根据网站内容整理：ACER Council & Directors，https://www. acer. edu. au/about-us/corporate-profile/acer-council，2016-07-17.

续表

序号	姓名	职位	背景
5	Geoff Masters AO	成员	教授，获芝加哥大学博士学位，澳大利亚教育研究委员会首席执行官
6	Paige Porter	成员	获密苏里州大学学士学位、斯坦福大学博士学位，西澳大利亚大学名誉教授
7	Prue Anderson	成员	获莫纳什大学学士学位，拉筹伯大学教育学士学位，澳大利亚教育研究委员会首席研究员
8	Sandra Milligan	成员	获西澳大利亚大学教育学硕士、理学学士、教育学学士学位，Carnival 学习有限公司总经理
9	Jim Watterston	成员	地中海大学教育博士，昆士兰政府教育和培训部总干事

从上表可见，理事会成员来自不同部门，有政府、大学、公司等，均有良好的教育经历，具备多学位、多学历，毕业于不同国家的知名大学，学位结构合理，还有侧重实践的教育硕士和教育博士。从这个层面来看，它能保证澳大利亚教育研究委员会的教育研究决策和规划做到高质量、高公平性。

澳大利亚教育研究委员会现任首席执行官乔弗·马斯特斯教授，自1998年以来，一直担任该职，曾担任亚太地区教育研究协会创会主席、经合组织国际学生测评项目技术咨询委员会主席，并在澳大利亚各州开展教育研究，他负责开发的国立学校改进策略在2012年被教育部门采纳。至今，乔弗·马斯特斯已经撰写26篇研究报告[①]，其中很多报告被直接采纳或间接影响了政策制定与实施。澳大利亚教育研究委员会现有400多名工作人员，分布于墨尔本、阿德莱德、布里斯班、迪拜、雅加达、伦敦、新德里、珀斯和悉尼。研究人员实现了全球化布局，这为开展全球范围内的教育政策研究提供了人

① 具体参见：https://works. bepress. com/geoff_masters/#intro-text-overlay.

才基础。[①]澳大利亚教育研究委员会采取的人事制度非常灵活。“员工的聘用以合同制为主，有长期稳定的员工，也有因项目需求招聘的临时雇员和外聘的顾问、兼职人员。机构内外部有适度的岗位流动，机构内部新增岗位优先考虑内部员工，给员工尝试不同岗位的机会。”[②]澳大利亚教育研究委员会要求研究者兼具深厚的学术底蕴和丰富的实践经验，同时，它鼓励员工以各种方式积极进行专业学习，开发相关技能，致力于使职员在工作上拥有专业话语权。

（四）资金来源及财务状况

作为专业化的教育决策服务机构，其客观、公正、独立的信念来源于财务上的独立性——不接受来自政府的直接财政拨款。澳大利亚教育研究委员会财务独立的获得有一个过程。在其成立之初，曾受到卡耐基基金会的大力资助。从前文的表3-17中可以看出，从1946年起，开始接受联邦政府的财政资助，这一过程延续到2003年。随着研究功能和服务范围的扩大，澳大利亚教育研究委员会逐步实现了财务独自立。

据澳大利亚教育研究委员会2012年度财政报表统计，2011年和2012年总收入均超过240万美元。2014年收入为7 000多万美元，2015年已达7 600多万美元，2016年为7 800多万美元，收入稳中有升。总资产2014年为6 000万美元，2015年达到7 200多万美元，2016年为7 300多万美元，而2012年时，总资产只有637万美元，可见其发展之迅速。从每年公布的年度财务状况可见，作为独立的非营利性教育智库机构，澳大利亚教育研究委员会内部财务状况透明，运行良好，这就为其高质量地进行教育研究、咨询和服务提供了保障。

目前，澳大利亚教育研究委员会的资金来源主要有三部分：第一，出售产品的收入。1997年，澳大利亚教育研究委员会创立了出版公司，出版产品达4 500余种，包括各种教育学和心理学书籍、年度报告、自己编制的或译

① ACER 2014-2015 annual report， Australian Council for Educational Research （ACER）[EB/OL]. http://research. acer. edu. au/ar/，2016-07-16.

② 苏红．教育智库如何成长与发展——来自澳大利亚教育研究委员会的经验[J]．辽宁教育，2014（24）.

自英美等国的各种测验。澳大利亚教育研究委员会还开设了网上书店与在线知识库，客户可以在网上购买各种资源。第二，提供教育决策咨询服务的报酬。澳大利亚教育研究委员会服务教育决策主要是通过开展大型调查研究、教育测评、开发教育质量标准、实施学业成就测试来实现的。①它的雇主包括澳大利亚民间机构和政府机构、大学，甚至是一些国际组织，如经合组织。澳大利亚全国性学生学业成就测试就是以全国评估项目的形式委托给澳大利亚教育研究委员会的，当然要支付相应的报酬。第三，接受社会各界的捐赠。澳大利亚教育研究委员会成立了自己的基金会，接受来自慈善机构、企业和个人的捐款，并将这些捐款用于解决教育中的不利问题和开展针对弱势群体的研究项目。

（五）研究与服务领域

澳大利亚教育研究委员会主要是通过高质量的教育研究，为全球客户提供全面而客观的教育决策咨询服务。澳大利亚教育研究委员会下设四个研究中心，分别是全球教育检测中心、改革与创新评估中心、教育政策与实践中心、学习科学中心。委员会以这四个中心为基础，开展教育研究与服务。澳大利亚教育研究委员会承接国际、国内委托项目。澳大利亚教育研究委员会发布的2015—2016年度报告显示②，其承接的国际项目涉及阿拉伯联合酋长国、印度尼西亚、孟加拉、印度、马里、沙特阿拉伯、巴布亚、菲律宾、津巴布韦等国家和地区，同时也参与众多国际组织的项目，如与经合组织、世界银行、联合国儿童基金会、国际教育成就评价协会、亚洲开发银行、波士顿学院、英国文化协会等国际组织、高校等进行合作研究。目前，其研究和服务领域包括：测量与评价、学习与教学研究、教育的社会基础研究、社会服务。

1. 参与全球教育测量与评价

测量与评价的研究和服务对象主要是学校教育、高等教育与职业教育培

① 曾天山，王小飞，吴霓．澳新两国国家教育智库及其服务政府决策研究——澳大利亚、新西兰教育科研考察报告［J］. 比较教育研究，2013（8）.

② Australian Council for Educational Research （ACER）. ACER 2015-2016 Annual Report [EB/OL].[2018-03-11]. http://research. acer. edu. au/ar/19.

训机构。测评的主要类型有中小学入学测试、中小学奖学金评估、大学入学测试与奖学金评估、医学院入学考试、人力资源测评、心理测试、职业测试等。测试的项目包括跟踪监测学生的学习、读写能力，数学科学能力，逻辑能力，语言发展，健康状况等方面。[①]澳大利亚的国家评估项目是澳大利亚政府于2008年启动的全国性评价项目，由联邦政府采用招标的方式委托澳大利亚教育研究委员会和澳大利亚考试中心等机构分别承担。该项目对中小学生进行持续的跟踪评估，对各地的教育水平和发展作出定期、系统的评价。测试项目包括读写与数学、科学素养、公民意识、信息素养，目的是为教师提供学生各科知识和技能掌握水平的客观与常模参照信息，通过分析所得数据和信息，帮助教师改善教学。[②]此外，澳大利亚教育研究委员会还参与经合组织的高等教育学习成果测评项目，主要由其下设的国际化专家团体组成的教育援助委员会负责具体实施。该项目的目的是分析学生的学习成果评价以及学生的背景因素是否有助于提升学习质量。项目的测评对象是即将获得学士学位的大学生，参与其中的准毕业生们将面临两个方面的测评，即所有大学生都应该具备的“通用技能”和不同专业学生所必须掌握的“学科专业技能”[③]。目前，已经有16个国家参与到该项目的测评研究之中，该测评在国际上具有一定的影响力。

2. 学习与教学研究

澳大利亚教育研究委员会是澳大利亚全国性的教育科研机构，主要目标是开发新的知识和工具，改善学习能力。澳大利亚教育研究委员会的教学研究项目包括教育政策研究、学生进步监测、教师专业发展、学生参与、学习绩效评估、学习成果评定等。其领导机构由各州有名的教育学、心理学、教学法等专家组成，这些人又同时是各州教育研究所的领导成员，这样的人员构成有利于研究者从实践中及时发现教育问题，切实把握学生教学发展规律，并与理论进行结合，为服务对象提供行之有效的对策。专业化的教学

---

① ACER. School Tests[EB/OL].[2013-10-14]. http://www. acer. edu. au/tests/school/.

② 一帆．澳大利亚国家评估项目（NAP）［J］. 教育测量与评价：理论版，2011（8）.

③ 廖青．经合组织国际高等教育学习成果评价项目——AHELO 解析［J］. 中国高等教育评估，2012（2）.

研究在微观层面上有助于学习者改善学习方法，教学专业人员改变教学策略，提高教学质量。在宏观层面上有助于提高教育管理人员专业水平，影响教育政策的制定。2012年10月，澳大利亚教育研究委员会向国会听证会提交了一份有关教学与学习的建议——《为了使我们对中小学投资的效益最大化》。该建议以国内外研究证据为基础，建议联邦政府采取三项措施提高教育质量，提高教学与学习质量，提高中小学的成绩与福利水平。这三项措施分别是：提高教师职业地位，为教师注册设定最低成绩标准并进行认证，认可并奖励教师的专业知识与技能的发展。①2014年—2015年度报告指出，澳大利亚教育研究委员会正在进行在学习评估中应用数字技术的研究，优化课堂行为和学习资源，并帮助教育工作者识别并满足学生的需求。②数字技术在学习方面的应用研究主要包括六个领域：数字化学习评估；高等教育大数据；平板电脑应用；研究型课堂创新；自我诊断评估；数字时代的学习。在教学研究方面，2014年—2015年度报告中指出，澳大利亚教育研究委员会教学研究的重点是分析教师工作的人口学特征，告知学校领导者和决策者关于供给和需求及学校效能相关信息。具体有五个层面：教师的质量；供给和需求；教师工作规划；全球教学信息速递；印尼教师旷工情况研究。

3. 教育的社会基础研究

教育的发展从来不可能在一个孤立的环境下进行，教育决策者或研究者需要以宏观的视野审视社会的变革与挑战，在复杂多变的社会大环境下把握教育改革的方向，作出科学决断。教育研究必须将社会政治环境和文化环境考虑在内，作为一个多种族、多元文化国家，针对教育的社会基础研究显得格外重要。随着社会的发展，澳大利亚教育研究委员会的社会基础研究内容不断丰富，涉及澳大利亚幼儿福利政策、澳大利亚留学政策、原住民教育政策研究等。澳大利亚教育研究委员会宣称："我们认可传统的土地所有者，尊敬长者和过去，也承认原住民和托雷斯海峡岛民，他们对我们关于提高土

① 唐科莉．为了使我们对中小学投资的效益最大化——澳大利亚教育研究委员会对提高教师质量的建议［J］．基础教育参考，2013（9）．

② DIGITAL TECHNOLOGIES，ACER 2014–2015 annual report[EB/OL].[2016–07–16]. http://research. acer. edu. au/ar.

著居民的学习的研究和发展作出了持续而巨大的贡献。”①澳大利亚教育研究委员会认为，提高少数民族或土著民族、弱势群体学生的学业成就，是弥补政治性多元文化教育项目缺陷、促进多元文化融合和教育公平的重要手段。为此，澳大利亚教育研究委员会采取了一系列针对少数民族的措施：建立多元文化专项发展计划，促进多语言文化教育；分权管理课程，促进少数民族教育资源多样化；缩小学业成就差距，重点提高少数民族与弱势群体教育质量。针对澳大利亚土著人和托雷斯海峡岛民儿童，澳大利亚教育研究委员会专门设立了原住民教育研究数据库，为所有学习者和学习社区提供最新教育资源。它还开展了一项关于早期教育的研究项目——“通过电视提升土著儿童入学准备计划”，帮助土著儿童提高入学准备能力，为他们在未来教育中获得成功奠定基础。

4. 参与社会服务

作为一个非营利性教育研究与咨询服务机构，澳大利亚教育研究委员会除了提供有偿教育决策服务和相关产品，以获取收入维持正常运营之外，还免费为公众提供教育公共资源，比如建立了大量的图书馆组织，提供数量庞大的图书资料和数字资源，实现信息资源的共享。ACEReSearch是澳大利亚教育研究委员会设立的在线知识库，由坎宁安图书馆负责维护，里面包含澳大利亚教育研究委员会大量的研究报告、工作文件、会议文件、出版物、同行评议系列期刊、澳大利亚教育研究委员会人员档案、画廊（包含建筑、历史人物等图片），用户可以免费浏览、下载。此外，澳大利亚教育研究委员会通过举办年会、研究性课程以及针对教师与学校管理者以开设讲习班的方式向社会提供教育培训。澳大利亚教育研究委员会基金会还为慈善机构、教育者和社区提供免费和专业的建议和咨询服务，并设立了国际学生专项奖学金，为那些愿意在澳大利亚获取本科商业学位的国际学生提供资助，考试成绩最优异者将获得价值50 000澳元的奖学金。

---

① ACER. Indigenous Education：Statement of Commitment.［EB/OL］. 2013-10-14. http://www.acer. edu. au/indigenous.

二、特征及启示

为进一步获取公众支持，扩大影响力，澳大利亚教育研究委员会积极拓展多样化的运营方式，这首先表现在政府与决策者层面，通过委员会成员在政府部门任职、参与政府咨询、参加学术会议、参与政府决策研究项目等途径扩大对政府部门的影响；其次表现在社会和大众舆论层面，通过发行学术出版物、召开会议、举办讲座与利用大众传媒等方式扩大其公众影响力。[①]在其运营的过程中，体现出如下特征：

（一）机构运作保持独立性

智库的重要特征之一是独立性。兰德公司、布鲁金斯学会等国际顶尖智库都以保持独立性作为其发展的基础保障。从澳大利亚教育研究委员会的发展历程来看，从依靠卡耐基基金会资助，到接受政府拨款，直到最后实现完全财务独立，经历了一个漫长的过程。财务的独立保证了其立场的中立性，澳大利亚教育研究委员会通过出售高标准的教育测评与咨询服务维持机构的正常运营。另外，它有自己的董事会负责运作，因此得以独立于政府而存在。澳大利亚教育研究委员会研究项目的开展不受澳大利亚联邦政府干涉，不受教育系统内部与各个利益团体的干涉，服从市场和客户的要求，并积极吸纳各种社会力量参与教育决策研究，受到了政府与舆论界的双重认可。当然，财务独立是教育智库独立的前提，但也没有绝对意义上独立的智库，做到立场的绝对客观中立基本不可能，教育智库总是在一定程度上偏向于某个国家、组织和团体的价值立场。保持教育智库独立性和客观性，就需要研究教育领域存在的真问题，以实证研究为基础，在证据充足的前提下，收集汇总数据、信息，以此得出严谨客观的结论，这才是教育智库保持独立性的核心和根本。

（二）为全球教育领域提供高标准服务

想要成为知名的教育智库，仅有丰富的资源、闪亮的名头是不够的，拿

---

① 郝时远．中国智库在全球智库排名中的启示（三）［N］．中国社会科学报，2013-10-09．

出有影响力和前瞻性的政策建议才是一个教育智库的核心竞争力。[①]澳大利亚教育研究委员会的专业性体现在多个方面，如专业的人员构成、研究领域等。作为一流的教育研究机构，其作用就是向教育部门提出改革框架或者批评建议。由澳大利亚教育研究委员会开发的“国家学校改进策略”，2012年已被澳大利亚教育部门采纳，从2013年起，它作为学校改进计划在全澳中小学校开展。“国家学校改进策略”包含九个相互联系的维度：明确的改进议程，数据的分析与讨论，促进学习的氛围，有针对性地使用学校资源，专业的教学团队，系统的课程传递，差异化的教学和学习，有效的教学实践，家校合作。该策略的核心特征之一是设置了不同的操作水平，使学校明确哪里需要改进以及如何设置目标和设计改进策略，并随时监测学校的改进状况。[②]澳大利亚教育研究委员会秉持专业知识、创新、自主、诚信、回应、反思与改进、积极的关系、成就感八大信念为顾客提供服务。与此同时，它还追求高标准的学术成就及品质，目标是成为世界级教育研究中心。研究的高质量，为服务的专业化提供了重要基础和保障。

（三）国际合作与交流广泛

澳大利亚教育研究委员会将自己融入到不断变化发展的国际环境之中，它利用英语国家优势，在东南亚、中东、非洲等地建立了分支机构，为这里的发展中国家提供教育测量与诊断，不断提高教育研究的国际化服务水平。它还与各国的教育部门和大学展开教育合作研究，并承接来自国际顾客的教育决策服务委托。它积极参与经合组织PISA项目，并与密歇根州立大学联合国际教育成就评价协会开展教师教育发展研究，同时，澳大利亚教育研究委员会还是研究国际公民与公民教育的一个国际研究中心分支机构。澳大利亚教育研究委员会2014年—2015年度报告显示，委员会承担了大量世界各国与国际组织的委托项目，如阿布扎比教育委员会的“大学教育学习结果评估”，阿富汗教育部的“阿富汗教育发展监测”，新加坡亚太经合组织秘书处的“在亚太经合组织地区加强提供跨境教育”，波士顿大学、经合组织、

---

① 黄忠敬．美国教育的“智库”及其影响力［J］．教育理论与实践，2009（5）．

② ACER. National School Improvement Tool. http://www. acer. edu. au/document/NSIT. pdf.

世界银行等的委托项目。可见，澳大利亚教育研究委员会的研究与服务国际化程度非常高，也说明了其研究和服务得到国际社会的广泛认可。

国际知名教育智库普遍重视国际合作。同美国布鲁金斯学会在中国建立“清华—布鲁金斯公共政策研究中心”一样，澳大利亚教育研究委员会也与中国建立了教育科研合作关系，2012年10月，中国教育科学研究院副院长曾天山与该院首席执行官乔弗·马斯特斯签署了《中国教育科学研究院—澳大利亚国家教育研究委员会合作谅解备忘录》。双方就大型调研方法、教育质量标准、留学生等领域的有关问题进行了深入交流，并就未来的交流合作进行了探讨。①

（四）研究过程注重延续性和可回溯性

在开展研究项目时，澳大利亚教育研究委员会制定了时间框架，但是很多的研究数据并不是短期可以获得的，需要长期的监测才能作出科学的预测，因此，其研究过程注重延续，以保证研究的客观性。澳大利亚教育研究委员会强调追踪调查，并定时对公众发布研究进程，吸收合理的建议和反馈，对研究进行修正和完善。比如澳大利亚教育研究委员会在了解学生对自己的“大学经历”的满意程度时，创新性地采取了长期跟踪的方法对学生在读期间的“课程”和“校园生活”的参与程度进行了调查。②由澳大利亚教育研究委员会和澳大利亚考试中心共同负责的澳大利亚的国家评估项目，通过对中小学生学习成绩持续的跟踪调查，对全澳各地的教育水平和发展作出定期、系统的评价，为构建国家教育质量标准框架提供参考。

（五）注重专业化发展，广泛吸纳全球人才

近年来，澳大利亚教育质量和国际竞争力不断增强，吸引了大量海内外留学生。据统计，2011年留学生人数占其高等教育学生总数的19.8%，位居世界第一。③高水平教育成就的取得离不开像澳大利亚教育研究委员会这样的专业教育智库。在“专业化”发展理念的指导下，澳大利亚教育研究委员

① 中国教育科学研究院．曾天山副院长率团访问澳大利亚、新西兰[EB/OL].[2013-10-14]. http://www. nies. net. cn.

② 耿会芬．澳大利亚用“参与程度”衡量学生满意度［J]. 比较教育研究，2008（2）.

③ 王辉耀，苗绿．中国留学发展报告（2013）［M]. 北京：社会科学文献出版社，2013.

会为教育改革和决策提供高水准服务。首先，澳大利亚教育研究委员会注重吸纳不同国家学有专攻、不同学科的专业研究人员，组建跨学科研究团队联合攻关，且以各种方式促进研究人员的专业发展；其次，澳大利亚教育研究委员会要求研究者兼具深厚的学术底蕴和相关专业领域的工作经验，招聘具有教育行政部门实践经历的人员承担研究任务；再次，澳大利亚教育研究委员会采用理事会负责制的专业治理机制，保证了整个机构的高效运转。正是这种专业化发展信念和专业化管理，推动澳大利亚教育研究委员会逐步发展成为世界级教育智库，为世界范围内的国家和地区提供高水准的教育研究服务。

第七节　日本国立教育政策研究所对全球教育治理的参与

一、日本国立教育政策研究所概况

（一）创立与发展

日本国立教育政策研究所（National Institute for Educational Policy Research，简称“NIER”）是日本国家级教育政策研究机构。在《2015年全球智库报告》[①]中，日本国立教育政策研究所在“顶级教育政策智库”中排名第4，仅次于美国城市研究所、布鲁金斯学会、卡托研究所，在《2017年全球智库报告》[②]与《2018年全球智库报告》中，其排名跃升为第1名，可见其发展势头强劲，在教育政策领域的影响力很大。

日本国立教育政策研究所的前身是1932年成立的国民精神文化研习所；1945年改为教育研修所；1949年6月改为国立教育研究所，“属文部省管辖，

① James G.McGann. 2015 Global Go To Think Tank Index Report[EB/OL].2016-07-18. http://repository. upenn. edu/think_tanks/10/.

② James G. McGann. 2017 Global Go To Think Tank Index Report［EB/OL］. 2018-06-26. https://repository. upenn. edu/think_tanks/13/.

经费全部由国库支出，但它不是文部省的一个行政机关。而是同国立大学一样，依据委托的任务独立地进行‘有关教育的实际的、基础的研究调查’，主要进行教育方面的基础和实践调查研究；2001年1月，日本中央政府重组后，研究所也被重组，重组成为一个全面的政策研究机构，命名为‘国立教育政策研究所’”[①]。重组更名的目的是为了让研究所作为研究组织的角色和特点更明确，更好地促进和改善教育政策的制定与规划。

表 3-19　日本国立教育政策研究所历史沿革表[②]

时间	事项
2016 年初	成立幼儿教育研究中心
2008 年 1 月	搬到当前地址（霞关、 千代田区、东京）
2006 年 4 月	制定中期目标，课程研究中心成立学术能力调查小组
2004 年 4 月	成立教育设施研究中心
2001 年 4 月	成立教育社会实践研究中心，重组教育资源研究中心
2001 年 1 月	依照政府部门的重组情况进行调整和重组，并更名为国立教育政策研究所，课程研究中心、心理辅导和咨询研究中心成立
1989 年 5 月	调整和重组研究中心
1987 年 5 月	建立教育信息中心
1972 年 5 月	建立科学教育与研究中心
1949 年 6 月	成立国立教育研究所

（二）人员与组织结构

目前，日本国立教育政策研究所有所长1人，副所长1人，研究官56人，调查员53人，事务职员29人，总计140人，现任所长为有松育子。[③]日本国立教育政策研究所“根据《文部省设置法》，设有评议委员会。该委员会审

① Overview of the National Institute for Educational Policy Research，http://www. nier. go. jp/English/aboutus/menu_2. html，2016-07-14.

② 内容来源：日本国立教育政策研究所网站。

③ 定員. http://www. nier. go. jp/03_laboratory/03_enkaku. html，2018-03-20.

议研究所的工作计划、经费预算、人事调动以及其他重要事项，并协助所长开展工作，在所长缺额时，有责任向文部大臣推荐所长候选人。评议委员会成员定为16人，是研究所的权力机构”①。所长负责研究所的全面工作，副所长协助所长处理内部事务，研究官和调查员从事项目的具体教育政策研究和实证调查工作，一般性事务职员负责处理研究所日常运行中的综合性事务。从人员构成上看，研究所的调查员基本与研究人员数量持平，且两者在研究所的总体人员构成中占绝对比重，可见其研究与实证调查并重的取向，以此满足政府部门对教育政策需要的及时性及可操作性。

表 3-20　日本国立教育政策研究所现任评议员（名单截至 2018 年 1 月 1 日）②

姓名	来源
秋山美栄子	武藏野市教育委员会指导科长
石田浩	东京大学社会科学研究所教授
漆紫穗子	品川女子学院理事长
大竹文雄	大阪大学社会经济研究所教授
小川正人	放送大学教育学院教授，东京大学名誉教授
坂越正树	广岛大学大学院教育学研究科教授
穴户和成	独立行政法人、国立特别支援教育综合研究所理事长
铃木真理	青山学院大学教育科学学院教授
铃木美雪	独立行政法人、国立青少年教育振兴机构理事长
直田益明	全日本中学校长会会长、东京都世田谷区立恭花中学校长
根本厚	千叶市教育中心所长
川松禮子	岐阜县教育委员会教育部长
无藤隆	白梅学園大学儿童学院教授兼儿童学研究科组长

① 苏真．日本国立教育研究所简介［J］．外国教育动态，1980（5）．

② 評議員. http://www.nier.go.jp/03_laboratory/03_enkaku.html，2018-03-20.

续表

姓名	来源
室伏广治子	女子大学校长
吉田文	早稻田大学教育・综合科学学术院教授
若江真纪	（株）职业代表理事

从上表可以看出，日本国立教育政策研究所的评议员来源广泛，有小学、大学的官员，教授，研究人员，还有独立行政法人，涵盖学科多样化，能为研究所的教育政策研究提供全面多样化的评议工作，保障研究所的政策研究质量和实践性品质。与2016年名单相比，近一半评议员做了更新，这也是保障评议工作客观公正的基础。

“组织结构上，废除了原教育研究所以各个领域的研究为独立单位的研究室制度，改为以项目研究为核心的研究部制，以此灵活地应对教育行政上的各种问题。同时，将原文部省教育课程行政和学生指导行政的基础性业务进行精选，一部分工作移交给国立教育政策研究所，与原国立教育研究所的部分组织（如教育经营、教育指导、学科教育研究的各个研究室）合并重组，设置了新的教育课程研究中心和学生指导研究中心。”[①]2001年，日本国立教育政策研究所还成立了课程研究中心、心理辅导和咨询研究中心，目的是为了与政府合作进行更专业的调查研究，同时加强研究所对政府决策的支持和咨询建议功能。从日本国立教育政策研究所的发展沿革来看，研究所在不断地根据社会发展的需求作出调整和改组，包括成立各种研究中心、更名、与政府建立合作关系等，展现出极强的适应性和自我发展能力，越来越体现出作为日本国家级教育智库的功能、作用和地位。

① 王晓燕．日本国家级教育政策研究机构的改革与职能定位——基于日本国立教育政策研究所的分析［J］．教育研究，2011（7）．

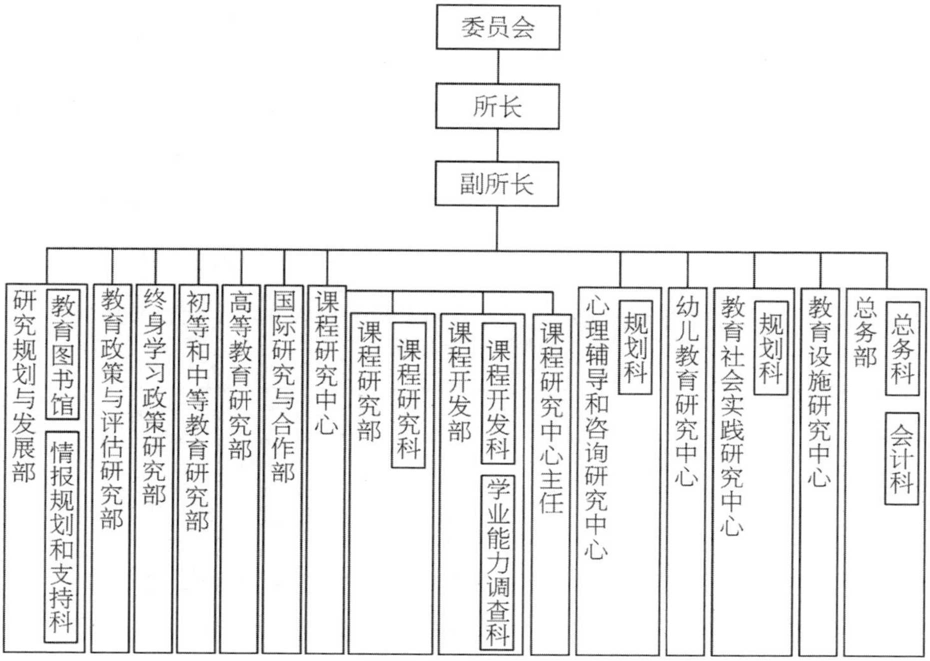

图 3-4 日本国立教育政策研究所组织结构图

表 3-21 日本国立教育政策研究所年度预算（2015—2019）① （单位：千日元）

事项	2019 年度	2018 年度	2017 年度	2016 年度	2015 年度
调查研究事业等经费	1 492 080	1 518 504	1 583 754	1 552 121	1 750 568
人工费	1 406 497	1 434 663	1 405 674	1 408 189	1 407 077
管理运营费	240 793	241 576	264 662	270 163	283 270
合计	3 139 370	3 194 743	3 254 090	3 230 473	3 440 915

从上表可以看出，日本国立教育政策研究所年度预算包含调查研究事业

① 組織. http://www. nier. go. jp/03_laboratory/03_enkaku. html，2019-08-14.

等经费、人工费、管理运营费三项，以2016年为例，其中，调查研究事业等经费占预算总经费的47%，人工费占预算总经费的45%，管理运营费只占8%。2017年度预算与2016年度持平，略有上升。2017年度预算按2018年3月20日的汇率计算，折合人民币约为1.9亿人民币。2018、2019年度预算与前几年相比略有下降，但总体保持平衡。可见，研究所的开支主要投向调查研究事业和人力劳务支出。从经费使用倾向，可以看出研究所的工作重心所在。

表3-22　日本国立教育政策研究所年度科学研究经费补助（2014—2015）[①]（单位：千日元）

事项	2015年度		2014年度	
科学研究经费	46件	103 700	48件	137 260
	（交付决定次数、金额）		（交付决定次数、金额）	

从上表可以看出，日本国立教育政策研究所在对外提供教育政策研究服务方面，也获得了经费补助，体现出其作为教育智库的政策咨询与服务功能。

（三）使命与职能

1. 日本国立教育政策研究所的使命

日本国立教育政策研究所是日本教育政策综合研究机构，负责收集和分析学术研究数据，并根据数据规划和设计教育政策。此外，研究所还在国际社会中代表日本，为日本机构和实体提供教育方面的建议、支持和信息。

2. 日本国立教育政策研究所的职能

日本国立教育政策研究所通过制定中期目标和年度目标来行使其职能。“研究所及其下属各部门被赋予5项职能：准确、恰当、迅速应对教育行政领域的诸多课题；回应教育基层实践的要求，进行全面综合的调查研究；向教育部门提供教育研究情报；开展教育领域的国际性研究；推进与地方政府的教育研究所或研究中心的合作研究。”[②]2006年4月，研究所制定了中

① 組織. http://www.nier.go.jp/03_laboratory/03_enkaku.html，2019-08-14.

② 侯定凯．日本全国教育政策研究所终身学习政策研究部的主要职能与研究项目［J］．世界教育信息，2015（10）．

期目标，依据目标确定任务。研究所中期目标确定的任务：一是通过科学调查，分析和预测全球教育发展趋势，为日本未来规划和设计中、长期教育战略政策提供依据。二是为解决紧急的政治问题，对当前形势和社会背景进行科学的调查和分析，研究结果应用于规划和设计教育政策，灵活地满足社会需求。三是在必要时对社会和学校教育活动给予帮助、支持和建议。四是收集、编译和存储教育信息、数据和文档，利益相关各方在日本和海外均可使用。五是为在日本和海外的机构开展教育研究，收集知识、促进信息共享，通过实施国际教育合作、举行会议、进行联合研究来实现。

3. 日本国立教育政策研究所活动特点

（1）积极开展教育规划和政策设计的基础研究，注重广泛深入的国际合作

日本国立教育政策研究所积极开展教育规划和政策设计的基础研究，以及各种各样的联合研究和活动。研究所进行广泛的国际合作，包括研究人员之间与研究项目之间的国际合作。研究所作为日本的代表与联合国教科文组织合作举办国际研讨会，与亚洲太平洋经济合作组织、经济合作与发展组织联合进行PISA项目研究和教师教学国际能力调查、国际成人能力评估，并编写了《成人技能的国际比较——经合组织国际成人能力调查报告书》[①]。研究所与国际教育成就评价协会合作开展国际数学与科学测试，每隔四年一次，已连续6次，包括1995年、1999年、2003年、2007年、2011年、2015年负责在日本开展的测试工作。研究所还与韩国教育课程评价院开展联合研究等。这些研究活动表明日本国立教育政策研究所积极主动参与全球教育治理，且起步较早，也说明其国际化进程走在前列。

（2）广泛进行项目开发和联合研究

研究所在项目开发和联合研究方面，主要进行三方面的工作。第一，研究所与日本文部科学省进行合作，开展全国性调查项目“国家学术能力评估”，以确保义务教育的机会平等和教育的标准化水平。此外，根据国家课

① 国際成人力調査（PIAAC），http://www. nier. go. jp/04_kenkyu_annai/div03-shogai-piaac-pamph. html，2018-03-19.

程指南，引导“课程学习执行状况调查”和“指定实验学校项目”进入课程实施的循环状态，促进课程指南的改善。第二，为了提高社会教育领导者的质量，激发社会教育的活力，如社区学习等，研究所与文部科学省联合开展项目。第三，研究所与国家联合会教育政策研究所（该所由地方政府、私人机构和教育中心组成）举行联合研究和研讨会，研究学校所面临的挑战。

二、研究领域

（一）教育管理和财政研究

1. 教育效果研究（2015—2017）

该项目由研究规划与发展部主任TAGUCHI Shigenori主持，旨在为决策提供基础数据。在对日本内部和外部以往有关教育效果实证研究资料的搜集和分类的基础上，该项目进行一项新的研究，分析国内现有的数据，如政府调查、国家学术能力评估、课程实施调查、中年和老年人纵向调查等。此外，项目尝试进行一项纵向调查，即测量日本学前教育效果，并验证其可行性。该项目实证研究的成果，会逐步公布在研究所网站上。该项目2016年4月在日本的七市展开。

2. 地方教育管理专业化和多样化研究：区域振兴和教育管理（2016—2018）

该项目由教育政策与评估研究部主任WATANABE Keiko主持。该项目通过一系列措施的实施来影响地方政府的教育管理，如过渡到一个新的教育系统委员会，与分权化改革、区域振兴和社会人口减少相对应。本研究旨在通过核实日本地方政府教育管理的现实和挑战，以及分权改革和新的教育系统委员会的效果和影响，获得全面的认知，帮助地方政府规划教育管理对策。2016年，该项目对日本教育委员会和地方政府行政长官进行有效合作和协调的案例进行研究，分析影响因素，并把这些因素与其他国家进行比较，核验教职员人事工作的多样化，分析学校合并或关闭对该地区的影响，分析源于地方政府的高等教育措施的影响（如大学地理位置对学生的影响）。

（二）初等和中等教育研究

1. 课程开发能力研究（2014—2016）

该项目由课程研究中心主任UMEZAWA Atsushi主持。本研究旨在通过验证目标、内容、教学方法和评价，为培养课程开发能力提供综合全面的见解。项目仔细检查教学方法和学习活动，评估由日本中央教育委员会审议的培养能力的各种支持措施。2015年，项目调查了日本国内和国际学习活动实施情况，考察了其他国家的发展趋势，并收集了相关信息，尤其是科学和社会研究方面的信息。项目组编译了一份关于其他国家学习活动的趋势和实践的中期报告。此外，项目组还准备了有关其他国家课程和学习活动的三份报告，分别是第2卷“总体趋势”，第3卷“科学”，第4卷“信息通信技术素养理论研究”。2016年，项目继续提供研究数据，以帮助日本中央教育委员会未来政策制定的审议，项目特别关注并继续开展以下工作：进行学习活动和评价的理论研究；比较国外能力评估案例；搜集、分析和研究教学方法案例，评估学校培养能力的实践研究。

2. 非认知（社会情感）能力开发和科学评价方法研究（2015—2016）

该项目由东京大学研究生教育教授、高级访问学者ENDO Toshihiko主持。本研究旨在揭示非认知能力尤其是社会情感的发展。项目研究社会情感能力在人生每个阶段发展的具体内容，研究科学测量和描述社会情感能力的方法。通过获取自日本内部和外部的研究信息和数据，可以认识到有效的因素和环境支持促进非认知能力的发展。项目的目标是通过对社会情感能力进行有意义的讨论以获得可行的观点，澄清日本的问题，并进行研究设计。2016年，项目组研究社会情感能力的每个发展阶段，列出从婴儿期到青春期促进社会情感能力发展的递进过程。同时，项目组通过实验和调查，测量婴儿、幼儿、小学生和其他学生的社会情感能力，为了获取日本国内社会情感能力的知识、信息和数据，项目组进行小规模实验和收集分析原始数据。

3. 研究全国学业能力评估结果（2015—2016）

该项目由课程研究中心主任UMEZAWA Atsushi负责。基于国家学业能力评估的结果，项目组的目标是开发利用数据的方法，通过对近些年二级数据的分析阐明见解 （包括实现了高成就学校实施的具体倡议）。

4. 小学英语教育研究（2015—2016）

该项目由国际研究与合作部主任ONO Akiko负责。项目组从日本学校中寻找发展的方法，如通过对实验学校和课程异常学校小学低年级英语课程的调查，发现在小学英语教育中存在作为学校学科（与学生表现评估有关）或者作为外语活动（与学生表现评估无关）两种情况。项目组从三个角度进行了分析：教育目标、教学方法、评价。同时，对问题进行分类和分析，通过案例提供对日本小学外语教育有用的信息，如小学外语教育的目标、教学方法、小学和初中学校之间的合作评价等。2016年，项目组进行听力调查，同时研究其他国家外语教育的情况以深化分析。开展针对日本实验学校和课程异常学校管理员、教师、学生的问卷调查，为教育委员会寻找改进的方法。

5. 从幼儿园到初等教育过渡期间的成长、学习和幼儿教育、护理质量研究（2015—2016）

该项目由幼儿教育研究中心主任TAGUCHI Shigenori负责。从幼儿园过渡到学校教育和幼儿教育与护理质量一直被认为是全球性的重要问题。研究旨在为儿童在过渡时期的成长和学习提供信息，尤其是可以为幼儿园学习课程的修订提供帮助。同时，该研究可以获得有关幼儿的教育和护理质量评价的基本见解，这将有助于未来的研究纵向覆盖早期幼儿和后期儿童。该项目试图找出儿童在过渡时期社会情感技能学习增长的方法，开发适合这一时期的课程；通过测试获得幼儿教育和护理质量的发展评价指标，这些指标可以应用于中心的在职培训。2016年，项目组对2015年幼儿园调查结果进行分析，并进行一年级的后续调查。

（三）教师教育研究

1. 培训、人员分配和教师发展学生能力继续教育综合研究（2015—2016）

该项目由初等和中等教育研究部主任OSUGI Akihide负责。该项目的研究目的是：运用综合方法（培训和继续教育）提高教师整个教学生涯的教学能力，从而使教师掌握提高学生资格和能力的方法；运用措施（人员分配和管理）使教师和其他专业人员发挥专长，包括让整个学校组织作为一个团队积极有效地开展工作；还可以为教育政策制定获得基础数据。

2. 教师和班级规模分配实证研究（2016—2018）

该项目由研究规划与发展部主任TAGUCHI Shigenori负责。要保证学生能力的发展，必须研究班级规模、教师分配和教学方法的影响。此外，学校所面临的问题，如欺凌、缺席和贫困等，让教师的任务变得越来越复杂和多样化。考虑到这种情况，利用地方学业能力评估数据，实地测试教师和班级规模对学生学业能力和非认知能力的影响，同时，关注教师对学生的额外支持对问题行为（如缺席）的缓解效果。研究也为教育政策制定提供基础数据。

3. 利用在大学期间的教师培训课程培养教师信息通信技术技能研究

该项目由研究规划与发展部高级研究员YOSHIOKA Ryoei负责。在每个学校交互白板的普及和有关数字教科书的前瞻性讨论背景下，调查研究培养教师信息通信技术技能对教师来说显得非常重要。在研究中，项目组进行问卷调查和听证调查，主要针对日本提供教师培训课程的大学和地方政府教育委员会，还对海外积极进行教师信息通信技术技能培养的大学进行听证调查。此外，项目组计划建立一个研究合作者委员会，主要由日本大学教授构成，旨在检测培养信息通信技术技能所使用的教学内容和方法，并建立在大学期间的教师培训课程指南。

（四）高等教育研究

支持学生成长的教学和学习环境研究（2016—2017）。项目由高等教育研究部主任FUKAHORI Satoko负责。该研究是一个实证研究，旨在揭示大学学习成果与教学和学习环境之间的关系。在全国性调查数据的分析和案例研究基础之上，研究教学和学习环境是否与下面几个方面相关：机构全球化策略；大学教学与学习内容和方法改革；学生多样化、招生规模、班级规模与广义的作为学生成长指标的学习结果的关系；知识和技能成就、学习时间和学生满意度、公民参与能力发展、延期和毕业率。2016年，研究活动包括文献综述、访谈、分析现有调查数据。

三、研究数据库建设

日本国立教育政策研究所的研究项目最后取得的研究成果、数据、资料都会放到数据库中进行共享。研究所建立了研究数据库，数据库包括研究成果检索，教育相关内容检索，学术论文、教育实践研究检索，图书馆资料检索四部分内容。

表 3-23　日本国立教育政策研究所研究数据库内容[①]

数据库类别	主要栏目或内容	备注
研究成果检索	研究成果备份，包含纪要 223 件，研究成果报告书 1 365 件	
教育相关内容检索	教育信息共享门户网站、灾区学校运营支持网站、学习指导纲要数据库、地方教育中心等的教职员进修讲座、初等中等教育诸学校的教育实践研究主题、高中入学考试问题	
学术论文、教育实践研究检索	教育研究论文索引，教育研究所、教育中心刊行论文，教育学关系博士、硕士学位论文题目，全国中小学研究纪要（学习指导案）	部分正文可以浏览
图书馆资料检索	图书搜索（Web OPAC）、教育研究论文索引	教育图书馆收藏的资料（图书、教材、教育相关论文在内）能够检索

四、启示

（一）注重实证研究，符合国际主流研究趋势

纵观日本国立教育政策研究所目前的在研项目，都倡导实证研究，注重从调查、数据收集中寻找到解决问题的证据和方法。教育效果研究、非认知

① 根据日本国立教育政策研究所网站“検索・閲覧”内容整理 . http://www. nier. go. jp/contentsearch/index. html，2016-07-15.

（社会情感）能力开发和科学评价方法研究、从幼儿园到初等教育过渡期间的成长、学习和幼儿教育、护理质量研究、教师和班级规模分配实证研究、支持学生成长的教学和学习环境研究都明确提出运用实证研究、调查、数据收集、分析等方法。与此类似的是美国兰德公司教育研究部、布鲁金斯学会布朗教育政策研究中心。可见，实证研究在当前教育政策问题研究的方法中，居于主要位置，也是发现问题、分析问题、解决问题的重要步骤和策略。

（二）注重国家级机构与地方政府、国际间的交流与合作，积极参与全球教育治理

日本国立教育政策研究所的很多研究项目都与地方政府有直接关联和合作。研究所的众多项目均是为解决日本国内教育问题而设，基本都与地方政府部门有关，研究所积极与地方政府部门合作，进行调查和数据收集，最终，研究成果数据全国共享。此外，日本国立教育政策研究所被日本政府赋予对外代表日本的权利，可以代表日本政府表达教育政策方面的立场，这也给研究所搭建了开展国际交流与合作的良好平台。因此，研究所的许多项目均提到与国外、国际机构的合作事宜，关注其他国家研究同类问题的趋势。研究所与联合国教科文组织、亚洲太平洋经济合作组织、经合组织联合进行PISA项目研究、教师教学国际调查、国际成人能力评估，与国际教育成就评价协会开展国际数学与科学测试的合作，与欧洲、英国、韩国等地区和国家开展联合研究。这些都表明日本国立教育政策研究所既扎根日本本土实际，又具备广阔的国际视野，积极参与全球教育治理，从而保证其研究结果的客观性和前瞻性。

（三）注重信息与数据全球共享

日本国立教育政策研究所的研究项目最后取得的研究成果、数据、资料都放到数据库中进行全球共享。研究所建立了研究数据库，相关的研究成果、教育相关内容、学术论文、教育实践研究、图书馆资料等都可以进行检索。此举保障了研究的准确性和累进性，避免重复劳动，提高研究效率，值得我们思考和借鉴。

第四章　国际组织实施全球教育治理的机制与方式

在全球化进程中，世界正逐渐走向人类共同体，共同分享利益和承担风险。以智能化和数据化为基本特征的第四次工业革命推动世界融合加速的同时，也让全球面临着经济发展、环境、人道主义危机等方面日益严峻的挑战，教育问题作为其中的一个重要方面，对世界和平与人类进步发挥着日益重要的影响。由此，教育领域也越发受到国际组织的关注，它们用实际行动积极参与全球教育治理，与各国一起共同推动世界教育的发展。全球教育治理是国际社会各类行为主体，包括国际组织、民族国家、公民社会组织等，通过协商、合作、达成共识等方式参与全球教育事务，以建立或维持理想国际秩序为目的的一系列过程的总和。国际组织作为由不同国家组成又超越国家层面的机构，在国际事务中发挥着越来越重要的作用。此处主要以国际政府间组织为对象来探讨其与全球教育治理的关系。联合国教科文组织、经合组织、世行等国际组织在全球教育治理进程中扮演着不可或缺的角色，它们采取多种方式全面深度参与到教育治理之中。

第一节　搭建实施全球教育治理的平台

一、建立参与全球教育治理的职能部门

国际组织为便于参与全球教育治理，均在自己组织内部下设职能部门，以及与教育相关的各种国际工作和研究机构，作为实现其治理目标的平台。

在参与全球治理的国际组织中，联合国教科文组织最具代表性和影响力。联合国教科文组织所有成员方都建立了联合国教科文组织全国委员会，以此来加强本国政府组织和非政府组织同教科文组织的合作。同时，教科文组织教育部门在全球设有分支机构，包括45个办事处，60个研究机构，例如中国的国际农村教育与研究中心等。[①]教科文组织通过这些常驻代表团和全球分支机构间建立的多维网络关系，更好地服务于教科文组织的全球教育治理。教科文组织下设的教育规划研究所和终身学习研究所、国际教育局等部门扮演着教育智库的角色，从事全球教育政策的研究、咨询与传播，成为教科文组织教育政策知识的供给者。

教科文组织还通过一系列下设专门机构和教育中心实施其倡导的人文关怀理念。教科文组织的存在是为了创造智慧的生命，这是在所有人内心树立和平与可持续发展观念的必要条件。[②]教科文组织因此被称为联合国的“智力”机构。

经合组织主要由其下设的教育与技能局负责教育研究。教育与技能局协助各国研究并解答教育决策者和实践者面临的重要问题，教育与技能局的工作接受经合组织教育政策委员会的监督，同时接受该委员会和其他三个机构——教育研究和创新中心理事会、高等教育机构管理理事会、PISA项目管理委员会分派的任务。教育与技能局的领导机构有5人，其中主任1人，副主任1人，部门主管3人。四个职能部门是早期儿童和学校、创新和进步测量、政策建议和实施、学校外技能。这四个部门的研究领域覆盖儿童、青少年、成人三个时期，且以技能发展为主。其目的是为他们能从事更好的工作和获得更有质量的生活提供数据分析和教育政策建议。

世行不同于普通意义上的银行，具有其特殊性。它不仅提供发展援助贷款，还提供管理知识与经验、发展政策建议，秉持通过知识促进发展的理念，运用分析工具展示知识促进发展的可视化成果。依托资金和运行机制的

---

① 周一，熊建辉，张鹤．全球教育治理：联合国教科文组织的作用与中国的参与——联合国教科文组织教育助理总干事尼古拉斯·伯内特专访［J］. 世界教育信息，2009（3）.

② UNESCO. Introducing UNESCO [EB/OL].[2018-08-21]. http://en. unesco. org/about-us/introducing-unesco.

优势，世行积极开展教育领域研究，参与全球教育治理。

世行的教育政策研究及全球教育治理参与主要依托世行发展研究小组进行。据《2016年全球智库报告》①“最佳政府附属智库”排名中，世行发展研究小组位居第5名，在2017年排名中，世行发展研究小组上升为第1名。②可见，世行发展研究小组的研究实力处于世界顶尖水平。世行发展研究小组进行了许多与教育有关的研究，成为世行参与全球教育治理的平台和桥梁。

联合国教科文组织、经合组织、世行等众多国际组织建立了适应参与全球治理的组织机构及人员配置，并随着时代发展不断调整机构设置，这为它们参与全球教育治理奠定了良好的治理基础。

二、设立跨国性机构

建立跨国性机构是国际组织参与全球教育治理的关键环节。国际组织通过建立跨国性机构形成本组织的网络，为参与全球教育治理提供接入口。

联合国教科文组织在世界各国建立国家委员会，它们在联合国系统内构成了一个独特的网络。195个会员国和准会员国的委员会，成为民间社会与该组织之间的重要纽带。它们为教科文组织提供有关该组织方案的宝贵见解，并帮助开展大量的活动，包括培训方案、研究、宣传活动和媒体宣传。这些委员会还与能够提供宝贵技术专长和资金的私营部门建立伙伴关系。教科文组织同时也是联合国系统的组成部分，并与广泛的区域和国家组织开展密切合作。目前，联合国教科文组织与350多个非政府组织保持着正式关系，还与数百个非政府组织在具体项目上展开合作。可见，联合国教科文组织的合作网络遍布全球每个角落，服务范围宽广。

经合组织有36个成员方，成员方遍布全球，既包括世界上许多最先进的国家，也有新兴国家，如墨西哥、智利和土耳其。经合组织内部有250多个委员会、工作组和专家小组，其中的教育与技能局、教育创新与发展中心负

---

① James G. McGann. 2017 Global Go To Think Tank Index Report［EB/OL］［2018-08-26］. http://repository. upenn. edu/think_tanks/13/.

② World Bank. History［EB/OL］.［2018-08-25］. http://www. worldbank. org/en/about/archives/history.

责具体教育事务的研判与实施。另外，它通过PISA、教师教学国际调查等国际性测试和调查，与全球70多个国家或地区的教育主管部门建立了关系网络。

联合国儿童基金会通过在全球设立区域办事处处理区域事务。联合国儿童基金会在世界范围内设置了办事处，如东非和南部非洲、中东和北非、南亚、拉丁美洲和加勒比海地区、欧洲和中亚、西非和中非等区域都设置了办事处。许多发达国家，还有发展中国家，均在本国设立儿童基金会国家委员会（非政府组织），与联合国儿童基金会在筹资方面密切合作。

国际组织全球性网络的建立，如同一根根管道，为国际组织向全球各国和地区输送治理理念、方式和资源等提供了畅通的渠道，同时也为国际组织参与全球教育治理提供了路径支持。

第二节　提出新的教育理念，发起全球性教育运动

一、提出终身教育、全纳教育、新人文主义教育等新的教育理念

国际组织聚集了全球众多领域的专家，根据社会及人类发展的趋势，适时提出符合全人类共同利益的教育理念，为全球教育发展指明方向，以此来影响各国教育指导思想和基本政策。符合时代发展趋势的教育理念往往由多个国际组织共同倡导和推动。联合国教科文组织通过其不同时期发表的报告提出了主导全球教育价值取向的理念，其中三大报告最具代表性，即1972年的《学会生存》（《富尔报告》）、1996年的《教育——财富蕴藏其中》（《德洛尔报告》）、2015年的《反思教育：走向“全球共同利益”的理念转变？》报告。联合国教科文组织20世纪70年代提出教育民主与终身教育，20世纪90年代提出全纳教育与终身学习，21世纪初提出可持续教育和新人文主义教育，并在2015年提出教育是人类共同利益的新理念。这些理念或终将成为全球各国的共识，有力促进世界各国教育的变革与发展。

《学会生存》发布于20世纪70年代初，当时正值美苏冷战，全球教育

改革呼声高涨。该报告积极倡导教育民主，提倡教育平等。指出世界范围内存在的教育不平衡和不平等、发达国家和发展中国家之间的不平衡、国家内部受教育机会的不平等、女孩和妇女的教育问题，教育内部存在的阻碍，教育内容和方法的问题，等等。[①]报告对传统的师生关系进行了批评，指出新型师生关系应以学生的学习为主体，改变学习方式，在教育中贯彻教育民主和教育平等的理念。可见，联合国教科文组织对教育功能的认识与当时的时代背景紧密联系。

该报告提出终身教育的主张，对世界各国制定终身教育政策及开展相关活动提供了重要的思想基础，确立了终身教育在世界教育体系改革中的重要地位。

20世纪末期，全球教育价值取向再一次向前演进，从七八十年代的教育民主、终身教育推进到全纳教育和终身学习。1994年，联合国教科文组织发布《萨拉曼卡宣言》，首次明确提出“全纳教育”的概念，强调学校应接纳所有儿童，保障人人享有平等的受教育权利。而1996年发布的《教育——财富蕴藏其中》报告，则论述了教育不平等已不局限于一国内部的不平等，而是世界各国与地区间的不平等，同时还进一步关注到发达国家和发展中国家内部各社会阶层的巨大差异。报告继续倡导全纳教育的理念，关注特殊儿童的需求，强调教育对消除贫困、促进平等、维护和平的积极意义。

终身学习思想虽然起源较早，但是直到20世纪70年代才得到国际社会的重视，这与联合国教科文组织、经合组织、欧盟等的积极推动和倡导密不可分，联合国教科文组织下设的终身学习研究所作为最主要的报告拟定者，发挥着重要作用。2011年12月，终身学习研究所的高级项目专家杨进在“2011‘终身学习与学分银行建设’联合国教科文组织东亚远程教育教席系列国际研修班”上以《对非正规和无一定形式学习成果的认可、核定与认证在推进终身学习中的作用》为题作了一个报告，指出人一生大部分的知识和能力（75%—85%）实际上是通过非正规的和无一定形式的渠道来获得的，

---

① UNESCO. Learning to Be: The world of education today and tomorrow [M]. Paris: United Nations Educational, Scientific and Cultural Organization, 1972: 3-23.

因此非正规的学习和无一定形式的学习必须得到国家的鼓励和认可。终身学习已成为一些国家的基本教育政策，如法国、智利等通过立法形式认可了非正规教育、学习的形式。

2019年2月，中国颁布了《中国教育现代化2035》，该文件确定的面向教育现代化的十大战略任务之一就是“构建服务全民的终身学习体系”。可见，终身学习理念已成为各国教育政策实施的重点内容。

《反思教育：走向“全球共同利益”的理念转变？》报告于2015年11月4日在第38届联合国教科文组织大会上发布，其时恰逢联合国教科文组织成立70周年，这是面对21世纪社会的深刻变革，联合国教科文组织对世界教育作出的积极回应。

报告认为教育应注重可持续发展的理念，实现与自然、生态、经济、文化等的协调发展，还强调需要探索谋求人类福祉的其他途径与方法，其中包括承认和支持多样性的世界观、价值观和知识体系，这些都是教育可持续性发展的前提和基础。

报告重申人文主义的方法是实施教育的重要路径，这是基于知识社会背景而提出的理念。在全球教育治理中贯彻人文主义的方法，其实也是对新人文教育理念的张扬。新人文教育倡导通过提高个人选择和自我指导能力来最大限度地促进自我个性化发展。“这里的‘个性’不是心理学意义上的，而是哲学意义上的个体的人性倾向。”[①]报告指出我们必须在最新的伦理道德基础之上寻求综合化的教育方法，呼吁世界各国在教育领域应实行包容、多元、开放、平等的教育过程。在深受全球化、信息化影响的全球教育形势下，教师及其他教育工作者对培养学生的批判性思维能力、独立判断能力起着重要作用。报告还指出研究教育治理的基本原则，即应重点关注个体受教育的权利及教育公益性原则。为此，报告提出将知识和教育作为全球共同利益，世界各国均应为共同利益而努力推动本国教育发展。报告还认为学校教育和教师职业不会消亡，尽管学校面临信息、网络和数字技术的挑战，在线学习、慕课等形式发展迅猛，但学习作为一种社会经验，学校提供的合作、

① 吴刚．人文精神与新人文教育［J］．全球教育展望，2001（9）．

讨论、辩论等学习方式仍是获取知识的重要途径。教师职业在未来仍将发挥作用，教师作为向导引导学习者通过获取知识来促进进步和发展。当然，教师也是人文主义方法的主要践行者及新人文教育的具体实施者，是教育领域纠正全球化、信息技术发展对人和社会异化的主角。因此，教师职业在未来世界各国的教育政策中仍需作为优先事项。近几年，随着科技飞速发展，人类面临更多挑战。教科文组织多次发布报告或文件强调加强法治和发展人工智能与教育治理的关系，展现出对全球热点及趋势的引导能力。

联合国教科文组织与其他国际组织一起提出的教育理念紧紧跟随时代发展步伐，同时又引领世界教育潮流，不断地为世界各国教育改革及教育政策制定提供最新的知识、理念和策略。联合国教科文组织通过教育政策研究、咨询、成果传播、开展教育培训等途径，为推动世界教育发展、促进社会及人类文明进步作出了其应有的贡献。在可预见的未来，“人文关怀”仍将是世界教育价值取向的主导方向和各国教育政策制定的立足点。当然，联合国教科文组织对世界各国的教育变革及教育政策制定与实施不具有强制力，只能借助自己的这一平台进行倡议和呼吁，因此，尽管联合国教科文组织对全球教育价值取向的变革具有重大影响力，但各国在具体贯彻实施过程中，其效果大相径庭，世界各国要实现上述重大核心理念及愿景，将会是一个饱含艰辛而又充满希望的过程。

二、发起全球性教育运动，推动教育平等的实现

国际组织利用其组织网络的优势，发起全球性教育运动，推动全球教育平等的实现和世界教育的发展。全民教育运动就是在多个国际组织的发起和推动下在全球范围内施行的。1990年3月5日，在泰国宗迪恩召开的世界全民教育大会由联合国儿童基金会、联合国教科文组织、联合国开发计划署及世行主办，首次提出全民教育的目标是要满足每一个人的基本学习需要。大会通过政府代表发言和专门问题研究，就未来10年中如何动员所有国家、区域性及国际组织等各方面力量，推动世界全民教育目标的实现，进行了认真广泛的讨论，并深入探讨了教育经费、师资力量、妇女教育和必要措施等四方面的问题。

2000年，在塞内加尔的达喀尔召开的世界教育论坛提出了《达喀尔行动纲领》，授权联合国教科文组织、联合国开发计划署、联合国人口基金会、联合国儿童基金会和世行合作，推动全民教育目标的实现。在倡导全民教育理念的进程中，世行提出全民教育快车道的倡议，也是其对全民教育的贡献之一。综合来看，国际组织间的协调与合作在全民教育运动中发挥了重要作用。

可见，以联合国教科文组织为首的众多国际组织通过召开国际性教育会议，发起全球性教育运动，引领世界教育向着适应社会发展需要并适度超前的方向前进。

第三节　设定全球性教育议程，发布宪章、宣言、条约和协议

一、设定全球性教育议程，引领全球教育发展

全球性教育议程对全球各国达成教育理念及主张的基本共识，凝聚全球力量共同解决教育领域的问题具有重要作用。国际组织利用其强大的国际影响力和号召力，为国际社会设定全球性教育议程，引导全球教育走向。

联合国教科文组织在推动设定全球教育议程方面无疑具有先天优势。以“文化互动教育”理念的推行为例，联合国教科文组织在1992年的第43届国际教育大会上第一次明确提出文化互动教育概念，倡议全球各国在不同文化之间开展有效对话，并作为实施教育政策的重要基础。2005年，联合国教科文组织发起召开了题为“通过切实而可持续的创新措施促进文明和文化间的交流”的国际会议，提出了推动各国实行文化互动教育的具体建议和措施。[①]2006年，联合国教科文组织发布了《文化互动教育指南》，2009年出

① UNESCO. Conference on Fostering Dialogue among Cultures and Civilizations through Concrete and Sustained Action [EB/OL].[2016-12-30]. http://unesdoc. unesco. org/images/0015/001541/154100e. pdf.

台了报告《加强文化多样性与文化间对话》，对文化互动教育进行了专门论述。这些会议、指南、报告的发布客观上促进了世界各国文化教育政策重心的转移，文化互动教育逐渐被各成员方认可与接受，并成为国家的教育议程，最终付诸实施。可见，联合国教科文组织发起设定的文化互动教育议程推动了世界文化教育的价值取向演变。它促进了全球由重视差异的多元文化教育向强调基于尊重差异的一体的文化互动教育的转变，即倡导通过教育实现一个社会不同族群在相互尊重的前提下，进行文化间交流对话，建构新的共同文化认同价值体系，以此加强社会成员的凝聚力和创新力。①

世行的目标是促进世界减少贫困，教育融资是其工作重点，在设置全球议程方面，实力强大的成员方、世行行长以及具体政策领域的专家都拥有设置议程的权力，“在社会政策领域，如教育、养老金改革等方面，银行员工经常使用银行资源来构建银行内部和跨国政策网络认知共同体，以此影响全球议程的设定。②”世行从20世纪90年代至今，发布了三个教育战略报告，最近的是2010年发布的《2020年教育战略》（全民学习：投资于人们的知识和技能以促进发展），世行在该报告中明确指出这是为了在未来十年里实现发展中国家“全民学习”的目标而制定的议程。③20世纪80年代以来，由于新自由主义的影响，高等教育国际化趋势盛行，高等教育逐渐被视为一种产业，以经济发展为主要宗旨的世行和经合组织日益关注高等教育，它们倡导制定的教育议程以经济利益为导向，深刻地影响着世界各国的教育政策。当前，世行的教育政策议程变得更广泛，越来越复杂，从开始注重对教育系统的基本物质投入，到现在重点转向通过雄心勃勃的系统改革来改进学习结果。

儿童基金会在推动设定保障儿童教育权益议程方面作出了贡献。国际社

---

① 常永才，韩雪军．全球化、文化多样性与教育政策的国际新近理念——联合国教科文组织文化互动教育观评述［J］. 民族教育研究，2013（5）.

② Mundy，K. and A. Verger. The World Bank and the global governance of education in a changing world order.［J］. International Journal of Educational Development，2015.（40）：9–18.

③ World Bank. Education Strategy 2020:Learning for All［R］. Washington，D. C: The International Bank for Reconstruction and Development/The World Bank，2011：1.

会很早就开始讨论儿童的问题，1924年、1959年，国际联盟，联合国先后通过了《儿童权利宣言》。此外，若干人权和国际法公约也均列有关于儿童问题的具体条款。1979年是国际儿童年，国际社会开始讨论由波兰政府提交的《儿童权利公约（草案）》。波兰政府提出的草案原文经过了长时间的讨论，进行了广泛修订和扩充。[①]在儿童基金会联合其他国际组织的积极推动下，联合国大会最终于1989年11月20日通过了《儿童权利公约》。截至2012年2月3日，《儿童权利公约》共有193个缔约国，这使该公约成为得到最广泛批准的人权文书。《儿童权利公约》明确了"缔约国确认儿童有受教育的权利，在机会均等的基础上逐步实现此项权利"，"缔约国应促进和鼓励有关教育事项方面的国际合作，特别着眼于在全世界消灭愚昧与文盲，并便利地获得科技知识和现代教学方法。在这方面应特别考虑到发展中国家的需要"。[②]这不仅为保护全球儿童权利作出了重要贡献，还为儿童基金会及各国际组织参与全球教育治理奠定了法理基础。

总之，国际组织通过自身的网络和独特优势设定全球教育议程，对全球教育的整体走向产生着重要影响。

二、发布宪章、宣言、条约和协议，加强国际教育合作

国际组织也通过其具备的政府与官方背景，制定发布具有法律效力的文件，以此来参与全球教育治理。以联合国教科文组织为例，它作为联合国下属分支机构，也参与主导了一些重要文件的起草。联合国教科文组织的筹建人之一勒内·卡森，参与了1948年12月10日联合国大会第217A（Ⅲ）号决议通过的《世界人权宣言》的起草工作。该宣言要求所有会员方对宣言广为宣传，并且"不分国家或领土的政治地位，主要在各级学校和其他教育机构加以传播、展示、阅读和阐述"[③]，通过教育机构的教育、传播功能，让世界民众了解人权的基本内容，以增进对人的基本权利的保障。《世界人权

① 曾令良，等．国际人权公约的实施及中国的实践［M］．武汉：武汉大学出版社，2015：223．
② 刘刚．规矩与方圆：遵守法则［M］．西安：太白文艺出版社，2013：144．
③ 具体参见：http://www. ohchr. org/EN/UDHR/Documents/UDHR_Translations/eng. pdf，2017-04-03．

宣言》第二十六条专门对人的受教育权、教育选择权作了规定。[①]《世界人权宣言》不是一个强制性公约，但它为之后两份具有强制性的联合国人权公约《公民权利和政治权利国际公约》《经济、社会及文化权利国际公约》的制定奠定了坚实的基础，三个文件共同构成了后来国际社会公认的"国际人权宪章"。爱因斯坦对此做了如下评价："让全世界的人都关注到《世界人权宣言》所提出的主张和建立的标准，这是联合国教科文组织为全世界人们作出的又一重要贡献，它为世界各国走上正轨铺垫了基础。"[②]1960年，联合国教科文组织大会通过了《反对教育歧视公约》，该公约旨在消除教育歧视，促进世界各国的教育公平。1997年第29届代表大会通过的《关于大学教师地位的公约》及《一九九八年世界高等教育大会宣言》，均旨在推动世界各国加强国际高等教育的交流与合作，维护大学办学的自主权。同时，这些具有法律效力的公约也会根据时代发展需要进行修改。如联合国教科文组织在1983年通过的《亚太地区承认高等教育学历、文凭和学位地区公约》，后来为适应21世纪高等教育形势的新变化，2011年更名为《亚太地区承认高等教育资历公约》，缔约国重新进行了公约的签署。世行和世界卫生组织2011年发布了《世界残疾报告》[③]，在报告中针对残疾儿童教育成就更低的现状，提出要处理教育障碍，将残疾儿童纳入到主流学校，促进普及初级教育的实现，通过有效的教育、培训来提升残疾人的人力资源能力，提升公众对残疾人的认知，加强和支持残疾人的特殊教育研究。同时呼吁国家政府、联合国机构和发展组织、残疾人组织、服务提供者、学术机构、私营部门、社区、残疾人及其家庭广泛合作与行动，根据各自的特点采取措施，最终建立一个包容性的世界，让所有人都生活得健康、舒适、有尊严。

可见，国际组织通过成员方的授权，制定共同体内部的公约、文件、计划等，引导和规制各成员方的教育活动，同时，制定国际通用教育准则及合作框

---

① 具体参见：http://www.ohchr.org/EN/UDHR/Documents/UDHR_Translations/eng.pdf，2017-04-03.

② 爱因斯坦．人类的未来会好吗［M］．唐慧，冯道如，译．南京：江苏凤凰文艺出版社，2015：173.

③ WHO，WB. World report on disability[R]. World Health Organization，2011.

架，加强国际教育合作，一定程度上保障了共同体间教育治理的协调与实施。

第四节　设立国际教育指标和标准，组织开展全球性评估项目

一、设立国际教育指标和标准，监测全球教育发展

国际组织为全球提供教育治理工具，通过提供技术支持，制定各种教育监测指标、标准，监测全球教育发展。世行在实施具体项目时，会针对项目设计相应的评估系统，对项目进行监测评价，以此保证项目的实施效果。如世行在开展儿童早期发展项目时，开发了儿童早期发展政策评估系统，帮助政策制定者和实施者系统诊断其儿童早期发展政策。目前，已经有40多个国家在使用该套评估系统。世行开发的各种评估系统不仅提供了管理教育融资项目的工具，也为各国政策制定者和决策者提供了诊断和评估工具，还在投资方和接收方之间建立了一个合作沟通的渠道，保障了教育项目得到切实有效的实施。世行曾与中国国家人口和计划生育委员会、中国教育部合作，对中国儿童早期发展进行全面检查诊断，研究显示中国3岁—6岁儿童的早期发展还有很多可以改善之处，建议将儿童早期发展纳入政府基本公共服务框架，尤其是贫困儿童的早期发展应纳入政府扶贫计划，以实现发展机会均衡，增强国家未来竞争力。[①]中国教育部和中国政府认可了世行的建议，并在中国“十二五”规划（2011—2015）中制定了儿童早期发展的目标。可见，世行对儿童早期发展的投资、研究及监测评估对世界各国儿童教育政策产生了重要影响。此外，在中东和北非地区，世行集团与地中海中心及其他国际伙伴合作，使用大学治理记分卡，帮助7个国家的高等教育机构建立了治理、管理和实践质量保障标准。目前，一个超过100所高等教育机构的动态网络已经建立，致力于培养集体学习，分享最佳实践经验和改进具

① World Bank. Early Child Development in China: Breaking the Cycle of Poverty and Improving Future Competitiveness[R]. RNCN，2011.

体行动计划。

联合国教科文组织也积极参与全球教育监测。联合国教科文组织具有进行大规模教育规划和教育质量监测的经验，参与南非和东非教育质量监测联盟[①]的研究与实践达20年之久。2014年，联合国教科文组织发起“高等教育机构内部质量保障对策”项目，选择的8所大学，涵盖非洲、亚洲、欧洲和拉丁美洲的公立和私立大学。通过研究，为这8所大学制定了内部质量保障方案。联合国教科文组织制定的内部质量保障系统具备良好的实践和创新的功能。

同时，联合国教科文组织从2002年起还发布年度《全民教育全球监测报告》，以此督促全球各国政府和捐助者遵守承诺。每年的报告主题均围绕全民教育所涉及的一个关键问题进行（具体参见表4-1），对世界教育产生了重要的影响。

表 4-1　2002—2018 年联合国教科文组织《全民教育全球监测报告》情况表[②]

时间	报告名称
2017 年—2018 年	教育问责：履行我们的承诺
2016 年	为了人与地球的教育：为所有人创造可持续的未来
2015 年	全民教育 2000—2015：成就和挑战
2013 年—2014 年	为所有人实现有质量的教和学
2012 年	青年和技能：教育融入工作中
2011 年	隐藏的危机：武装冲突和教育
2010 年	达到边缘化
2009 年	克服不平等：治理为何重要
2008 年	全民教育 2015：我们能成功吗？
2007 年	坚实的基础：儿童早期护理和教育
2006 年	生活中的读写能力

① SACMEQ. http://www.iiep.unesco.org/en/our-expertise/sacmeq，2016-07-11.

② UNESCO. 2016 Global Education Monitoring Report—Education for people and planet: Creating sustainable futures for all [R]. UNESCO，2016： vi.

续表

时间	报告名称
2005 年	全民教育：质量势在必行
2003 年—2004 年	性别和全民教育：向平等的飞跃
2002 年	全民教育：世界步入正轨了吗？

有研究指出，《全民教育全球监测报告》对大部分援助机构有一定影响，对这些援助机构给予了指导，而这些援助机构则把《全民教育全球监测报告》作为它们自身向“千年发展目标”和全民教育目标报告的工具。[①]一些国际和国家间非政府组织，包括全球教育运动，运用《全民教育全球监测报告》的数据和趋势分析来宣传主张，唤起国际社会的责任感。另外，西方发达国家比第三世界国家更加积极地利用《全民教育全球监测报告》来进行本国教学改革，但报告对各国政府的影响很难进行评估。

二、组织开展全球性评估项目

有的国际组织擅长开展全球性评估项目，以此介入全球教育治理。以经合组织为例，经合组织当前在全球范围内开展的评估项目包括PISA测试、教师教学国际调查、儿童早期教育和护理等。PISA测试的目的是通过对各国15岁学生的知识和技能进行测试，为全球15岁学生的素养发展状况提供一个全面的监测标准和体系，以此评估全球的教育系统。它既可以对各国进行横向比较以确定本国在世界各国中的位置，亦可对其进行纵向的历史比较以明确本国学生素养的发展状况，对世界基础教育产生了重大影响。[②]教师教学国际调查是经合组织开展的另一项大型国际调查。该调查5年进行一次，调查的具体对象包括初中教育教师和主流学校领导。教师教学国际调查通过全面、严谨的调查，进行跨国分析，帮助成员方了解其他国家面临的类

① 联合国教科文组织国际教育局．教育展望 2015 年之前的全民教育：进程与挑战［M］．上海：华东师范大学出版社，2011：8-9．

② OECD. OECD Work on Education & Skills［EB/OL］.［2016-07-28］. http://www. oecd. org/edu/edubrochure-eng. pdf.

似挑战并学习它们的政策。教师教学国际调查为国际性的教师教学质量确定了标准，为各国教学质量提供了可供参考比较的证据和数据资料，同时也为各国开展调查、促进新教师发展、改进教学实践和创新提供了国际视野。儿童早期教育和护理是经合组织在成员方间开展的旨在推动各国改进儿童早期教育和护理政策，促进儿童早期发展的一个项目。该项目形成的报告对成员方发展提出基于证据的建议，促进本国儿童早期教育发展的同时，也为其他国家提供数据和样本。

因此，这些评估项目为经合组织成员方及其他国家建立了相关监测系统，为各国了解本国及他国教育的理念、现状、政策实践等提供了共享平台，有利于吸取经验教训改进本国教育政策。

第五节　提供项目培训与教育咨询，协助制定教育发展战略规划

一、提供项目培训与教育咨询

国际组织参与全球教育治理，最直接的一种方式是提供项目培训与教育咨询，并协助有关国家制定教育发展规划。以联合国教科文组织为例，其下设的国际教育规划研究所设计了一系列培训项目，如高级培训计划、教育部门规划课程、专业课程计划等。这些培训项目针对成员方的教育管理高级官员、专家进行，能直接对成员方的教育治理理念及行动策略产生影响。在教育咨询领域，国际教育规划研究所的一个重要功能是知识共享，主要是为教育规划者提供工作所需的工具、数据和资源。国际教育规划研究所通过开发传播工具，让教育规划者容易获得最新的教育规划数据，具体形式如书籍、手册、政策简报、通讯和其他各种出版物。国际教育规划研究所提供包括33 000种教育规划的资源库（含图书、报告、期刊、视频和光盘等）；一个专家目录；一个门户网站（是为联合国教科文组织成员方提供各种教育规划

和政策官方源文件的入口，由国际教育规划研究所的图书馆负责维护）；教育腐败资源平台（是一个基于网络的道德教育和腐败的问题资源平台）。国际教育规划研究所通过出版书籍资料和网络平台的资源信息共享，促进各成员方之间的合作与交流，在提高各国教育规划水平、提升国际教育协调发展方面作出了重要贡献，同时，在国家教育体系重建、教育腐败治理等领域也体现出国际组织的优势。国际教育规划研究所所长哈利勒·马希指出，“国际教育规划研究所的使命是帮助其成员方规划和管理它们的教育体系，实现全民教育和千年发展目标。通过培训、技术支持、调查、知识共享、能力发展五个方面来推进”①。可见，国际教育规划研究所以协助成员方规划管理教育体系为主要工作职责，体现出国际组织在教育规划方面的引领作用。

经合组织有一项重要职能是编制发布年度“教育概览”，这是其参与全球教育咨询的重要方式。该报告被认为是有关全球教育状况最权威的信息来源。以经合组织于2016年9月15日发布的“教育概览2016”②为例，该报告涵盖了35个经合组织成员方和众多伙伴国家的教育数据，应用大量指标体系详细分析了各国的教育投入、支出、教育系统状况等。2017年9月12日，经合组织发布了“教育概览2017”，该报告提出了新的研究关注点，如调查高中教育和高等教育入学率的趋势、学生流动性以及劳动力市场获得资格认证的情况。该报告还首次介绍了可持续发展目标，对经合组织和伙伴国家在实现可持续发展目标方面进行了评估，最后在分析教育进展方面制定了两个新指标：高中生结业率指标和高等教育准入程序指标。“教育概览”每年针对新问题提出新的评估指标体系，对世界各国认识、比较本国与其他国家的教育状况，促进交流，改进教育具有重要价值。

世行在全球教育领域的项目培训与教育咨询中也扮演着重要角色。当前，世行除了为各个国家提供融资贷款，更多地转向为各国提供技术援助和咨询服务，帮助它们更好地计划、执行、监控和评估技术在教育中的使用，

① 胡国勇．“国际组织与教育发展”高峰论坛简述［J］. 教育研究，2012（2）.

② OECD. Education at a Glance 2016: OECD Indicators［EB/OL］. http://dx. doi. org/10. 187/eag-2016-en.

以及各种各样的开发工作。世行利用其在世界各地的成功实践经验和相关研究活动，为各国提供教育咨询和服务。随着全球化和信息革命的发展，高技能劳动力需求不断增加，必须提高在教育中有效利用技术的能力。世行在各国广泛使用“优质教育结果评估系统”，这是帮助世行实现两大战略目标——改革国家教育系统和在全球为教育改革建立一个高质量的知识库而研发的教育系统。在国家层面，它为各国提供了教育系统分析、评估、诊断和对话的机会；在全球层面，它充实了全球教育系统的知识库，并使用其中的信息来实施有效的改革。为此，世行积极推动世界各国教育对技术的关注和发展。世行开发的基于信息与通信技术的教育优质评估系统，有助于各国使用诊断工具和详细的政策信息，为决策者提供评估的基准，帮助决策者对本国教育中ICT的发展情况进行诊断和评估，从而促进教育中ICT的使用和发展。这些教育培训项目的实施，保证了信息与技术通过教育得到普及和发展，由此提高劳动力的基本素质，适应现代社会的发展。世行已在世界各国开展了众多教育与技术的培训项目。这些都体现出国际组织参与全球教育领域培训及咨询的积极态度，也成为它们进行全球教育治理的重要方式之一。

二、协助有关国家制定教育发展战略规划

协助有关国家制定教育发展战略规划是国际组织参与全球教育治理的一种重要方式。联合国教科文组织的国际教育规划研究所也协助有关国家制定教育发展战略规划。根据成员方的预算和需求，国际教育规划研究所与成员方一起合作制定教育发展战略规划，在充分尊重成员方的自主权的同时提升其员工的能力；也可以在成员方首都或其他省份，通过工作坊的形式提供规划支持，这种类型的合作主要是在具有较高规划需求的全球教育合作伙伴之间进行。国际教育规划研究所在网站上提供了与此相关的资源，也为教育决策者和规划者提供了三条教育规划的路径：一是实施教育改革和体制转型；二是实现儿童和青少年机会平等；三是为所有人提供高质量的教育。[①]可见，国际组织对教育规划具有全面、深刻的研究，能根据各国的需要，制定满足

① 具体参见：http://www.iiep.unesco.org/en/our-mission/strategic-planning，2016-07-07.

成员方各种教育规划需求的发展战略规划。

第六节　提供多种形式的教育援助，发布报告敦促各国注重人的受教育权

一、提供教育基金援助

提供教育基金援助是国际组织参与全球教育治理的重要方式与途径。世行是运用这种方式的典型。世行凭借其强大的借贷能力、知识生产能力和跨国政治影响力，已成为全球教育治理的主要参与者。从2001年到2010年中期，世行在发展中国家承诺了共计230亿美元的教育资助项目。其中三分之二的金额约158亿美元是由教育部门的人员直接管理；三分之一的金额约75亿美元是由其他部门管理。230亿美元教育投入资金总量中，75%是教育贷款项目，剩下的以发展政策贷款形式操作。此外，230亿美元的48%以国际开发协会优惠贷款或奖助金的形式来运作。[①]世行支持最贫困国家和中等收入国家的教育，每年平均融资26亿美元。

世行的教育援助主要通过各种计划来实施，如快车道计划和催化基金计划等，为受援国教育部门实施教育计划提供资金支持。世行援助的范围涉及初等教育、成人教育、技能发展等领域。世行高级教育专家肖丽萍指出，截至2011年9月，“世界银行总共向中国教育事业提供了183.74亿美元的贷款，支持了22个项目。世界银行还为中国教育提供了大量服务，包括技术援助、分析咨询、能力建设三个方面。其目的在于改进公共教育的质量和水平，提供更平等的教育机会，更高的教育质量，更有效地保护弱势群体”[②]。世行提供的技术援助、分析咨询、能力建设等其他类型服务，拓展了世行参与全

① 闫温乐．世界银行教育援助研究：特征、成因与影响［D］．上海：华东师范大学，2012：123．
② 胡国勇．“国际组织与教育发展”高峰论坛简述［J］．教育研究，2012（2）．

球教育治理的广度和深度，极大地提升了世行在参与全球教育治理中的作用和影响力。

在教育援助方面，除了世行以外，联合国教科文组织也积极参与。联合国教科文组织开展的援助在全民教育、幼儿教育、职业技术教育和教师教育方面最具代表性。2017年6月6日，联合国教科文组织发布了主题为“为了人与地球的教育：为所有人创造可持续的未来”的《2016全民教育全球监测报告》。①报告显示，由于专项划拨给教育项目的国际援助资金连续六年下滑，最需要支持的国家无法获得相关资金，联合国可持续发展目标中有关教育方面的计划如期实现的困难加大。

2014年，138个国家中有51个国家的教育支出少于GDP的4%。②用于教育的国际援助资金总额约为120亿美元，与2010年相比减少了4%，但同期用于发展项目的国际援助资金却增加了24%。针对包括学龄前和小学教育及成人和扫盲计划等在内的基础教育的援助资金约为52亿美元，与2010年相比下降了6%；同时，支持中等教育的援助金额仅为22亿美元，占教育援助总额的19%。在2014年—2015年间，美国和英国政府相关援助拨款分别减少了11%和9%。③2015年，发展援助的资金总计106亿美元，用于教育的有1.98亿美元，只占总额的将近1.9%。④从上述数据看，教育援助资金在各项人类发展项目援助资金中的占比有减少的趋势。联合国教科文组织呼吁捐助方采取紧急行动，确保教育援助项目获得充足的资金，并为相关国际行动提供全力支持。为此“全球教育合作伙伴关系”发起的充资行动，力争将为2018年至2020年的援助行动筹集31亿美元。此外，“教育不能等待基金”计划到2020年筹集38.5亿美元，以改善紧急局势下教育援助项目的力度和有效性。我们可以看到，联合国教科文组织一直在运用其国际影响力发布报告，监督和敦促各国加大教育援助力度。

可见，以世行为代表的国际组织对各国开展的教育基金援助，对各国的

①②④ UNESCO. 2016 Global Education Monitoring Report—Education for people and planet: Creating sustainable futures for all [R]. UNESCO，2016.

③ 朱旌，汪璐．联合国教科文组织：全球教育援助资金连续六年下滑，http://intl. ce. cn/specials/zxgjzh/201706/07/t20170607_23478018. shtml，2017/09/21.

教育发展起到了积极的促进作用。当然，也应该看到由于国际组织自身的局限、受援国的政策执行力不足、腐败、国家不稳定等因素，对教育基金援助实施效果也会有不同程度的负面影响。

二、发布报告、公约和文件等敦促各国注重人的受教育权

受教育权是人的基本权利之一，受到世界各国及国际社会的广泛承认。受教育权通常被视为文化权利的一类，包括教育自由和学术自由的诸多方面。教育是实现人权的前提条件。许多经济、社会权利，如选择工作、组织工会、参加文化生活以及接受高等教育等，都需要在接受一定水平的教育之后才能真正实现。虽然受教育权是基本人权之一，但在发展中国家，尤其是一些欠发达国家，仍有一部分人不能享受这一权利。

国际组织主导制定的四个主要国际文件确认了受教育权是人的一项基本权利，对此，文件中有明确和详细的叙述。这四个文件是1948年联合国国际组织会议通过的《世界人权宣言》、1960年联合国教科文组织的《取缔教育歧视公约》、1966年联合国大会通过的《经济、社会及文化权利国际公约》以及1989年的《儿童权利公约》。同时，其他很多处理特定群体或事项的文件也将受教育权确认为人的基本权利之一。

1948年的《世界人权宣言》第一次直接、明确地规定了受教育权。该宣言第26条规定，人人都有受教育的权利，教育应当免费，至少在初级和基本阶段应如此。初级教育应属义务性质。技术和职业教育应普遍设立。高等教育应根据成绩而对一切人平等开放。[①]联合国教科文组织大会1960年12月14日通过的《取缔教育歧视公约》，这是第一个为公共教育规定综合国际标准的国际文件。该公约的目的是消除歧视并确保所有层次教育的平等待遇和机会公平。联合国教科文组织的另一份重要文件是1966年《关于教师地位的建议书》。该建议旨在确立教师的最低工作条件、禁止在教师培养及雇用中有任何形式的歧视以及承认教师组织在决定教育政策中的作用。联合国教科文组织设立了国际劳工组织——联合国教科文组织联合委员会，以审查该建

① 霍奇森．受教育人权［M］．申素平，译．北京：教育科学出版社，2012：30.

议的执行情况。世界全民教育大会通过了《世界全民教育宣言》，第七部分规定，“教师服务及其地位的规定和条件，是为所有人实施教育的一个决定性因素，根据国际劳工组织——联合国教科文组织联合委员会关于教师地位的建议（1966），必须马上在所有国家予以提高”。①

联合国大会1966年12月16日通过的《经济、社会及文化权利国际公约》进一步明确了公民的基本受教育权。《世界人权宣言》涉及的教育条款在《经济、社会及文化权利国际公约》中被进一步得到确认、充实和细化。它与《世界人权宣言》的不同之处在于，它是一项国际条约，向批准或加入的国家规定了法律上的有约束力的义务。《经济、社会及文化权利国际公约》的很多条款都提到教育。如第10（1）条宣布，对负责照顾和教育未独立的儿童的家庭，应给予尽可能广泛的保护和帮助。第13（1）条对《世界人权宣言》的内容进行了再次确认，“本公约缔约各国承认，人人有受教育的权利。它们同意，教育应鼓励人的个性和尊严的充分发展，加强对人权和基本自由的尊重，并应使所有的人能有效地参与自由社会，促进各民族之间和各种族、人种或宗教团体之间的理解、包容和友谊，并推进联合国维护和平的各项活动”②。第14条则涉及发展中国家，其规定：“本公约任何缔约国在参加本公约时尚未能在其宗主领土或其他在其管辖下的领土实施免费的、义务性的初等教育者，有责任在两年之内制订和采取一个逐步实行的详细的行动计划，其中规定在合理的年限内实现所有人均得受免费的义务性教育的原则。”该公约不仅在宏观层面确定了受教育权，还在中观和微观层面对各国实施免费义务教育进行了时间上的规约，这对各国起到了约束和督促作用。

1989年11月20日联合国大会通过的《儿童权利公约》包含一些涉及教育的条款，规定缔约国确认儿童有受教育的权利。如第23（3）条提到缔约国有保证残疾儿童获得有效教育和培训的义务。联合国教科文组织认为接受学前教育的权利很重要，因为儿童对诸如种族一类问题的态度经常是在学前

① 霍奇森. 受教育人权［M］. 申素平，译. 北京：教育科学出版社，2012：30.

② 凯斯·R. 桑斯坦. 罗斯福宪法 第二权利法案的历史与未来［M］. 毕竞悦，高敏，译. 北京：中国政法大学出版社，2016：234.

教育时期形成的。[①]可见，联合国、联合国教科文组织等国际组织及其签署的各类宣言、公约均体现出对人的受教育权的关注。

国际组织发布的公约、文件也确认了无国籍人、难民及战争受害者的受教育权。1949年8月12日《关于战时保护平民之日内瓦公约》包含很多有关教育的条款。第24条规定，冲突各方应采取必要措施，保证因受战争影响而成为孤儿或与家庭分离的15岁以下儿童的教育，在一切情形下均获便利，并将其教育尽可能委托于具有相似的文化传统之人。武装冲突中受难者的人权受到《国际人道主义法》的保护。该国际法第94条规定："拘留国应鼓励被拘禁人之文化、教育及娱乐活动、运动与游戏……对于被拘禁人之继续其学习或研究新科目者应予以一切可能之便利。儿童及青年之教育应予保证：应许其在拘禁处所以内或以外之学校读书……"[②]这里对被拘禁的成年人、儿童、青年的受教育权进行了明确。1951年，联合国难民署主导在联合国难民和无国籍人地位全权代表会议上通过的《关于难民地位的公约》第22条与1954年《关于无国籍人地位的公约》第22条分别规定缔约国应给予难民及无国籍人"与本国国民在初等教育方面所享有的同样待遇"，而对于其他类型及层次的教育，应给予"尽可能优惠的待遇，无论如何，此项待遇不得低于一般外国人在同样情况下所享有的待遇"。

另外，联合国等国际组织通过的很多不具有约束力的文件也都提及受教育权及其对社会进步和发展的重要性。如1969年12月联合国大会通过的《社会进步和发展宣言》第10（e）条提到将消除文盲、保证免费初等义务教育的权利以及各层次免费教育的权利作为提升社会所有成员生活水平要达到的目标。1979年7月，联合国粮农组织主办的世界土地及农村发展会议通过的《行动计划》第7条，建议各国政府将普遍扫盲及包括农村地区在内的所有儿童的免费初等教育放在最优先地位。1986年12月4日联合国大会通过的《发展权利宣言》第8（1）条规定，"各国应在国家层面采取各种必要措施，以实现发展权，除此之外，还应确保人人……在接受教育时机会平等……"这些不具有约束力的文件也对各国保障公民的受教育权起到了提醒和督促作

①② 霍奇森．受教育人权［M］．申素平，译．北京：教育科学出版社，2012.

用。2019年初，联合国教科文组织和受教育权倡议发布了《受教育权手册》。编写手册的目的是确保每个人都享有受教育的权利，手册为如何落实和监督受教育权提供了实用指导，并提出了克服持续障碍的建议。70多年来，捍卫和推进受教育权一直是教科文组织的核心任务之一。

总之，这些国际组织主导制定的公约、文件、指南等，对确保全球范围内各国及地区的公民受教育权起到了约束、监督、督促、提醒的积极作用，对世界范围内教育的发展、公民素质的提升，对政府教育政策的制定均具有重要意义。

国际组织通过建立跨国性机构及下设部门，通过产生和提出符合全人类共同利益的教育理念、设定全球性教育议程、制定发布具有法律效力的文件、提供项目培训与教育咨询、协助有关国家制定教育发展规划、为全球提供教育治理工具、提供创新教育基金援助等方式，为全球教育治理提供了不同方式与途径的解决方案，引领了全球教育的方向，对世界各国教育战略方针、政策的制定以及计划实施等产生了深刻影响。与此同时，随着全球共同体及人类共同体观念得到国际社会的普遍认同，国际组织在参与全球教育治理过程中，其凝聚力、影响力不断上升，将会在全球教育治理中占据优势地位，并发挥越来越重要的作用。但是，我们也要注意到，由于国际组织运行资金的主要来源国很大程度上主导着国际组织的治理理念与机制，国际组织的全球教育治理行动一定程度上也受这些国家制约。全球教育治理是一种有限的治理，只有国际组织和主权国家间张力的平衡，才能实现对话与合作，谋求实现共同利益。[①]国际组织参与全球教育治理尽管对当前的国际社会来说不可或缺，但也有其局限性。只有秉持人类共同体的信念，在平等、尊重的前提下，国际组织与主权国家进行有效的对话交流，治理主体各方有效参与，合作协商寻求解决各国教育领域问题的可行性方案，这才是实现全球教育善治的根本途径。

---

① 杜越．联合国教科文组织与全球教育治理［J］．全球教育展望，2011（7）：64-65.

第五章　中国的全球教育治理参与

区域化和全球化是当前世界发展的两大趋势。区域化旨在帮助国家和其他组织通过划分区域禁区来改善生存条件，全球化则是世界依存度不断扩大的反映。尽管全球化趋势越来越显著，但一些国家和某一地理范围内的实体仍可通过区域化来加强影响。在教育领域，中国通过加入相关国际组织、参与国际教育对话、设立组织机构、参与国际教育评估等方式参与全球教育治理。

第一节　积极参加国际组织，开展教育对话与交流

一、积极参加国际教育组织，参与国际教育事务

中国积极加入各类国际教育组织或与教育相关的国际组织，开展教育对话与交流，建立教育共识。1946年11月，联合国教科文组织正式成立，中国是联合国教科文组织20个创始国之一。1947年8月28日，在南京成立了联合国教科文组织中国委员会。该委员会包括120名委员，其中，100人由国内教育科学文化团体机关及公私立专科以上学校推选，20人由教育部遴选。[①]1947年9月3日至12日，中国在南京举办了联合国教科文组织基本教育分区研究会议，澳大利亚、缅甸、不丹、印度、韩国、尼泊尔、新西兰、巴基斯坦、新加坡等受邀参加。1948年7月15日至8月25日，在伦敦举办了教科文组织师范教育研究会。1948年7月23日至29日，在伦敦举办了世界教育专业组织年会。1948年8月25日至28日，在布拉格召开了国际儿童早

---

① 徐新民．科技外事风云录［M］. 北京：科学技术文献出版社，2015：94.

期教育会议。1948年8月，在荷兰召开了教科文组织国际大学会议。上述会议中国均派代表参会。1949年后，中国在联合国教科文组织的活动一度中断，直到1971年中国恢复在该组织的合法席位。中国联合国教科文组织全国委员会设在中国教育部，主任由教育部主管副部长担任，副主任分别由外交部、科学技术部、文化部、中国科学院、中国社会科学院、住房和城乡建设部的一位主管副部长或副院长担任[①]。完善的组织机构设置，保障了中国参与全球教育对话与交流活动的正常开展。

20世纪80年代以来，中国与联合国教科文组织、联合国开发计划署、国际成人教育理事会、欧洲成人教育协会、亚洲及南太平洋地区成人教育总会等国际组织机构，以及美国、加拿大、德国、瑞典、日本、韩国、泰国、埃及、印度、蒙古、斯里兰卡等国家建立了广泛的联系与合作，这些组织和国家先后组团或个人来我国访问，考察我国扫盲及成人教育发展情况，先后在我国召开扫盲和成人教育座谈会和学术研讨会。[②]1983年，中国加入国际成人教育理事会，该组织是世界最大的成人教育非政府组织，其宗旨是促进成人的教育与学习，推动人类社会文明和经济的发展。1988年，中国加入亚洲及南太平洋地区成人教育总会（简称“亚太成教总会”），该组织是一个致力于正规及非正规成人教育团体及个人会员的区域性非政府组织，会员涵盖该区域的30多个国家、240多个组织及部分个人。亚太成教总会的宗旨是：帮助所有的人获得接受相关的、高质量的教育和平等学习机会的权利；促进成人教育在增强大众素质方面的作用和贡献；增进人们对社区群体、民间机构、非政府组织及其他类似机构在亚洲及南太平洋地区的教育及发展方面的作用、贡献及其重要性的认识。亚太成教总会会员的共同承诺是：加强所有人的学习—继续学习—终身学习，以拥有掌握自己命运的权利。[③]1989年，时任中国教育部成教司司长董明传代表中国成人教育协会加入了亚太成教总会执委会，参加每两年召开一次的执委会会议，参与讨论亚太成教总会

① 中国联合国教科文组织全国委员会介绍. http://www. moe. edu. cn/s78/A23/moe_557/201604/t20160413_238010. html，2017-10-14.

②③ 中国成人教育协会．中国成人教育改革发展三十年［M］. 北京：高等教育出版社，2008：264.

工作计划、经费的安排与使用等，并出席由亚太成教总会资助的地区扫盲教育会议及实地考察。1997年，经教育部成人教育司和中国成人教育协会推荐，中国成人教育协会常务理事、北京外国语大学成人继续教育学院副院长于军被补选为亚太成教总会东亚地区执委会委员。2004年，亚太成人教育总会第四次全体会员大会上，于军被选为新一届执委会委员。2008年，于军续任执委会委员，任期是2008年—2012年。① 中国代表进入亚太成教总会执委会，为中国参与全球成人教育治理，发出中国声音提供了平台。

联合国教科文组织是中国在教育领域对外开放、进行国际合作的重要伙伴，中国一直积极参与该组织的各项重要项目和活动。2014年3月27日，中国国家主席习近平访问教科文组织，会见伊琳娜·博科娃总干事并发表重要演讲，全面阐述对世界文明交流互鉴的看法和主张。中国国家主席习近平的夫人彭丽媛接受该组织授予的"促进女童和妇女教育特使"荣誉称号。② 自此，中国与联合国教科文组织的合作关系达到了历史最高水平。2017年5月13日，中国与联合国教科文组织签署了《中华人民共和国政府与联合国教育、科学与文化组织合作谅解备忘录（2017—2020）》，这表明中国积极参与实施联合国教科文组织全球教育2030年全球议程，推动世界和平与可持续发展的努力。2017年9月5日，彭丽媛同参加金砖国家领导人第九次会晤和新兴市场国家与发展中国家对话会外方团长夫人共同出席在厦门大学举行的第二届联合国教科文组织女童和妇女教育奖颁奖仪式。③ 中国加入各类教育组织，并参与相关项目及活动，也是中国积极开展多边外交，为构建人类命运共同体作出贡献的需要。

二、争取国际组织在中国设立教育分支机构

国际组织选择在一国设置分支机构，说明该国在某一领域具有全球领先

① 亚太总会ASPBAE执行委员会换届，http://www.caea.org.cn/xpe/portal/999fedf-14c2-1000-832a-506d67fa493a?uuid=48c8aa39-14d2-1000-8b1c-10f51ba42682&objectId=oid:48c8ccef-14d2-1000-8b1e-10f51ba42682，2017-10-14.

② 中华人民共和国外交部政策规划司．中国外交2015年版［M］．北京：世界知识出版社，2015：252.

③ 彭丽媛出席联合国教科文组织女童和妇女教育奖颁奖仪式，http://www.moe.edu.cn/s78/A23/moe_880/201709/t20170914_314473.html，2017-10-14.

地位。中国在广泛参加国际组织的同时，也积极争取国际组织在中国设立教育分支机构，提升中国参与全球教育治理的话语权、主导权和影响力，积极为全球教育变革与发展作出自己的贡献。

联合国教科文组织在全球设置了多个二类机构，如法国巴黎的教育规划研究所、德国汉堡的终身学习研究所、俄罗斯莫斯科的教育信息技术研究所等。1994年，联合国教科文组织国际农村教育研究与培训中心在中国河北保定成立，2008年，中心迁至北京师范大学。国际农村教育研究与培训中心是联合国教科文组织设立的唯一从事农村教育研究和培训的国际机构，核心使命是通过教育实现农村的可持续发展，通过教育促使发展中国家大多数的农村人口的思想和行为发生积极变化，从而促进农村地区的社会经济发展。①它肩负着服务世界各国特别是广大发展中国家农村教育改革和发展的使命。教科文组织把中心建在中国，就是期待着中国对国际农村教育和农村发展作出贡献。该中心致力于促进农村教育思想、方法和技术的研究，协调农村教育领域的培训活动，并不断开展国际交流与合作，为国际专家提供研究实习场所和设施。中心自成立以来，在落实联合国教科文组织农村教育发展战略、促进“南南合作”和实现有质量的全民教育方面发挥了重要作用。中心的宗旨和目标是通过具体的研究项目来实现的，包括案例研究、比较研究、培训班（参与式研讨）、研讨会等。截至2006年初，中心已成功举办和召开了65个培训班和研讨会，开展了39项研究活动，来自全球58个国家、19个国际组织和非政府组织的736人次的国外代表，以及659人次的国内代表参加了中心的活动，出版了38种农村教育与农村发展的研究著作、论文、资料，并建立了英文和中文网站。②中心在中国的设立，不仅促进了中国农村教育的发展，同时也增加了全球农村教育吸收中国经验，获得发展的机会，为中国农村教育与世界农村教育的互动与交流发挥了重要的桥梁作用，增进了国际社会对中国教育的理解与认知，为中国参与全球农村教育治理提

① Mission and Objective[EB/OL].[2018-07-13].http://www. inruled. org/aboutinruled/mission and objective/index. html.

② 孟梅丽．联合国教科文组织国际农村教育研究与培训中心在中国的实践与探索［J］．世界教育信息，2006（3）．

供了难得的平台和桥梁。

2015年11月，联合国教科文组织第38届成员方大会正式批准设立联合国教科文组织国际工程教育中心，成为世界上唯一一个以工程教育为主题的联合国教科文组织二类机构，中心秘书处设在清华大学。[①]联合国教科文组织总干事伊琳娜·博科娃指出，该中心在减少贫困、推动包容增长、回应气候变化、推动全社会可持续发展等方面都具有重要作用。该中心能推动区域和国际范围内的产学合作和教育创新，并能进一步加强联合国教科文组织与中国在工程领域的合作，使工程造福于全人类。

2015年11月13日，联合国教科文组织批准在中国深圳设立联合国教科文组织高等教育创新中心。这是联合国教科文组织在全球第十个二类教育机构，也是在我国设立的第一个高等教育二类机构。中心的使命是依托深圳市信息通信技术产业优势，结合中国高等教育大众化经验，满足当地对优质高等教育资源的渴求，支持亚非发展中国家提升高等教育质量，促进教育公平。中心已在海上丝绸之路沿线国家开展了多项高等教育合作项目，通过输出深圳信息通信技术产品和服务等多种形式，为当地工业化、信息化提供智力支撑和人力资源保障。该中心具备知识生产、能力建设、技术服务、信息共享四大职能。

2018年4月13日，经联合国教科文组织第204届执行局会议审议通过，联合国教科文组织联系学校国际中心正式落户海南三亚。联系学校国际中心作为联合国教科文组织支持的第二类中心，是继上海和深圳后，我国设立的又一个教科文组织二类机构，也是全球唯一聚焦于联系学校项目网络领域的教科文组织二类机构。该中心以联系学校项目网络为依托面向全球开展活动，通过加强全球联系学校项目网络学校之间有效、包容的合作伙伴关系，为全球所有的联系学校项目网络学校提供优质服务，促进知识共享和跨区域的有效沟通，推动建立包容、公平和优质的教育体系。

① 联合国教科文组织（UNESCO）国际工程教育中心在京举行，http://news.tsinghua.edu.cn/publish/thunews/9660/2016/20160607191945516285977/20160607191945516285977_.html，2016-06-07/2018-07-13.

联合国儿童基金会也在中国设立办事处开展相关活动。中国把联合国儿童基金会的援助与精准扶贫战略结合起来，推动中国妇女、儿童事业的进步与发展。同时也通过联合国儿童基金会这一平台，宣传和分享中国在儿童工作领域的一些好的做法和实践，为推动国际儿童保护与发展事业、儿童领域全球治理发挥积极作用。中国还积极探索以"一带一路"倡议为契机，在沿线国家开展第三方合作试点，促进中国与广大发展中国家共同实现儿童领域可持续发展，落实联合国2030可持续发展议程，展现中国的责任与担当。

综合型、专门型的国际组织教育研究分支机构纷纷在中国安家落户，说明中国教育在全球的地位得到认可与提升，中国参与全球教育治理的能力在进步。这些教育研究机构和办事处的设立不仅有利于中国教育的发展，有利于扩大中国的国际影响力、国际知名度，有利于促进中国及中心驻地的教育对外开放、教育国际化水平，有利于密切中国及中心驻地与联合国教科文组织及其分布在亚洲、非洲和阿拉伯地区的二类教育机构的合作，同时，也有利于中国响应和支持国际社会的发展议程和教育议程，总结和分享中国教育发展的经验与实践，在国际舞台传播中国的教育理念与声音，促进广大发展中国家和欠发达国家全面提升教育质量，实现中国与世界教育事业的共同发展，还有利于支持教科文组织履行使命与实现目标，并促进中国参与全球治理。

第二节　参与设置全球教育治理议题

一、参与教育发展相关议题设置

中国积极参与发布全球性教育宣言，推动国际教育信息化发展。随着信息与通信技术的发展，人们生活的许多方面被改变，这也为教育发展提供了前所未有的机遇和挑战。面对这些新情况，各级教育机构需要为每一个公民提供信息知识，以及在日益丰富的技术环境中生活和工作所需的终身学习机会。教育系统还应确保人们能够利用信息与通信技术的潜在好处，扩大学习的机会，提高学习的质量和针对性。为此，教育管理以及教与学的过程应进行重塑，以适应个人自我发展和知识经济的可持续发展的双重需要。①

在中国政府的支持下，2015年5月23日—25日，中华人民共和国教育部与联合国教科文组织合作举办了首届国际教育信息化大会。会议参加者来自90多个国家、国际组织和企业，包括各国教育部长，通信技术行业领导者，专家，决策者和从业人员，外交部官员，联合国其他机构、政府间组织、信息与通信技术公司和非政府组织的代表。会议围绕“信息技术与未来教育变革”主题，通过“教育和信息技术领导者论坛”、部长级圆桌会议等，对“有效运用信息技术确保信息质量”“有关包容性和适切性的终身学习”和“普及有质量的学习内容”等议题进行了深入交流和探讨。②

此次会议通过了具有里程碑意义的《青岛宣言》。《青岛宣言》指出，为了在2030年实现全纳和公平优质教育以及终身学习目标，教育系统需要跨部门的技术整合，鼓励各国利用信息技术推动通过正规和非正规教育获得知识、技能和能力的认可、验证和认证，构建正规学习、非正规学习和非正式学习之间的桥梁。《青岛宣言》是联合国教科文组织实施的可持续发展目标及国家教育发展议程，成为指导推动国际教育信息化发展的重要文件，该宣言为所有成员方创新实现高质量学习方式提供了有力的支持。2015年—2017年，中国与联合国教科文组织合作连续举办三届国际教育信息化大会，三次大会深化发展了信息技术在全球教育领域的融合与普及。“参与并发挥中国作用，助力全球教育信息化发展，是推动全球教育发展目标实现中国走出去战略的重要举措。”③

中国在利用信息技术促进教育公平、教育均衡，推动教育发展方面获得了许多成功经验，同时对世界教育发展趋势也有清醒的认识和把握，积极参

① International Conference on ICT and Post-2015 Education，http://www. unesco. org/new/en/unesco/themes/icts/policy/international-conference-on-ict-and-post-2015-education/，2017-10-15.

② 《青岛宣言》强调包容性的终身学习 各国部长点赞认同这是一个有益的协作机制［J］. 中国教育网络，2015（6）.

③ 黄荣怀，张进宝，经倩霞，等 . 面向2030教育发展议程的全球教育信息化发展战略——解读《青岛宣言》教育目标行动框架［J］. 开放教育研究，2016（1）.

与此类教育议程设置，把中国的经验推向全球。

中国积极参与到全球教育议程的协商制定之中。2015年9月举行的联合国发展峰会上，中国领导人与世界各国首脑共同见证和通过了具有划时代意义的《2030年可持续发展议程》，提出了“确保包容、公平的优质教育，促进全民享有终身学习机会”的教育目标。

中国还参与了《教育2030行动框架》的起草。2015年11月，第38届联合国教科文组织大会通过了《教育2030行动框架》。该框架的起草与制定历时3年，在各成员方中经过了广泛的讨论和协商。中国虽然不是全民教育指导委员会的成员，但是加入了《教育2030行动框架》起草委员会。联合国教科文组织教育助理总干事唐虔与全民教育指导委员会主席丹克特·维德勒共同担任起草委员会主席，起草委员会是一个由多个机构代表组成的委员会，包括会员方代表，联合国、经合组织、教师工会代表，民间团体、私立机构代表等。起草委员会几乎包括了所有相关的机构和群体，这保证了所有利益相关方的声音都能在这个平台上得到表达。中国代表在起草委员会担任主席，这是对中国地位及能力的认可，当然中国的教育理念和主张也在一定程度上得以体现。联合国教科文组织全民教育指导委员会主席丹克特·维德勒认为，有两个原因促成中国加入起草小组，“一是中国是一个很大的国家，拥有世界上20%的人口，中国的发展是一件很重要的事，因此中国的加入对于行动框架的制定是一件好事；二是在过去20年，中国在教育界取得了巨大的、非凡的成就，而且相对于欧洲国家和经合组织国家来说，我认为中国获得的一些经验对发展中国家更有借鉴价值。作为世界的组成部分之一，中国与所有国家共享经验，是非常重要的。但是，其他国家不要照搬，而是要从中学习。我认为中国应该加入下一届全民教育指导委员会，持续参与国际事务对中国来说很重要”[①]。中国参与全球教育发展规划的起草，一定程度上体现了中国参与全球教育议程的能力正在提升，同时也是为世界贡献中国教育智慧和方案的机会。

---

① 吕伊雯，许方舟，张静慈．迈向教育2030：全球合作与中国参与——访联合国教科文组织全民教育指导委员会主席丹克特·维德勒 [J]. 世界教育信息，2016（1）.

二、中国代表积极担任国际组织负责人，主导全球教育议程及规则制定

中国代表积极担任国际组织负责人。2013年11月5日，在法国巴黎召开的联合国教科文组织第37届大会上，中国教育部副部长郝平当选为新一届大会主席。[①]这是该组织历史上中国代表首次获选大会主席。郝平的这次当选标志着中国成为了深度参与者。教科文组织大会主席的主要职责有一项是组织制定与教育科技和文化相关的国际规则和标准。这就为中国主导教科文组织的教育议程提供了可能性。2018年3月29日，联合国教科文组织任命中国驻比利时大使曲星为该组织副总干事。2018年7月，中国联合国教科文组织全国委员会秘书长杜越成功竞聘为联合国教科文组织非洲部门协调和伙伴关系局局长。[②]中国的人才到教科文组织工作能够帮助中国更加有效地参与全球治理，为现有不合理国际规则的调整和修改提供中国意见，把中国改革开放的经验、中国智慧、中国优秀的传统文化思想介绍给世界，同时吸收世界的新理念、新思想，从而实现本土与国际的融合，促进中国的发展。

中国支持将文化和终身教育目标列入2015年后全球发展议程。2014年5月5日，第68届联合国大会当天就“2015年后发展议程中的文化和可持续发展”举行主题辩论，郝平在大会上发言，强调要实现真正的可持续发展，文化就应被全面纳入发展议程。现在就应将文化纳入2015年后全球发展议程中。[③]2014年9月24日，郝平在联合国总部举行的“教育第一”全球倡议高级别会议上表示，中国支持将有关终身教育的目标列入2015年后全球发展议程，中国政府支持将“确保到2030年，实现全民享受公平、包容和有质量的终身教育和学习”作为2015年后全球发展议程的重要目标。[④]2015年联

---

① 37th Session of the General Conference. http://www. unesco. org/new/en/general-conference-36th/president/diary/2013，2017-10-16.

② 联合国教科文组织非洲部门跨部门合作与伙伴关系主任杜越：借教科文组织之力 助中国教育走向世界 . http://wemedia. ifeng. com/88918641/wemedia. shtml，2019-01-08.

③ 郝平强调文化应纳入2015年后发展议程. http://news. xinhuanet. com/world/2014/05/06/c_1110546797. htm，2017-10-16.

④ 中国代表支持将终身教育目标列入 2015 年后全球发展议程[J]. 终身教育，2014（5）：41.

合国教科文组织通过的《教育2030行动框架》体现了中国提出的这一目标。为确保全球合作及行动框架的落实，教科文组织成立了一个“教育2030”指导委员会，目的是为会员国教育发展提供战略指导，评估全球教育会议所取得的进展，在重点的优先领域向教育界提供建议，发起新教育议程行动，监测并倡导资金投入，鼓励各类合作伙伴加强活动的融洽度与协调度。

第三节　积极构建终身教育体系及参与国际通用教育标准的制定

一、积极构建终身教育体系，推动教育平等、教育公平的实现

终身教育运动是由以联合国教科文组织为首的众多国际组织，包括经合组织、欧盟、国际劳工组织等直接倡导和推动，各国政府积极响应的全球性教育运动。[①]

从20世纪70年代开始，各国均陆续开始采纳并实施终身教育理念。美国于1976年通过了《终身学习法》，法国在1971年颁布了《终身职业教育法》，日本于1990年颁布《终身学习振兴法》，韩国则在20世纪80年代初把终身教育写进了宪法，并实施终身教育政策。德国、瑞典、加拿大等许多国家也针对终身教育颁布了相应的法律。可见，终身教育得到世界各国的积极响应，并被付诸教育政策实施。

中国也积极推行终身教育思想，并着力建构终身教育体系。其实，中国也有终身教育的传统。古代伟大的思想家、教育家孔子就曾说“三人行，必有我师焉。择其善者而从之，其不善者而改之”，说明学习无处不在，人人都可以成为别人学习的对象，人人都可以向其他人学习，这就具有终身学习的思想意识。近代著名教育家陶行知主张“活到老，干到老，学到老，用到

① 何齐宗．现代外国教育理论流派述评［M］．南昌：江西高校出版社，2006：21.

老”，倡导终身教育和终身学习。教科文组织的《学会生存》报告于1979年被中国上海译文出版社翻译引介到中国，这份报告中倡导的终身教育和学习社会的理念受到中国教育界的广泛关注，成为终身教育思想开始在中国传播的重要标志。中国在随后进行的教育改革中，把终身教育纳入到教育方针政策之中。1993年，中共中央、国务院印发《中国教育改革和发展纲要》明确指出：“成人教育是传统学校教育向终身教育发展的一种新型教育制度，对不断提高全民族素质，促进经济和社会发展具有重要作用。”[①]“终身教育”第一次被写入国家重要教育政策文献，这标志着终身教育开始从理念转变为具体的国家政策。该纲要还将成人教育与终身教育相关联，并强调把岗位培训和继续教育作为成人教育的重点，强调建立完善证书制度、资格制度等，这些都是构建终身教育体系的重要内涵。[②]1995年，终身教育写入《教育法》，“国家适应社会主义市场经济发展和社会进步的需要，推进教育改革，促进各级各类教育协调发展，建立和完善终身教育体系”“使公民接受适当形式的政治、经济、文化、科学、技术、业务教育和终身教育”“为公民接受终身教育创造条件”，这意味着终身教育得到国家法律的认可。2010年颁布的《国家中长期教育改革和发展规划纲要（2010—2020年）》指出“发展远程教育和继续教育，建设全民学习、终身学习的学习型社会”，这也成为中国教育部每年的工作要点之一。2012年11月，中共十八大报告再次强调要“完善终身教育体系，建设学习型社会”。在地方层面，各地相继出台地方终身教育法规，通过举办开放大学[③]、全民终身学习周，开展社区教育等形式确保终身教育的落实，如福建省、上海市、太原市、河北省等都制定了“终身教育促进条例”。在社区教育方面，中国各地积极开展终身学习宣传活动，以2013年为例，全国24个省区市的600多个城市在10月份陆续开展

① 中国教育改革和发展纲要，http://www.moe.edu.cn/jyb_sjzl/moe_177/tnull_2484.html，2017-10-16.

② 韩民，吴遵民．中国教育改革大系·终身教育卷［M］．武汉：湖北教育出版社，2016：18.

③ 郝克明．建设中国特色开放大学 构建国家终身学习体系［N］．光明日报，2013-02-21.

一系列的全民终身学习宣传活动[①]，在全社会进一步树立了全民学习、终身学习的理念。截至2016年底，黑龙江省设立社区大学、学院、学校581所，社区教育学习点1 681个，年培训69万人次。黑龙江初步形成了以省社区教育指导中心为龙头、以社区大学和社区教育学院为骨干、以社区教育学校为基础、以社区教育学习站（教学点）为支撑的覆盖全省的社区教育办学网络体系。[②]这为其他地方开展终身学习提供了很好的示范效应，也为终身教育理念在基层的实践提供了参照。

国家层面的终身教育立法虽然有过尝试，但因一些重大问题未能达成共识，一直未能出台。教育部已成立了终身学习法草案起草小组，完成了前期立法调研，并形成了草案初稿及其立法说明[③]，各个层面仍在为终身教育的立法工作继续努力。2017年9月，中共中央办公厅、国务院办公厅印发《关于深化教育体制机制改革的意见》，指出要“培养认知能力，引导学生具备独立思考、逻辑推理、信息加工、学会学习、语言表达和文字写作的素养，养成终身学习的意识和能力”，“营造健康的教育生态，大力宣传普及适合的教育才是最好的教育、全面发展、人人皆可成才、终身学习等科学教育理念。”；“以拓宽知识、提升能力和丰富生活为导向，健全促进终身学习的制度体系。”[④]文件从个体终身学习意识培养、终身学习教育理念、终身学习制度体系建构等层面阐述了中国终身教育体制机制的改革思路，这也是对全球终身教育运动的发展与深化。十九大报告也指出，要“办好继续教育，加快建设学习型社会，大力提高国民素质”。终身教育、终身学习、学习型社会建设，这些要素共同构成了中国终身教育的初步体系，但终身教育立法仍未能实现，亟须在立法层面推进终身教育。

---

① 600多个城市参与全民终身学习活动周 助力实现伟大中国梦［N］. 珠海特区报，2013-10-14（1）.

② 曹曦．黑龙江：全民终身学习活动周举行［N］. 中国教育报，2017-08-12（2）.

③ 任一龙．终身学习：中国将立法［N］. 人民政协报，2009-03-07（33）.

④ 中共中央办公厅、国务院办公厅印发《关于深化教育体制机制改革的意见》，http://www.gov.cn/xinwen/2017/09/24/content_5227267.htm，2017-10-16.

二、参与国际通用教育标准的制定

随着综合国力的增强，中国将为全球教育治理提供更多的中国智慧和中国方案，更多地参与全球教育标准、规则的制定。2017年10月18日，习近平在十九大报告中指出，“坚持和平发展道路，推动构建人类命运共同体”“中国秉持共商、共建、共享的全球治理观，中国将继续发挥负责任大国作用”“积极参与全球治理体系改革和建设，不断贡献中国智慧和力量”。[①]这为教育智库参与全球教育治理提供了理论指导，教育治理应围绕构建人类命运共同体的目标，紧扣“共商、共建、共享”的全球治理观，积极参与全球教育治理体系和能力的变革，提出具有中国特色的教育治理理论和实践经验。

中国政府及各类组织积极参与国际教育标准的制定。教育标准是指“为实施国家教育法律法规和有关教育方针政策，为在教育活动领域内获得最佳秩序，在教育教学实践与理论研究的基础上对各级各类教育活动事项制定的各类教育规范与技术规定”[②]。世界各国的教育标准一般由政府和社会共同制定。但建构主义理论认为国际机制可以通过说服、社会影响和模仿使参与国接受这些标准与规则。[③]反过来，标准与规则也可以影响国际机制。国家要维护自身的国家利益或者维护全球共同的价值观，可以通过参与国际标准与规则的制定来实现。

国际标准与规则是全球治理体系的重要技术基础，是与世界协调同步发展、互融互通的保障。1946年10月，25个国家在伦敦召开会议，宣布成立国际标准化组织，目前已有162个成员，覆盖世界国民总收入的98%和全球人口的97%。国际标准化组织制定发布了近2万项国际标准，是世界上最大、最权威的综合性国际标准组织。国际标准化组织的成员并非国家或政府，而是来自117个国家的标准设立组织，有政府机构、私人企业联合会，

---

① 中共十九大开幕，习近平代表十八届中央委员会作报告，http://www.china.com.cn/cppcc/2017-10/18/content_41752399.htm，2017-10-20.

② 国家教育标准体系研究课题组．国家教育标准体系的发展与完善［J］．教育研究，2015（12）．

③ 江忆恩，李韬．简论国际机制对国家行为的影响［J］．世界经济与政治，2002（12）．

也有公私混合机构。[①]中国是国际标准化组织创始国之一，也是其常任理事国，期间曾中断过，1978年恢复在国际标准化组织的合法地位，成为正式成员。中国分别于1999年、2016年承办了两届国际标准化组织大会。中国在国家质检总局下设立中华人民共和国标准化管理委员会和中华人民共和国认证认可监督管理委员会[②]，国务院授权由这两个专业委员会负责参与全球的标准化工作。中国拥有国际标准化组织注册专家近3 000人，承担国际标准化组织技术机构71个，提交并立项了国际标准提案474项；中国积极推进标准化国际合作，与34个国家和地区签署了60个双边合作协议。[③]

2007年9月21日，中国计量学院宋明顺教授代表中国获得第30届国际标准化组织大会颁发的高等教育标准奖[④]，宋明顺是中国标准化管理委员会的成员，这个奖项是对中国在高等教育标准化方面努力的认可。中国目前有30多所高校从事标准教育[⑤]，培养标准制定相关人才，中国的标准教育在世界范围内产生了积极影响。

2013年9月20日，在俄罗斯圣彼得堡举行的第36届国际标准化组织大会上，中国国家质检总局、国家标准化管理委员会提名的中国标准化专家委员会委员、国际钢铁协会副主席、鞍钢集团公司总经理张晓刚成功当选新一届国际标准化组织主席，任期自2015年1月1日至2017年12月31日。[⑥]这是1947年国际标准化组织成立以来，中国人首次担任这一国际组织的最高领导职务。这有利于提升中国在国际标准化制定中的领导地位，提升中国各领域标准化水平，同时也可以发挥中国在全球标准化的战略、规划和政策规则制定等活动中的引领作用。

---

① 李明月．试析全球治理的非正式化与私有化发展［J］. 国际展望，2015（5）.

② SAC（China）. https://www. iso. org/member/1635. html，2017-10-18.

③ 第39届国际标准化组织（ISO）大会在北京召开，http://cn. chinadaily. com. cn/2016/09/12/content_26775980. htm，2017-10-18.

④ Chinese university wins inaugural ISO Award for Higher Education in Standardization，https://www. iso. org/news/2007/09/Ref1077. html，2017-10-18.

⑤ 具体参见：https://www. iso. org/files/live/sites/isoorg/files/archive/pdf/en/iso_focus_nov_2007_-_article_prof_song_mingshun. pdf，2017-10-18.

⑥ 中国人首次当选ISO主席 国家标准委电贺张晓刚，http://www. gov. cn/gzdt/2013/09/21/content_2492220. htm，2017-10-18.

中国积极参与和采纳国际教育标准分类。《国际教育标准分类法》是联合国教科文组织于20世纪70年代早期所设计的，该标准在1975年的日内瓦国际教育会议上被批准，1978年，第二十届教育统计国际标准化会议的修订意见被在巴黎召开的联合国教科文组织大会采纳。[①]为了更准确地统计世界各国的教育情况，给经济发展水平和教育结构存在差异的国家提供可靠的教育政策分析与决策，标准后来经过多次修订，最近的版本为2011年版。

国际教育标准分类有两个重要分类单位，即根据教育课程划分教育等级，根据资格证书区分受教育程度。在新版教育标准分类中，根据教育课程内容复杂程度和专门化程度将教育体系从低到高分为9个等级序列，即0级早期儿童教育、1级小学教育、2级初中教育、3级高中教育、4级中等后非高等教育、5级短期高等教育、6级本科教育（学士或等同）、7级硕士教育（硕士或等同）和8级博士教育（博士或等同），从而构成了一个完整的教育等级序列。[②]根据社会的发展趋势，这个分类比之前的版本有了新的调整。有学者指出，“统计内容与国际标准的差距直接影响到与国际状况的比较，从而影响了对中国教育发展差距的准确判断以及对教育规划和战略的及时调整，也使中国教育发展进程难以在国际统计中体现出来”[③]。中国需与《国际教育标准分类法》接轨，才能与国际教育统计标准保持一致，从而更好地进行国际比较，发现差距，找出问题，促进中国教育发展。中国作为联合国教科文组织的会员，也积极参与了教育标准分类的相关工作。

中国积极参与国际教育标准有关的会议及论坛等活动。2011年9月9日，第24届学习、教育和培训中的信息技术国际标准化组织全会、工作组会议及开放论坛在上海召开。这次会议由国际标准组织ISO/IEC JTC1 SC36主办，国家标准化管理委员会、教育部、工信部、上海市科技委指导，华东师大、全国信息技术标准化技术委员会教育技术分技术委员会、教育部教育信息化

① International Standard Classification of Education ISCED 1997. November 1997，http://www.unesco. org/education/information/nfsunesco/doc/isced_1997. htm，2017-10-18.

② 李建忠．国际教育标准分类折射教育新趋势［J］. 辽宁教育，2012（3）.

③ 蔡昉．中国人口与劳动问题报告 10 提升人力资本的教育改革［M］. 北京：社会科学文献出版社，2009：245.

技术标准委员会承办。本次开放论坛的主题为“学习、教育和培训领域的新技术与标准化——产学研合作创造教育信息化未来”，包括如下9个议题：①教育中的新兴技术；②教育信息化技术标准的新趋势；③电子课本和电子书包的标准与应用；④虚拟实验的标准与应用；⑤云计算在教育中的应用与标准；⑥统一信息基架在网络教育中的应用；⑦教育领域中的信息管理标准与应用；⑧教育资源管理标准与应用；⑨与主题相关的其他议题。[①]有2名中国教育专家在大会上做了主题发言。中国承办教育标准化相关会议和论坛，通过论坛展示中国在教育标准制定方面的理念和实践，这也是对全球教育标准产生影响的重要方式。

未来，中国将对世界教育发展的规则、标准提供更多的中国方案和中国智慧。中共十九大报告提出，要在2049年实现第二个百年奋斗目标，把中国建设成为一个综合国力和国际影响力领先的国家，成为“富强民主文明和谐美丽的社会主义现代化强国”。[②]中国教育部部长陈宝生在十九大记者会上回答《联合早报》记者提问时说，他心目中2049年的中国教育，将“稳稳地立于世界教育的中心，引领世界教育发展的潮流”，他认为届时中国的标准将成为世界的标准，中国将对世界教育发展的规则有更大的发言权并提供中国方案和中国智慧，中国版的教材及汉语发音的教材能够走向世界。不久的将来，中国将成为世界上人们最向往的留学目的国，各国将有意愿来中国学习交流中国发展经验和中华文化，中国国民也都能够接受教育。从这些表述中可以看出，中国教育未来的发展将更多更深入地参与全球教育标准及规则制定的活动之中，发挥中国的作用及影响力。当然，“先进的教育理念和良好的教育实践是国际教育规则的修订与创新的先决条件，理论的完善与各国之间的交流则是国际教育规则的修订与创新的必要准备过程”[③]。这需要

---

① 永和．第24届学习、教育和培训中的信息技术国际标准化组织全会、工作组会议及开放论坛9月在上海召开［J］. 远程教育杂志，2011（5）．

② 在2049年以前 中国要引领世界教育潮流，http://beltandroad. zaobao. com/beltandroad/news/story20171023-805001，2017-10-23.

③ 王晓辉，谷小燕，翁绮睿．国际教育规则与全球教育治理［J］. 中国人民大学教育学刊，2012（1）．

我们进行大量的前期教育理论和实践准备工作，继续加强与各国、国际组织之间的交流与合作，在遵守国际规则的前提下，参与相关教育规则和标准的制定。

第四节　参与国际教育评估

一、参与 PISA 测试，与全球分享中国教育经验

中国政府部门及相关专业组织积极参与国际教育评估，与世界进行横向比较，明确中国教育在世界中的位置与水平，对本国教育进行诊断的同时，也为全球教育提供中国的教育经验和教育智慧。其中，中国参与了最有影响力的PISA项目，PISA测试的目的是通过对15岁学生的知识和技能进行测试，以此评估全球的教育系统。具体来说，对个人而言，PISA测试学生的创造性、批判性思维能力和运用能力，在学习了阅读、数学、科学之后的实际应用技能；对国家而言，PISA测试还可以衡量国家为年轻公民提供教育机会的公平程度，收集学生的社会和情感技能、学习态度等信息，各国还可以比较它们之间的教育政策和实践，通过比较能快速、高质量地改善本国的教育系统。[①] 自2000年以来，PISA测试每三年进行一次，在全球范围内随机选择15岁的学生参加测试，科目包含阅读、数学和科学，每次的测试重点关注一个科目。迄今为止，该项目已进行了6次，有70多个国家（或经济体）的学生代表参与了测试。PISA测试作为目前世界范围内最具权威的国际性测试，组织严密，设计科学，实施严谨，具有很高的信度和效度，为横向比较世界各国基础教育发展状况提供了平台。

中国政府积极组织参加PISA测试。测试可以为中国教育改革发展取得成就的展示提供国际舞台，也为中国改进和完善现行教育政策，推进教育领

① OECD Work on Education & Skills [EB/OL].[2016-07-28]. http://www. oecd. org/edu/edubrochure-eng. pdf.

域综合改革提供参考。2009年，上海首次代表中国参加PISA测试，在阅读、数学、科学三项测试中全部获得第一名。该年度测试共有65个国家和地区的47万名学生参与，以阅读素养测试为主。根据测试需要，上海市教育委员会成立了SHPISA项目领导小组和项目组，负责全市层面的统筹协调，项目组成员单位包括市教委5个相关处室和4个直属机构。在上海市教育科学研究院设立SHPISA秘书处和研究中心。SHPISA秘书处负责执行项目组的决策，落实计划、组织和协调工作；SHPISA研究中心负责试卷、问卷、考务手册、评分标准和评分管理手册的翻译和修订，测试主任和学校主考培训，学生抽样，数据管理，以及组织开展PISA相关课题研究工作。上海市教育考试院负责考务管理，包括试卷、问卷、宣传彩页及考务证件印刷，学生纪念笔制作，评卷管理，数据录入。上海市教研室负责评卷专家聘任及各学科领域的评卷培训，并在试题评审和命题研究课题中承担了主要工作。①严密的组织机构设置，科学的分工与合作，有效保障了PISA测试的顺利开展。

另外，中国也积极参与PISA测试试题命制等事务。2015年4月8日至10日，中国PISA国家中心派员参加在美国华盛顿举行的PISA2018国际命题培训会。会议由PISA主承包商ETS主办，培训内容主要是PISA2018重点测试领域阅读素养的命题指导和具体操作，共有来自中国、美国、德国、意大利、瑞典、加拿大等国家的近20名专业命题人员参加。②培训对PISA2018的阅读领域命题理念、技术和方法，对背景材料提交方式、命题流程标准进行了详细说明。这为中国更专业地参与国际测试命题提供了机会，同时也可以把中国的教育理念融入到测试之中，向世界传达中国的思想文化和智慧。

二、参与教师教学国际调查，展示中国教师特色

中国参与教师教学国际调查，充分展示了中国教师及相关制度的特色与优势。一个教育系统的质量在很大程度上取决于它的教学质量，收集教师信

---

① 陆璟．PISA 2009 上海实施报告［J］．教育发展研究，2009（24）．

② 教育部考试中心．国家中心派员参加 PISA2018 国际命题培训会[EB/OL]．2015-04-15［2017-10-24］．http://pisa. neea. edu. cn/html1/report/1504/30-1. htm.

息可以帮助国家建立一个高质量的教学专业。为此，经合组织开展了教师教学国际调查①，它是经合组织教育与技能局开展的一项国际性调查项目。该项目主要调查教师的工作和态度、学校领导的角色，具体包括教师和学校的工作条件和学习环境，如教师教育的初始状态和专业发展，教师得到什么样的评价和反馈，教师的教学观念和教学实践，自我效能和工作满意度，学校的环境，学校领导力和管理风格等。调查的具体对象包括国际目标人群——初中教育教师和主流学校领导者；每个国家目标样本大小——200所学校，20名教师和每个学校1名领导；学校样本——教师在校的代表性学校样本。教师教学国际调查通过全面、严谨的调查，提供跨国分析，帮助成员方识别其他国家面临的类似挑战以及学习它们的政策。教师教学国际调查的研究结果以国际报告、交互式数据库、个别国家说明、专题报告等形式发表。

2013年，教师教学国际调查已覆盖了34个国家的500万名教师，并鼓励各国根据本国情况扩大调查范围，能够对其小学和高中教育进行调查。2013年，中国上海首次参加教师教学国际调查项目，调查结果显示中国上海在一些项目上优势明显，且独具特色。上海教师专业发展的特色及优势表现在：一是全员、全方位、高强度，确保每个教师都能胜任的上海教师培训体系。上海初中教师队伍年轻、高学历、对教师职业有充分准备。上海初中教师接受过本科及以上教育的比例为98.5%，显著高于经合组织的平均水平92.7%。二是上海初中教师队伍具有专业自主、民主参与，充满信任和期待的专业发展氛围等特点。上海初中教师能自主决定课堂教学方式、评价方式，调查显示89.2%的上海教师能在课堂上使用多种教学策略，比经合组织平均值高出10.8%。三是上海初中教师队伍具有不同方式的同行合作与相互学习的教师专业学习网络。具体表现为具有规范化的入职与带教制度，调查数据显示，上海初中教师100%参加了入职与带教培训，国际平均值为80%，且带教教师与被带教教师学科领域对口率为100%，大大高于经合组

① OECD. TALIS 2008 and 2013［EB/OL］.［2018-07-27］. http://www. oecd. org/edu/school/talis-about. htm.

织平均值69.5%。[①]中国上海初中教师专业发展中的教研和备课制度也在教师专业发展中发挥着重要作用，调查数据显示中国上海在国际比较中表现突出（见表5-1）。

表 5-1　教师观察其他教师的课堂并提供反馈频率表（上海与国际比较）[②]

观察其他教师的课堂并提供反馈的频率	国际平均值（%）	上海（%）	差异（%）
从未有过	39.8	1.0	38.8
每年 1 次或更少	20.9	5.6	15.3
每年 2 至 4 次	21.0	19.3	1.7
每年 5 至 10 次	7.9	28.4	-20.5
每月 1 至 3 次	6.3	34.3	-28.0
每周 1 次或更多	4.1	11.4	-7.3

上表显示出上海教师参与观察其他教师课堂教学的比例远远高于国际平均值。上海初中教师同伴网络的系统构建，促进了教师的专业发展。中国上海教师专业发展在专业知识、专业自治、同伴网络方面均高于国际平均水平。上海教科院研究员朱怡华指出，上海义务教育改革的经验及创新之处，一是教师专业发展学校的建设。二是扎根于教学现场的校本研修。校本研修占专业培训的50%，教研机制是中国的宝贵财富。三是强劲有力的专业支持。上海是国家教改综合试验区，拥有独立自主权。四是建立了绿色指标评价体系。五是多元主体办学格局。[③]上海“三位一体”的师资队伍建设系统包括教师专业晋升序列、教师专业发展要求、教师绩效激励办法，正在世界上引发强烈反响：英国教育大臣、美国教育厅长到上海探访，中英数学教师

① 王洁，张民选．TALIS 教师专业发展评价框架的实践与思考——基于 TALIS2013 上海调查结果分析［J］. 全球教育展望，2016（6）.

① 王洁，张民选．TALIS 教师专业发展评价框架的实践与思考——基于 TALIS2013 上海调查结果分析［J］. 全球教育展望，2016（6）.

③ 来源：2017 年 7 月 2 日—7 日，笔者参加北京大学中国教育财政科学研究所与世界银行全球教育实践局和俄罗斯高等经济大学教育研究所在北京联合举办的“教育与发展”国际暑期学校。根据上海教科院研究员朱怡华的报告整理。

交流项目持续多轮，上海数学教材在英翻译出版使用，等等。这些丰富的政策实践确保了上海教育一直保持世界领先地位，不仅为中国其他地区提供了宝贵的经验，也为全球各国提供了借鉴窗口和参照。

诚然，中国上海的教师教学国际调查取得了优异成绩，但也应该认识到中国教育的不足之处。这种不足既是挑战，也是机遇。中国的教育水平仍参差不齐，地区差异严重，城乡教师水平差距巨大，西部地区、农村地区、部分民族地区仍落后。中国政府已意识到这点，并正积极缩小地区差异，上海等大城市正将最好的师资力量派到偏远地区的学校挂职，以提高那些落后地区的教育水平。①中国政府采取积极应对政策与措施，教育将会不断进步，并在世界教育领域书写下精彩的一页。当然，中国也不能单纯依靠国际测试来诊断中国的教育现状，还需要中国教育研究机构、教育智库、专业人员针对中国国情设计更多更好的适合中国学生的工具来判断中国教育的问题，并与国际测试结合分析，这样才能保证研究结果的客观和准确，为中国教育改革提供精准的指导，以促进中国教育的真正变革和进步。

第五节　注重培养和输送全球教育治理人才

人才是参与全球教育治理的关键。培养一大批具备全球视野、中国立场、专业能力的高素质人才是中国参与全球教育治理的基础。近些年，中国向各类国际组织输送了一批国际化人才，在国际组织的许多岗位和关键部门发挥着重要作用。如陈冯富珍担任世界卫生组织总干事、李勇担任联合国工业发展组织第41届理事会总干事、张涛担任国际货币基金组织副总裁、杨少林担任世界银行首任常务副行长兼首席行政官、刘振民担任联合国副秘书长。在教育领域，唐虔任联合国教科文组织教育助理总干事、郝平担任联合国教科文组织第37届大会主席、展涛正式掌舵联合国教科文组织教育信息技术研究所等。可见，中国人才在国际组织中占据着许多重要位置，影响力逐

① 周洪宇．周洪宇论第三次工业革命［M］. 武汉：湖北教育出版社，2014：253.

渐增强，在参与全球治理中发挥越来越关键的作用。

一、设立国际教育机构，培养国际组织人才

参与全球教育治理，人才是关键。这对我们相关专业的人才提出了更高的要求。以联合国教科文组织为例，它是一个政府间国际组织，选人用人的尺度着眼于高素质国际化专业人才，选人用人标准包括价值观、品格、学历、外语、专业、通用能力六个方面的要求。一是价值观要求，国际组织是汇聚多元文化的大家庭，尊重多样性是国际组织职员应有的基本价值观。二是品格要求，正直诚信是国际组织职员应有的基本道德规范。三是学历要求，需具有硕士学位及以上学历，学历代表一定的知识能力水平。四是外语要求，需要精通英语或法语，优先录用能使用英语、法语两种语言开展工作的人才。由于教科文组织总部设在法国巴黎，对法语能力的要求是为了工作和生活方便。五是专业要求，教科文组织并非只需要具有教育专业背景的技术人员，其设立的技术岗位达到数十种，履职不同的岗位则需要具有相应的专业背景，像教育科学、自然科学、文化遗产、国际关系国际法、商业管理、财务、计算机科学等都是相应岗位所需要具备的专业背景。六是通用能力要求，学习能力、合作能力、规划领导能力、责任心等跨职业能力，是国际组织职员需要具备的基本能力。①可见，国际组织对人才的需求呈现出高素质、复合型的特点。中国需要针对这一需求培养符合国际组织特点的高端人才。

设立国际人才培养机构。中国在20世纪60年代初期就成立了外交学院，北京大学、复旦大学、中国人民大学以及其他高校也相继开设了国际关系或国际政治相关专业，进入21世纪以来，陆续有50多所院校开设国际关系相关专业，上海外国语大学2007年开设了专门的“国际公务员”班，致力于面向国际组织培养和输送国际化人才。②尽管这个班19名学生毕业后无一人进

---

① 培养国际组织人才，参与全球教育治理，http://wemedia. ifeng. com/66201714/wemedia. shtml，2018-07-16.

② 闫温乐，张民选．美国高校国际组织人才培养经验及启示——以美国10所大学国际关系专业硕士课程为例［J］. 比较教育研究，2016（10）.

入国际组织工作，但这无疑是一种有益的尝试。[①]2017年4月10日，上海外国语大学学生国际组织发展协会成立[②]，该协会旨在通过申报国际组织的岗位实践与志愿服务、传递国际组织工作人员的使命追求和标准要求、模拟训练国际组织运行过程等活动，鼓励更多有兴趣从事国际组织工作的学生加深对国际组织的理解，为今后进入国际组织工作奠定基础。

设立国际化方向的二级学科学位授权点。作为国内顶尖高校的北京大学，积极响应国家加强全球治理人才队伍建设的号召，服务国家战略需求，将国际组织人才培养列入教学工作的重要议程，全面、系统、深入推进国际组织人才的培养工作，从2017年开始设置国际组织与国际公共政策二级学科硕士学位授权点，并设置国际组织与国际公共政策本科专业方向和双学位。

开展国际教育是培养国际人才的重要途径。中国的国际教育应该以新时代为逻辑起点，为国家培养具备中国情怀、世界眼光，通晓国际规则，善于在多元文化情境中协作并发挥专业特长的国际化人才。北京外国语大学党委书记王定华在北京外国语大学国际教育学院发展论坛上指出，“我们要在国际教育的前沿领域加快创新步伐，传递中国声音、讲好中国故事。北京外国语大学国际教育学院要把中国教育置于全球语境中进行探讨。一方面，对世界各国各地区的教育模式、经验、政策等进行研究，并与中国教育进行比较和对照，为我国教育发展和人才培养提供宝贵经验与借鉴。另一方面，积极促进中外教育界的沟通交流，在中国教育和外国教育之间架起一座沟通桥梁，形成良性的互动机制”[③]。同时，北京外国语大学国际教育学院在国际人才培养方面，采取中外联合培养，开展双语教学，培养硕士博士，服务国家战略，充分发挥学校的专业特长。2017年4月，北京外国语大学成立国际组织学院，培养具有宽阔的国际视野与浓厚的中国情怀，通晓国际规则，精通两种以上外语，具有出色的跨文化沟通和实践能力，掌握丰富的国际法、

---

① 上外首届国际公务员班毕业生无一人入国际组织，http://www. eol. cn/zui_xin_dong_tai_2939/ 20110721/t20110721_653377. shtml，2017-10-27.

② 上海外国语大学成立学生国际组织发展协会，http://www. mohrss. gov. cn/SYrlzyhshbzb/rdzt/gjzzrcfw/rz/student f 2751/201705/t20170531_271704. html，2017-10-27.

③ 参见王定华于2018年5月25日在北京外国语大学国际教育学院发展论坛上的致辞。

国际政治与国际关系、国际经济与金融专业知识及专业技能，在全球化竞争中善于把握机遇和富有创新、合作精神，能胜任国际组织不同岗位工作的国际化人才；打造国际组织学科建设，人才培养、培训和输送基地，联合北京外国语大学国际学院及相关院系，开展学科建设，实施本硕博贯通式培养；同国家相关部委、国际组织、国内外高校、涉外部门、区域与国别研究机构、行业企业进行联合协作，协同发布就业信息，开展赴国际组织实习、就业人员的长期培养、短期岗前培训工作，服务国家全球战略和中国企业走出去战略。

可以看出，中国的国际人才培养单位对当前的国际形势把握非常准确，开展比较研究，进行交流互动，培养国际人才，最终为推动中国参与全球教育治理提供动力。因此，这些国际人才培养体系的建构，为中国参与全球教育治理提供了人才储备。

二、通过与国际组织建立联系、召开国际人才交流会，输送全球教育治理人才

与国际组织建立密切联系，为教育治理人才输送疏通渠道。中国人力资源和社会保障部专门设立“国际组织人才信息服务”网站[①]，设置在华国际组织、国际组织人事制度、国际职员风采、岗位空缺信息、考录与培训等专栏，鼓励支持大学生赴国际组织实习，以此加强我国人员对国际组织的认知与了解，为向国际组织输送人才搭建桥梁。国际层面，国际组织也积极在中国进行宣传，招募人才。联合国秘书处发起的联合国人力资源外联项目，主要目的是加强联合国与会员方在人力资源领域的合作，宣传联合国系统人力资源制度，推介任职机会，提高会员方国际公务员潜在人选的素质能力，帮助他们为今后成功竞聘联合国系统职位作好准备。中国人力资源和社会保障部已与联合国秘书处分别于2014年、2016年、2017年三次举办该项目，联合国开发计划署、联合国人口基金会、联合国儿童基金会、联合国志愿人员

① 国际组织人才信息服务，http://www. mohrss. gov. cn/SYrlzyhshbzb/rdzt/gjzzrcfw/，2017-10-27.

组织等机构到中国12所知名大学参加宣介活动。[①]该项目加强了中国年轻人对国际组织的了解，为中国向国际组织输送人才提供了平台。

召开国际人才交流大会，促进教育人才的跨国流动。人才流动是参与全球教育治理的重要方式，中国通过召开国际人才交流大会，搭建中国与世界各国人才交流、输送的立交桥，积极输送中国优秀人才到国际组织任职，为中国参与全球教育治理提供了新途径。中国国际人才交流大会由国家外国专家局创办，是中国目前唯一一个专门面向外国专家组织、培训机构、专业人才开放的规模最大、规格最高的，集人才、智力、技术、项目和管理于一体的国家级、国际化、综合性的人才与智力交流盛会。大会始于2001年，截至2017年，已召开15届，它既是一个国际人才交流的平台，把国外优秀专家、培训机构引进国内，同时，它也让国内的技术人员、管理人员及相关组织“走出去”，与国际组织建立长期联系，到国际组织、企业等工作、培训。在大会内容之一的引智项目中，教育培训占3%，教育类人才引进占10.8%，与金融业、传统制造业位列前三强。[②]2010年，大会增设文教类专家组织、海内外高校及教育机构展区，由教育部组织部分高校及机构参会。设展方包括参加国家外国专家局“111”工程的高等院校、国外知名高等院校、教育培训机构、各国驻华使馆相关教育职能部门。[③]这次大会吸引了如英国伯明翰大学、阿根廷贝尔格拉诺大学、加拿大多伦多大学、巴西恩伯国际交流中心等50家外国文教类机构参会。[④]这些举措增进了中国教育与世界各国、国际专业组织教育领域之间的合作与交流。

此外，中国还积极开展来华留学教育，许多来华留学人员回国后成为所在国家政界、文化界、经济界和教育界的中坚力量。来华留学毕业生中已

---

① 2017年联合国人力资源外联项目宣介活动正式启动，http://www. mohrss. gov. cn/SYrlzyhshbzb/ rdzt/gjzzrcfw/dtxx/201710/t20171023_279870. html，2017-10-27.

② 张晓，左娜，陈雯．融全球智力，促共同发展——中国国际人才交流大会回顾［J］. 国际人才交流，2017（4）.

③ 外国专家局：2010中国国际人才交流大会圆满闭幕，http://www. gov. cn/gzdt/2010/11/3/content_1737237. htm，2017-10-28.

④ 李艺雯．融聚全球智力，共建人才强国：2010中国国际人才交流大会纪实［J］. 国际人才交流，2010（12）.

有数十位先后在本国担任部长级领导职位，或担任驻华大使、驻华使馆参赞，成为各国人民与中国人民友好交流的桥梁。来华留学教育成为中国参与全球教育治理的重要组成部分，为国家及世界教育、政治、经济、文化等交流作出了贡献。

综上所述，中国通过设立国际人才培养机构、与国际组织建立合作关系、召开国际人才交流大会、开展留学教育等机制及方式，积极参与到全球教育治理之中，尽管中国在全球教育领域的参与度仍然不高，但已经走出了第一步，只要继续保持对外开放、“走出去”的战略与态度，中国培养和输送的人才将会在全球教育治理领域发挥更多更大的建设性作用。据统计，在联合国系统的雇员中，中国籍雇员目前仅占1.12%，列第11位，居菲律宾、印度、俄罗斯等国之后；而中国给联合国缴纳的会费占比为7.921%。由此可见，中国在国际组织工作的人才严重不足，与中国的大国地位和形象极不相称。[①]中国在国际组织中话语权也与中国的综合国力不匹配。中国要更好地参与全球教育治理，仍需要加大国际人才培养的力度，最终实现中国职员的占比比例与中国的实力相匹配，这也有助于中国更好地为全球教育治理服务，为全球教育发展贡献中国智慧和中国方案。

第六节　积极开展国际教育援助

一、通过颁布法规及设立组织机构，开展国际教育援助

国际教育援助是指国际间援助方对受援方在教育领域所提供的贷款、无偿赠款及专业技术资源的一种援助形式，以帮助这些国家和地区改善教育，并最终促进生产、经济、卫生和公共福利的改善。[②]援助形式主要包括投资

① 国家留学基金助力全球治理人才培养，http://mp. wexin. qq. com/s/wuGGL2cgCaaW1wLLjKzzwA，2018-3-23.

② 赵玉池，陈时见. 国际教育援助及其对世界教育发展的影响［J］. 比较教育研究，2010（10）.

援助、技术援助、发展援助等。国际教育援助不仅包含了援助双方之间的资金和物资转移，同时意味着知识和技术及其他相关教育资源的转移，这对于受援国教育事业的发展起着“种子”“催化”及“示范”作用。[①]随着全球化的加速，世界范围内的交流合作进一步加强，国际教育援助已经成为促进一个国家教育文化事业发展和改革的重要外部因素，以及减少人类贫困、促进经济发展、维护社会和谐的关键驱动力量。国际教育援助是国际公共产品，具有跨国性、公益性、基层性、文化性的特点。当前，随着国际形势变化，国际教育援助更重视援助的效果、援助的协调和援助的软件建设，更多地采取部门援助、计划援助，更加强调独立第三方机构的参与。[②]

开展国际教育援助是中国参与全球教育治理的重要内容，是中国由教育大国走向教育强国的必由之路，也是展现负责任大国国际形象的重要方式，是增进世界和平、构建人类命运共同体的基石。中国开展国际教育援助主要是通过颁布相关办法及规划，建立相关机构，为国际教育援助确定方向。2011年，中国发布了第一份《中国的对外援助2011》白皮书，重申了中国对外援助坚持八项原则：坚持帮助受援国提高自主发展能力；坚持不附带任何政治条件；坚持平等互利、共同发展；坚持量力而行、尽力而为；坚持与时俱进、改革创新。[③]对非教育援助是中国对外教育援助的主要组成部分，有学者把对非教育援助的原则进一步总结为“平等互利、应其所需、量力而行、注重实效、双边为主兼顾多边”[④]。其中，“应其所需”是指合作的双方应倾听对方的声音，根据实际需要，结合教育发展战略确定优先事项，从而将教育合作与自身的教育发展战略结合起来，让合作效益最大化；“量力而行”是指中非同属于发展中国家，不可能与西方发达国家在对外教育合作

① 张鹏．中国教育援外进程中的孔子学院：历史缘起、参与模式与国际特性［J］．世界教育信息，2016（11）．

② 赵玉池，陈时见．国际教育援助及其对世界教育发展的影响［J］．比较教育研究，2010（10）．

③ 《中国的对外援助》白皮书发布（全文），http://www. chinanews. com/gn/2011/04-21/2989430. shtml，2017-11-29.

④ 滕珺，李笑旭，陈柳．中国：一个新兴教育援助国的历史基础与未来挑战——基于“中非教育合作与交流”的批判性文献分析［J］．北京师范大学学报：社会科学版，2016（1）．

的数量与规模上盲目攀比，必须结合自身国情，量力而行，保持与国家实力相适应的援助规模，否则不但无助于对方，还可能拖垮了自身。这些原则为中国21世纪参与对外援助确立了基本原则，为中国参与全球治理提供了理论依据。

中国商务部于2014年11月15日发布了《对外援助管理办法（试行）》，办法明确了对外援助的内容、对象及目的，从中可以看出受援方涉及发展中国家及其国际组织、区域组织，具有广泛性，援助目的主要是减轻与消除贫困、改善民生等，提升受援方教育水平是改善民生的重点，体现出人文关怀和人道主义精神。中国政府2016年颁布的《国家教育事业发展“十三五”规划》明确提出，“开展教育国际援助。进一步做好教育对外援助，重点投资于人、援助于人、惠及于人。统筹利用国家和民间资源，加快对外教育培训中心和教育援外基地建设，为发展中国家培养培训管理人员、教师、学者和各级各类技术技能人才。积极开展优质教学仪器设备、整体教学方案、配套师资培训一体化援助。结合我国对外援助项目，鼓励教师与青年学生到发展中国家参与项目建设和提供志愿者服务。”“十三五”规划强调教育援助以人为本，说明中国教育援助重点开始转向，由以前的注重基础设施、设备援助转向注重对人力资源的投入与开发，注重软硬件一体化援助，注重援助的整体性，同时也注重在援助过程中的互动交流，增进与受援国之间的互相理解、信任，为建立双边或多边合作打下基础。

在机构层面，由国家国际发展合作署负责对外援助，其他部门如商务部、外交部、财政部等协同负责。在2000年以前，商务部在国务院的授权下通过对外援助司具体执行对外援助工作，外交部负责制定对外援助政策，财政部负责制定对外援助整体预算，2000年后，预算改由相关部门根据项目分别制定。三个部门协同开展对外援助。随着中国对外开放步伐的加大，对外援助国家及项目的增多，以及中国“一带一路”倡议的实施，这种多部门负责制越来越不适应形势的需要。为此，2018年3月，中共中央颁布《深化党和国家机构改革方案》，以此推动国家机构改革，方案提出“组建国家国际发展合作署。为充分发挥对外援助作为大国外交的重要手段作用，加强对外援助的战略谋划和统筹协调，推动援外工作统一管理，改革优化援外方式，更好服务国家外交总体布局和共建‘一带一路’等，将商务部对外援助工作有关职责、外交部对外援助协调等职责整合，组建国家国际发展合作署，作为国务院直属机构。主要职责是，拟订对外援助战略方针、规划、政策，统筹协调援外重大问题并提出建议，推进援外方式改革，编制对外援助方案和计划，确定对外援助项目并监督评估实施情况等。对外援助的具体执行工作仍由相关部门按分工承担”[①]。新组建的国家国际开发合作署，整合了资源，提高了对外援助的效率，折射出国家对参与全球治理的日益重视，在对外教育援助方面也将具有积极而重要的作用。

二、对外教育援助的方式及特点

中国对外教育援助包括援建学校、提供教学设备和资料、派遣教师、在华培训发展中国家教师和实习生、为发展中国家来华留学生提供政府奖学金以及为职业技术教育的发展提供资助等。在高等教育领域，中国的政府奖学金、短期培训、学校援建、孔子学院、教师借调以及高校合作等方式在中国对外教育援助合作中扮演着非常重要的角色。这些方式涉及教育硬件设施、技术支持、师资培训等，是人力资源开发的组成部分，可以为欠发达国家提供人力资源支持，从而为这些国家的发展奠定基础，体现出中国参与全球教育治理的全面性、广泛性和深度参与性。滕珺等学者[②]认为中国对非教育援助及交流合作体现在四个方面，即人员要素、财务要素、信息要素、结构要素，反映了中国对外教育援助的结构特点，这与国际组织如经合组织、世界银行等的援助重点不同，它们更倾向于基础教育援助，这也是援助理念和价值取向的差异。随着时代变革及社会进步，援助理念和范式有了进一步的发展，教育援助形式发生了新变化：一是所有权方面的行动，受援国在实施发展战略等方面具有领导权；二是按受援国优先事项调整援助；三是增进援助

---

① 中国政府网．中共中央印发《深化党和国家机构改革方案》，http://www. gov. cn/zhengce/2018/3/21/content_5276191. htm#2，2018-3-22.

② 滕珺，李笑旭，陈柳．中国：一个新兴教育援助国的历史基础与未来挑战——基于“中非教育合作与交流”的批判性文献分析［J］. 北京师范大学学报：社会科学版，2016（1）.

者之间的协调；四是结果管理，监测援助结果的进展。[①]这些新范式对确保中国对外教育援助的有效性，促进其可持续发展具有重要意义。

2012年3月，中国出资设立联合国教科文组织中非多边教育合作信托基金，加大对非洲基础教育的投入。中国政府与联合国教科文组织签署了一项800万美元的信托基金框架协议，旨在支持8个非洲国家的教育发展，尤其是优质教师教育与培训。该项目为期4年，主要通过能力建设培训班、购置设备、开发教材、举办培训和研讨会、学习考察、地区会议和知识共享等手段达到项目目标。[②]基金已帮助非洲刚果（布）、科特迪瓦、刚果（金）、埃塞俄比亚、利比里亚、纳米比亚、坦桑尼亚、乌干达等8个国家开展师资培训，在2017年—2018年项目第二阶段，多哥和赞比亚将作为新的项目国加入。这一项目是中国政府首次通过国际组织实施国际教育援助，援助形式由双边变成多边，开启了中国对外援助新模式，促进中国在对外援助上与国际接轨，表明中国参与全球教育治理理念及能力的提升，为实现非洲的和平、独立和可持续发展作出了贡献。

随着国际形势的变化，以及我国教育外援规模的扩大，我国教育外援需在战略上作出相应调整。在战略认识上把握国际教育援助的本质是人文理性，强化教育援助的能力建设，争取国际话语权，从而赢得国际社会支持。在政策需求上要深刻领会教育扶贫的战略意义，认识基础教育对人的能力及价值观形成具有基础性地位和重要作用，从而加大基础教育援助力度，同时也应注重高等教育、职业教育援助的协同发展。在援助策略上要转变援助方式，创新援助模式，教育捐赠、技术合作、贷款和多边援助可以综合运用，建立有效的项目监督和评估机制，确保有限的资源得到最大化的利用。[③]在援助模式上，根据不同国家的实际情况，采取与之相符合的援助模式，包括吸纳非政府力量，建立全面问责机制；了解和重视受援国已经形成的区域性

① 郑崧．有效援助议程下的中国对非教育援助［J］. 比较教育研究，2011（12）.

② 新华社．中国援非教育信托基金项目成效显著，http://news. xinhuanet. com/world/2017/3/30/c_1120726503. htm，2017-11-29.

③ 顾建新．国际援助非洲教育发展及对我国的启示［J］. 西亚非洲，2008（3）.

非政府组织，将其作为援助的中介机构；建立多边磋商机制。[①]在建立多边磋商机制层面，应强化国际协调性，加强多边合作，包括援助方、受援国、国际组织、私人机构等之间的协调与合作，充分利用中非合作论坛等国际化平台，共享信息，共同交流经验，增强我国在国际教育援助领域的影响力。这些战略的转向将确保中国国际教育援助的有效性和可持续性。

当然，从全球教育治理多元主体参与的特点分析，中国对外教育援助的主体仍显单一，主要是政府部门及其主导的各类机构，民间组织、企业、个人等仍较为缺乏，援助的师资力量、教学资源的使用等均存在问题，需要在未来加以重视解决，中国对外教育援助研究队伍建设也亟待加强。《2018年政府工作报告》指出，“中国与世界各国发展紧密相连、命运休戚与共。我们将始终不渝走和平发展道路，推动构建新型国际关系。积极参与改革完善全球治理，致力于建设开放型世界经济。推进大国协调合作，深化同周边国家睦邻友好和共同发展，加强同发展中国家团结合作。办好博鳌亚洲论坛年会、上海合作组织峰会、中非合作论坛峰会等主场外交。继续为解决国际和地区热点问题发挥负责任大国作用。完善海外利益安全保障体系。中国愿与各国一道，为推动构建人类命运共同体不懈努力”[②]。上述内容表明，中国将在国际上积极作为，继续积极参与全球治理体系变革和建设，在维护现有国际秩序的基础上，为世界贡献更多的中国智慧、中国方案、中国力量。全球教育治理作为全球治理的重要组成部分，必将在未来得到加强和提升，发挥更为积极和重要的作用，最终推动人类命运共同体的构建及实现。

---

① 张玉婷．国际社会对非洲教育援助发展态势分析［J］．比较教育研究，2016（4）．

② 2018年政府工作报告全文，http://www. gov. cn/zhuanti/2018lh/2018zfgzbg/mobile. htm，2018-3-21.

余 论

一、全球教育治理研究展望

首先，明确参与全球教育治理的“有理有治”理念。中国人民大学靳诺曾指出，中国参与全球治理，不只是出于更好地确保自身权益，提升中国制度性国际话语权的考虑，也是改变“有治无理”“有理无治”的世界治理局面的行动。所谓“有治无理”，就是当今全球治理的话语权由发达国家把持、发展中国家被边缘化的局面；所谓“有理无治”，就是我们有全球治理的理念但影响力不够的现状。中国参与全球治理，就是要实现“有理有治”。中国是最大的发展中国家、最大的新兴大国、最大的社会主义国家，又是世界第二大经济体、东方文明古国，多重身份的优势，使得中国在全球治理中能发挥好倡导者、协调者、推动者作用。[①]中国参与全球教育治理也不应止步于增强中国在全球教育领域的话语权这一层次，而应该紧扣建立人类命运共同体这一高度，重新认识中国在此过程中的角色与担当，积极推动全球教育治理体系向更加公平、平等的方向变革。在开展全球教育治理研究的过程中，要树立为全球建立“有理有治”理念进行相关工作。

其次，深化对国际政府间组织、非政府组织、区域组织、跨国企业、非正式国际论坛等参与全球教育治理的研究。当前，国际政府间组织是参与全球教育治理的主要力量，它们无疑是全球教育治理研究的重点对象。另外，国际非政府组织作为非官方力量，其实也在全球教育治理中发挥着积极的促进作用，如儿童救助会、阿登纳基金会、世界和平基金会（中国设立，总部在中国）等，都在全球具有广泛的参与度和影响力。上海合作组织、亚太经

① 靳诺．全球治理的中国担当，http://www.cssn.cn/zzx/xstj_zzx/201704/t20170410_3480723_3.shtml.

合组织等区域国际组织等在区域范围内具有重要影响，我们需要加强对这类组织的研究，明确它们的理念、运作机制，为全球教育治理开拓新的研究领域。部分知名跨国企业通过强大的资金实力及全球网络，参与到全球教育治理之中，也是我们应该加以关注的全球教育治理行为主体类型，企业参与全球教育治理动机、机制及实施方式均是可以开展的研究课题。非正式国际论坛如G7、G20、金砖国际峰会等作为正式国际组织之外的另一种重要形式，以一种非正式、开放的机制参与全球或区域教育治理，这类论坛也需要加以关注和研究。

再次，加强对世界知名综合智库和教育智库的研究力度。有一批世界知名智库积极参与全球教育问题的研究及治理。它们运用综合智库的研究实力、遍布全球的分支机构，在教育领域开展的治理研究及实践，对全球教育发展也具有较大影响。加大对此类智库的研究力度，可以为中国综合性智库的教育治理参与及专业性教育智库的成长提供借鉴和参考。教育智库的发展程度是体现国家教育治理水平的重要指标。教育智库建设及发展繁荣的国家，其教育治理水平也较高。世界范围内尤其以美国教育智库为主的一批教育智库，在教育领域具有强大的教育专业知识生产、研究能力和影响力，开展对教育智库从事全球教育治理的研究，能汲取各类教育智库的发展理念、建设路径及专业研究方法，促进中国乃至全球发展中国家教育智库的建设及发展。

又次，加强对美国、英国、法国、日本等发达国家参与全球教育治理的研究。这些国家因其强大的经济文化实力，在参与全球教育治理方面发挥着重要作用。国别研究可以为中国及其他国家参与全球教育治理提供更多的经验和案例，也可以从本体论、认识论、方法论的角度提炼出民族国家参与全球教育治理的理论、原则、方法等，进一步丰富全球教育治理的知识资源。

另外，随着信息技术、大数据、人工智能的飞速发展，以及万物互联时代的来临，人类可以便捷地开发、使用、共享各种数据及技术资源，互联网+教育、人工智能+教育兴起，人与物、自然深度融合。这必然引发全球教育治理理念、方式的巨大变革，政府、国际组织、跨国公司、个人等行为主体的关系将重新调整，智能机器人、数据人等也将在教育治理中占有一席之地。“智能机器在学习过程中表现出的不确定性，以及人工智能所带来的世界的瞬息万变，要求我们重构现有的规则与概念。”[①]在此背景下，全球教育治理研究将变得更为迫切，可行性与挑战性并存。

与此同时，随着中国经济、科技、文化、教育硬实力及软实力的提升，以及改革开放的现实需求，中国参与全球教育治理变得越来越迫切，全球教育治理研究也亟须加强，以便为中国参与全球教育治理提供更多的理论及实践经验的参考与借鉴。

二、教育大国向教育强国转型是中国参与全球教育治理及其研究的基础

中国正逐步由教育大国向教育强国转型，这是中国参与全球教育治理及开展全球教育治理研究的基础和前提。中国是众多国际组织的会员国，是世界上人口最多、举办着大规模教育的新型发展中国家，如何进一步提高与国际组织的合作水平，全面开启全球教育治理新征程，使中国成为世界教育中心，引领世界教育发展潮流，提升中国在国际教育领域的话语权，是我们面临的历史使命和紧迫任务。“中华人民共和国成立后，国家的教育事业发生翻天覆地的变化，特别是改革开放以来，完成了扫盲、普九、高校扩招等系列重大教育目标，在世界教育史上书写了浓墨重彩的篇章。”[②]进入21世纪，在中国经济社会飞速发展的同时，教育也取得了巨大进步。教育事业全面发展，中西部和农村教育明显加强。就业状况持续改善，城镇新增就业年均1 300万人以上。中国教育总体发展水平进入世界中上行列，教育公平取得重大进展。服务经济社会发展能力显著增强，教育发展能力显著提升。[③]

中国作为发展中国家的一员，教育的理念和经验对全球各国尤其是发展中国家更具有借鉴价值和意义。《国家教育事业发展“十三五”规划》提出

---

① 成素梅．智能化社会的十大哲学挑战［J］．探索与争鸣，2017（10）．

② “曾经受益也竭力推动”——全国人大常委会委员周洪宇自述：我亲历的教育公平推进历程，http://www.sohu.com/a/249353139100886，2018-08-22.

③ 国务院关于印发国家教育事业发展“十三五”规划的通知，http://www.gov.cn/zhengce/content/2017/01/19/content_5161341.htm，2017-10-31.

要积极参与全球教育治理，积极倡议“一带一路”沿线各国构建教育共同体，深化与联合国教科文组织、亚太经合组织、上海合作组织等国际组织，以及金砖国家的多边教育合作交流；深度参与国际教育规则制定；开展教育国际援助。这些教育战略规划都是中国由教育大国向教育强国发展的必要举措。只有积极参与全球教育治理，在这一过程中积极与全球进行互动，中国才能在传播分享本国先进经验和理念的同时，以更开放的姿态把全球优秀的教育实践和理论吸收进来，促进中国的教育发展，最终成就教育强国之愿景。

三、以习近平新时代中国特色社会主义思想为导引，开启全球教育治理及研究新征程

2017年10月召开的十九大确认中国已进入新的发展阶段，十九大报告指出:“建设教育强国是中华民族伟大复兴的基础工程，必须把教育事业放在优先位置，加快教育现代化，办好人民满意的教育。”[①]新的阶段要求我们解决新问题、执行新任务，新时代在教育领域的矛盾主要体现为人民日益增长的对高质量教育的需要和教育发展不平衡不充分之间的矛盾。

在此背景下，实现教育现代化，建设教育强国，推进国家教育治理体系和治理能力现代化就成为必然选择。国家治理体系和治理能力现代化对内表现为能为本国人民提供高质量、多样化的教育，满足民众对教育的需求，对外表现为中国在全球教育领域话语权和影响力的加强。中国的教育事业近些年取得了翻天覆地的变化，各项主要观测指标位居世界中上水平，说明中国正由教育大国走向教育强国。建设教育强国也是习近平新时代中国特色社会主义思想的重要组成部分。随着建设教育强国目标的确立，意味着中国将以更加开放和积极的姿态参与到全球教育治理之中，积极参与全球治理体系改革和建设，贡献中国智慧和力量，以中国教育发展的理论、经验、道路、模

---

① 中共十九大开幕，习近平代表十八届中央委员会作报告（直播全文）[EB/OL].[2017-10-20]. http://www.china.com.cn/cppcc/2017/10/18/content_41752399.htm.

式为解决世界教育发展问题提供中国方案。[①]我们有理由相信中国不仅能“参与”全球教育治理，在未来也可以“引领”全球教育治理的发展方向。

习近平新时代中国特色社会主义思想是我们开展全球教育治理及研究的指南针。习近平新时代中国特色社会主义思想是以习近平同志为核心的党中央及全国人民在长期实践摸索中总结出来的符合中国国情的理论精髓。党的十八大以来，教育领域的理论和思想得到了新的发展。习近平在全国教育大会上提出5个“人”的工作目标及9个“坚持”，即“以凝聚人心、完善人格、开发人力、培育人才、造福人民为工作目标，培养德智体美劳全面发展的社会主义建设者和接班人，加快推进教育现代化，建设教育强国，办好人民满意的教育”，“在实践中，我们就教育改革发展提出一系列新理念新思想新观点，主要有以下几个方面，坚持党对教育事业的全面领导，坚持把立德树人作为根本任务，坚持优先发展教育事业，坚持社会主义办学方向，坚持扎根中国大地办教育，坚持以人民为中心发展教育，坚持深化教育改革创新，坚持把服务中华民族伟大复兴作为教育的重要使命，坚持把教师队伍建设作为基础工作。这是我们对我国教育事业规律性认识的深化，来之不易，要始终坚持并不断丰富发展。”[②]这5个“人”的工作目标及9个“坚持”是习近平新时代中国特色社会主义思想的重要组成部分，也是其教育思想的精华，为我们参与全球教育治理提供了基本的指引。在中国参与全球教育治理的过程中，也要贯彻5个“人”的工作目标及9个“坚持”。习近平总书记在全国教育大会上的讲话是对教育工作的最新论述，是新时代教育工作的纲领性文件，是新时代中国特色社会主义教育事业改革发展的根本遵循，是加快推进教育现代化、建设教育强国、办人民满意教育的行动指南，也是教育工作者研究教育强国、参与全球教育治理的总体指导思想。[③]

中国参与全球教育治理及其研究，要以习近平新时代中国特色社会主义

① 杜越．开启新时代全球教育治理新征程［N］. 中国教育报，2018-01-04.

② 习近平出席全国教育大会并发表重要讲话［EB/OL］.［2018-09-10］.http://www. gov. cn/xinwen/2018/09/10/content- 5320835. htm.

③ 胡佳新. 学习贯彻全国教育大会精神 加快建设教育强国新征程［EB/OL］. 2018-09-30 http://www.jyb.cn/rmtzcg/xwy/wzxw/201809/t20180930-3239308.html.

思想为导引，扎根中国大地，顺应中国国情，确保全球教育治理及其研究符合中国特色社会主义新时代的特点，具备鲜明的中国底色，满足中国社会发展的需求。习近平新时代中国特色社会主义思想在教育治理、教育智库建设上均有所体现，如在智库建设方面提出的“三明确，两强调”：明确智库的中国特色，为党和政府决策服务；明确智库是凝聚社会智慧与力量、参与社会治理的重要平台；明确智库是推动协商民主依法决策的重要保障；强调高端智库与专业智库建设应为国家战略决策服务；强调智库的全球合作与交流，提升国家软实力。[①]教育智库担负着为党和政府教育决策提供客观、专业、科学的政策研究与咨询的重任，“三明确，两强调”的论述是中国参与全球教育治理及研究过程中教育智库建设的指导思想。这些思想论述都可以为中国参与全球教育治理提供理论之基、动力之源。

四、秉持“共商、共建、共享”的全球教育治理观，积极参与构建人类命运共同体

参与全球教育治理是中国由教育大国走向教育强国的必由之路。全球治理应遵从“集体行动的逻辑”。世界上没有任何一个国家，不管这个国家多么有能力或强大，不可能单独解决全球问题。[②]秉持什么样的全球教育治理观是中国参与全球教育治理的逻辑起点，构建人类命运共同体则是中国参与全球教育治理的终极目标及价值所在。在全球治理方面，十九大提出“中国秉持共商、共建、共享的全球治理观，倡导国际关系民主化，坚持国家不分大小、强弱、贫富一律平等，支持联合国发挥积极作用，支持扩大发展中国家在国际事务中的代表性和发言权。中国将继续发挥负责任大国作用，积极参与全球治理体系改革和建设，不断贡献中国智慧和力量”。“共商”即各国共同协商、深化交流，加强各国之间的互信，共同协商解决国际政治纷争与经济矛盾。“共建”即各国共同参与、合作共建，分享发展机遇，扩大共

① 周洪宇，付睿．以习近平智库论述为指导，加强教育智库建设［J］．国家教育行政学院学报，2018（4）．

② 庞中英．全球治理碎片化严重，“中国方案”如何更多 get 到国际公共产品？［EB/OL］．［2017-12-14］．https://mp. weixin. qq. com/s/l3JFwRkJf1H_gKReij4rog.

同利益，从而形成互利共赢的利益共同体。“共享”即各国平等发展、共同分享，让世界上每个国家及其人民都享有平等的发展机会，共同分享世界经济发展成果。[①]这是基于社会主义核心价值观而提出的平等、开放、合作、共享的中国治理观。“共商、共建、共享”的全球治理观和行动原则为解决当前人类面临的共同难题提供了新的理念和思路，是构建人类命运共同体的基本原则和必要条件，具有重大的现实价值和历史意义。

“共商、共建、共享”的全球治理观也是中国参与全球教育治理应秉持的价值观和理念。对教育而言，“共商”是前提，即全球各国、国际组织等利益相关方共同协商、交流，加强互信，在全球共同的教育问题上达成共识，化解矛盾；“共建”是基础，即与各国、国际组织寻求合作结合点，共同分享成功的教育经验，共同通过发展教育为建设全球命运共同体而努力；“共享”既是过程也是结果，全球教育共同发展，包括国家和国际组织共同分享教育的成果，每个人享有平等接受教育的权利，每个人都得到充分和自由的发展。当前，中国与众多国家及组织建立了多层次全方位的教育合作关系，中国的各级政府部门、各类研究机构、教育智库与世界主要国家、联合国教科文组织、世行、经合组织、G20、金砖国家等的教育合作在不断拓展与深化，“一带一路”倡议为中国参与全球教育治理进行了前期铺垫和准备。2017年5月14日，习近平在“一带一路”国际合作高峰论坛开幕式上发表主旨演讲强调：“‘一带一路’源自中国，但属于世界。‘一带一路’建设跨越不同地域、不同发展阶段、不同文明，是一个开放包容的合作平台，是各方共同打造的全球公共产品。它以亚欧大陆为重点，向所有志同道合的朋友开放，不排除、也不针对任何一方。”2019年4月26日，习近平在第二届“一带一路”国际合作高峰论坛上再次重申“秉持共商、共建、共享原则，倡导多边主义”，“积极架设不同文明互学互鉴的桥梁，深入开展教育、科学、文化、体育、旅游、卫生、考古等各领域人文合作。”[②]可见，开放、

① 陈建中．共商、共建、共享的全球治理理念具有深远意义［N］．人民日报，2017-09-12．

② 习近平在第二届“一带一路”国际合作高峰论坛开幕式上的主旨演讲（全文）［R］．新华社，2019-04-26．

包容、合作、共赢是新时代中国参与全球治理的基本理念。这些都为中国在全球教育治理中的共商、共建及贯穿始终的共享打下了坚实的基础。

由是观之，中国由教育大国向教育强国迈进的征程中，在努力实现本国教育现代化的同时，要秉持“共商、共建、共享”的全球治理观，积极参与全球教育治理，研究打造全球教育公共产品，为人类社会贡献中国特色的教育智慧、教育治理方案和力量，最终为构建人类命运共同体提供教育支撑，这既是中国的使命，亦是担当，更是中国走向教育强国、负责任大国的必然选择。

参考文献

一、中文文献

[1] 丹尼·罗德里克．全球化的悖论［M］．廖丽华，译．北京：中国人民大学出版社，2011.

[2] 塞巴斯蒂安·马拉比．世界银行家：世界银行行长沃尔芬森传［M］．李莉，译．北京：世界知识出版社，2009.

[3] 托马斯·弗里德曼．世界是平的［M］．何帆，肖莹莹，郝正非，译．长沙：湖南科学技术出版社，2006.

[4] 詹姆斯 N. 罗西瑙．没有政府的治理［M］．张胜军，刘小林，等，译．南昌：江西人民出版社，2001.

[5] 冈纳·缪尔达尔．世界贫困的挑战：世界反贫困大纲［M］．顾朝阳，张海红，等，译．北京：北京经济学院出版社，1991.

[6] K. 萨巴热，等．加强妇女参与经济发展：联合国世界银行政策报告［M］．石子，译．北京：大众文艺出版社，1995.

[7] 鲍姆·托尔伯特．开发投资：世界银行的经验教训［M］．王福穰，颜泽龙，译．北京：中国财政经济出版社，1987.

[8] 财政部外事财务司．世界银行重要文件资料汇编［M］．北京：中国财政经济出版社，1988.

[9] 陈广胜．走向善治：中国地方政府的模式创新［M］．杭州：浙江大学出版社，2007.

[10] 庞中英．全球治理与世界秩序［M］．北京：北京大学出版社，2012.

[11] 程漱兰，等．世界银行发展报告 20 年回顾（1978—1997）［M］．北京：中国经济出版社，1999.

[12] 崔树义，杨金卫．新型智库建设理论与实践［M］．北京：人民出版社，2015.

[13] 迪帕·纳拉扬，帕蒂·皮特施．在广袤的土地上［M］．崔惠玲，等，译．北京：中国人民大学出版社，2004.

[14] 迪帕·纳拉扬，等. 呼唤变革［M］. 姚莉，董筱丹，崔惠玲，等，译. 北京：中国人民大学出版社，2003.

[15] 杜越. 联合国教科文组织与全球教育治理——理念与实践探究［M］. 北京：教育科学出版社，2016.

[16] 国际学生评估项目中国上海项目组. 质量与公平：上海2009年国际学生评估项目（PISA）结果概要［M］. 上海：上海教育出版社，2010.

[17] 何曼青，马仁真. 世界银行集团［M］. 北京：社会科学文献出版社，2004.

[18] 何瑞珠，卢乃桂. 从国际视域论析教育素质与平等：PISA的启示［M］. 北京：教育科学出版社，2011.

[19] 胡光宇. 大学智库［M］. 北京：清华大学出版社，2015.

[20] 黄福涛. 外国高等教育史［M］. 上海：上海教育出版社，2003.

[21] 金立群. 世界银行：寻求发展之路［M］. 北京：北京工业大学出版社，1994.

[22] 靳诺，等. 全球治理的中国担当［M］. 北京：中国人民大学出版社，2017.

[23] 经济合作与发展组织，上海市教育科学研究院，国际学生评估项目上海研究中心. 面向明日世界的学习：国际学生评估项目（PISA）2003报告［M］. 上海：上海教育出版社，2008.

[24] 经济合作与发展组织. 教育系统中的成功者与变革者——美国从国际学生评估项目中学什么？［M］. 徐瑾劼，陈法宝，赵鹍，译. 北京：北京大学出版社，2013.

[25] 凯瑟琳·考菲尔德. 世界银行的幻想大师［M］. 马立，译. 南京：江苏人民出版社，1998.

[26] 克拉克·克尔. 大学的功用［M］. 陈学飞，等，译. 南昌：江西教育出版社，1993.

[27] 李剑鸣. 大转折的年代——美国进步主义运动研究［M］. 天津：天津教育出版社，1992.

[28] 李政云. 慈善基金会在美国高等教育发展中的作用——卡耐基教学促进基金会案例研究［M］. 长沙：湖南师范大学出版社，2011.

[29] 林钧. 国外学习化社会理论与实践研究［M］. 北京：中国经济出版社，2013.

[30] 麻宝斌，等. 公共治理理论与实践［M］. 北京：社会科学文献出版社，2013.

[31] 欧内斯特·L. 博耶. 关于美国教育改革的演讲（1979—1995）［M］. 涂艳国，方彤，译. 北京：教育科学出版社，2002.

[32] 厄内斯特·L. 博耶. 大学：美国大学生就读经验 [M]. 徐芃，李长兰，丁申桃，译. 北京：北京师范大学出版社，1993.
[33] 任晓. 第五种权力：论智库 [M]. 北京：北京大学出版社，2015.
[34] 入江昭. 全球共同体：国际组织在当代世界形成中的角色 [M]. 北京：社会科学文献出版社，2009.
[35] 沈蕾娜. 隐形的力量：世界银行的高等教育政策及其影响 [M]. 北京：高等教育出版社，2011.
[36] 世界银行. 中国战胜农村贫困：世界银行国别报告 [M]. 北京：中国财政经济出版社，2001.
[37] 世界银行. 走近世界银行：青年指南 [M]. 李莉，译. 北京：中国财政经济出版社，2011.
[38] 世界银行经济考察团. 中国：计划与市场 [M]. 北京：中国财政经济出版社，1991.
[39] 唐磊. 当代智库的知识生产 [M]. 北京：中国社会科学出版社，2015.
[40] 王辉耀，苗绿. 大国智库 [M]. 北京：人民出版社，2014.
[41] 王佩亨，李国强，等. 海外智库——世界主要国家智库考察报告 [M]. 北京：中国财政经济出版社，2014.
[42] 王晓光. 国际金融 [M]. 4 版. 北京：清华大学出版社，2017.
[43] 王晓辉. 全球教育治理——国际教育改革文献汇编 [M]. 北京：教育科学出版社，2008.
[44] 乌尔利希·贝克，等. 全球政治与全球治理——政治领域的全球化 [M]. 张世鹏，等，编译. 北京：中国国际广播出版社，2004.
[45] 谢世清. 中国与世界银行：推动能力发展 [M]. 北京：经济科学出版社，2014.
[46] 徐葆根. 世界银行贷款财务知识 [M]. 北京：中国财政经济出版社，1988.
[47] 亚伯拉罕·弗莱克斯纳. 现代大学论——美英德大学研究 [M]. 徐辉，陈晓菲，译. 杭州：浙江教育出版社，2001.
[48] 闫温乐. 世界银行与教育发展 [M]. 上海：上海教育出版社，2013.
[49] 杨雪冬，王浩. 全球治理 [M]. 北京：中央编译出版社，2015.
[50] 俞可平. 全球化：全球治理 [M]. 北京：社会科学文献出版社，2003.
[51] 詹姆斯·沃尔芬森. 我的世行之路：跨越贫富两界的跌宕人生 [M]. 司徒爱勤，译. 北

京：中信出版社，2011.
[52] 赵建国，吕丹 . 公共经济学 [M]. 北京：清华大学出版社，2014.
[53] 张颖春 . 中国咨询机构的政府决策咨询功能研究 [M]. 天津：天津人民出版社，2013.
[54] 张民选 . 国际组织与教育发展 [M]. 上海：上海教育出版社，2010.
[55] 周洪宇，邓凌雁 . 智库的作用：以美国卡耐基教学促进基金会为例 [M]. 武汉：湖北教育出版社，2016.
[56] 中国银行国际金融研究室 . 国际货币基金组织和世界银行 [M]. 北京：中国财政经济出版社，1978.
[57] 周洪宇，付睿，邓凌雁 . 国际思想库：国外教育智库研究 [M]. 武汉：湖北教育出版社，2016.
[58] 周洪宇 . 智库与治理：周洪宇国是建言（上卷）[M]. 武汉：湖北教育出版社，2016.
[59] 周洪宇，黄亚栋，邓凌雁 . 全球教育治理：国外学者论集 [M]. 武汉：湖北教育出版社，2016.
[60] 周洪宇 . 周洪宇论第三次工业革命 [M]. 武汉：湖北教育出版社，2014.
[61] 朱立群，富里奥・塞鲁蒂，卢静 . 全球治理：挑战与趋势 [M]. 北京：社会科学文献出版社，2014.
[62] 世界银行 . 撒哈拉以南的非洲教育政策——调整、复兴和扩充[M] 朱文武，皮维，张屹，译 . 杭州：浙江大学出版社，2008.
[63] 左常升 . 世界各国减贫概要 [M]. 北京：社会科学文献出版社，2013.
[64] 博耶委员会，李延成 . 重建本科生教育：美国研究型大学发展蓝图 [J]. 教育参考资料，2000（19）.
[65] 曾天山，王小飞，吴霓 . 澳新两国国家教育智库及其服务政府决策研究——澳大利亚、新西兰教育科研考察报告 [J]. 比较教育研究，2013（8）.
[66] 都丽萍 . 美国卡耐基大学分类 40 年述评 [J]. 大学：学术版，2011（6）.
[67] 杜越 . 联合国教科文组织与全球教育治理 [J]. 全球教育展望，2011（5）.
[68] 付睿，周文鼎 . 新时代教育智库与国家教育治理现代化——评《教育智库与教育治理研究丛书》[J]. 教育研究，2017（11）.
[69] 付睿 . 大学智库：全球智库的主要组成部分 [J]. 上海教育，2016（32）.
[70] 付睿 . 新时代教育智库助推教育强国建设——中国教育学会副会长、长江教育研究院

院长周洪宇专访 [J]. 生活教育，2018（4）.
[71] 付睿 . 智库：搭建知识与政策之间的桥梁 [J]. 上海教育，2016（32）.
[72] 付睿.智库专家的使命与担当——兼论《智库与治理：周洪宇国是建言》[J].决策与信息，2017（12）.
[73] 付睿 .“中国教育指数”的实践意义及其价值 [J]. 世界教育信息，2018（15）.
[74] 谷贤林，邢欢 . 美国教育智库的类型、特点与功能 [J]. 比较教育研究，2014（12）.
[75] 郭思文，李凌艳. 影响学生学习素养的环境因素测评：PISA的框架、内容及政策影响 [J].比较教育研究，2012（12）.
[76] 和震 . 世界银行职业教育政策的演变 [J]. 清华大学教育研究，2010（1）.
[77] 洪一江，曾诚 . 弗莱克斯纳报告及其对美国医学教育的影响 [J]. 医学与哲学：人文社会医学版，2008（2）.
[78] 胡丽娟，严凌燕 . 国际视野下的教育治理创新与发展动态 [J]. 教育发展研究，2015（8）.
[79] 胡祥 . 近年来治理理论研究综述 [J]. 毛泽东邓小平理论研究，2005（3）.
[80] 黄忠敬 . 美国教育的“智库”及其影响力 [J]. 教育理论与实践，2009（13）.
[81] 蒋凯 . 教育研究的国际视野——联合国教科文组织教育研究机构的比较分析 [J]. 比较教育研究，2008（1）.
[82] 卡伦·芒迪 . 全球治理与教育变革：跨国与国际教育政策过程研究的重要性[J]. 申超，译 . 北京大学教育评论，2011（1）.
[83] 阚阅，陶阳 . 向知识银行转型——从教育战略看世界银行的全球教育治理 [J]. 比较教育研究，2013（4）.
[84] 阚阅 . 联合国教科文组织对高等教育国际化的全球治理：质量保证和文凭互认的视角 [J]. 比较教育研究，2012（7）.
[85] 孔令帅 . 透视国际组织教育政策背后的运作逻辑——以世界银行和经合组织为例 [J]. 比较教育研究，2011（10）.
[86] 蓝剑平 . 国内关于“全球治理”理论的研究进展：一个文献综述 [J]. 中共福建省委党校学报，2008（12）.
[87] 李晓军.美国教育政策研究机构的分类、功能及发展趋势 [J].教育发展研究，2007（11）.

[88] 李艳．基于 ICT 的教育创新与可持续发展的未来——第 13 届 UNESCO-APEID 国际会议暨世界银行 -KERIS“ICT 在教育中的应用”高级研讨会综述 [J]. 开放教育研究，2010（1）.

[89] 李政云，徐延宇．2005 年卡耐基高等教育机构分类框架解读 [J]. 比较教育研究，2006（9）.

[90] 李增刚．全球公共产品：定义、分类及其供给 [J]. 经济评论，2006（1）.

[91] 郦菁．政策研究困境与价值缺失的中国社会科学 [J]. 文化纵横，2016（2）.

[92] 廖青.美国《共同核心州立标准》政策的形成及其初步实施 [J].比较教育研究，2012（12）.

[93] 楼世洲，王珩．国外教育智库演进趋势及特点 [N]. 中国社会科学报，2015-10-09.

[94] 马克・贝磊，丁笑炯．教育规划的发展与变革路径——基于国际教育规划研究所标志性文献与会议的分析 [J]. 教育发展研究，2009（3）.

[95] 潘懋元，陈厚丰．高等教育分类的方法论问题 [J]. 高等教育研究，2006（3）.

[96] 申超．论欧盟教育治理的合法性危机 [J]. 比较教育研究，2010（4）.

[97] 史静寰，赵可，夏华．卡耐基高等教育机构分类与美国的研究型大学 [J]. 北京大学教育评论，2007（2）.

[98] 苏红．教育智库如何成长与发展——来自澳大利亚教育研究委员会的经验 [J]. 辽宁教育，2014（24）.

[99] 唐科莉．为了使我们对中小学投资的效益最大化——澳大利亚教育研究委员会对提高教师质量的建议 [J]. 基础教育参考，2013（9）.

[100] 王根顺，崔艳丽．浅析世界银行教育贷款对我国西部基础教育的作用 [J]. 中国农业教育，2008（1）.

[101] 王建梁，单丽敏．全球教育治理中的“全球教育伙伴关系组织”：治理方式及成效[J]. 外国教育研究，2017（8）.

[102] 王建梁，郭万婷．“专业化发展”理念下的澳大利亚教育智库建设——以澳大利亚教育研究委员会为例 [J]. 高校教育管理，2014（2）.

[103] 王洁，张民选 .TALIS 教师专业发展评价框架的实践与思考——基于 TALIS2013 上海调查结果分析 [J]. 全球教育展望，2016（6）.

[104] 王晶，曹杰．全球治理研究的文献综述 [J]. 当代经济管理，2017（4）.

[105] 王晓辉，谷小燕，翁绮睿．国际教育规则与全球教育治理 [J]. 中国人民大学教育学刊，2012（1）.

[106] 王晓辉．关于教育治理的理论构思 [J]. 北京师范大学学报：社会科学版，2007（4）.

[107] 王晓燕．日本国家级教育政策研究机构的改革与职能定位——基于日本国立教育政策研究所的分析 [J]. 教育研究，2011（7）.

[108] 王玉衡．让教学成为共同的财富——舒尔曼大学教学学术思想解读[J] 比较教育研究，2006（5）.

[109] 王栋，曹德军．“再全球化”视野下的中国角色——以全球公共产品供给为例 [J]. 中央社会主义学院学报，2017（2）.

[110] 魏新岗，李德显，周宁丽．近十二年美国教育社会学的前沿主题与热点领域——基于《教育社会学》杂志刊载文献可视化分析 [J]. 全球教育展望，2012（8）.

[111] 习近平．决胜全面建成小康社会 夺取新时代中国特色社会主义伟大胜利——在中国共产党第十九次全国代表大会上的报告 [R]. 新华网，2017-10-27.

[112] 习近平出席全国教育大会并发表重要讲话 [R]. 新华网，2018-09-10.

[113] 许航敏．全球公共产品：演进的公共产品理论 [J]. 地方财政研究，2007（4）.

[114] 郤江波 .PISA 与全球教育治理：路径、影响和问题 [J]. 全球教育展望，2016（8）.

[115] 谢雪华．关于全球治理的几个问题 [J]. 湖湘论坛，2009（2）.

[116] 闫温乐．“全民学习”愿景下的教育资助——《世界银行 2020 教育战略》述评 [J]. 比较教育研究，2011（10）.

[117] 闫温乐．解读世界银行教育项目的经济分析 [J]. 当代教育科学，2010（17）.

[118] 於荣，张国葵．世界银行的教育政策与非洲高等教育的发展 [J]. 外国教育研究，2010（12）.

[119] 俞可平．全球治理引论 [J]. 马克思主义与现实，2002（1）.

[120] 袁琳，王莹. 德国高等教育国际化智库：职能、特点与启示 [J]. 现代教育管理，2014（4）.

[121] 张金马．兰德研究生院及其创新教育模式 [J]. 中国行政管理，1994（11）.

[122] 张民选，陆璟，占胜利，等．专业视野中的 PISA [J]. 教育研究，2011（6）.

[123] 张民选．自信与自觉：从 PISA 看上海基础教育发展 [J]. 上海教育，2013（35）.

[124] 张世义．世界银行评估早期儿童发展政策的新框架及其启示 [J]. 学前教育研究，

2015（11）.
[125] 赵芳 . 独立、高效、创新、实用——美国布朗教育政策研究中心评述 [J]. 外国中小学教育，2016（1）.
[126] 赵章靖，邢欢 . 美国教育智库的发展过程、趋势与特征 [J]. 世界教育信息，2016(4).
[127] 赵中建 .“美国教育政策研究中心”的个案分析 [J]. 外国教育资料，2000（3）.
[128] 郑振清 . 为世界提供更多国际公共产品 [N]. 光明日报，2018-01-07.
[129] 中国常驻联合国教科文组织代表团.联合国教科文组织专家视野中的教育战略规划 [J]. 世界教育信息，2009（5）.
[130] 周洪宇，付睿 . 参与全球教育治理：从教育大国走向教育强国的必由之路 [J]. 世界教育信息，2018（3）.
[131] 周洪宇，付睿 . 国际教育智库与全球教育价值取向的演变——以联合国教科文组织下设教育机构为例 [J]. 国家教育行政学院学报，2016（12）.
[132] 周洪宇，付睿 . 国际经济组织的全球教育事务参与——以经济合作与发展组织（OECD）为例 [J]. 中国高等教育，2017（9）.
[133] 周洪宇，付睿 . 美国大学教育智库共同体的特点及启示——以美国教育政策研究联盟（CPRE）为例 [J]. 全球教育展望，2017（1）.
[134] 周洪宇，付睿 . 以习近平智库论述为指导，加强教育智库建设 [J]. 国家教育行政学院学报，2018（4）.
[135] 周洪宇，申国昌 . 20 世纪中国教育改革的回顾与反思 [J]. 华中师范大学学报：人文社会科学版，2011（3）.
[136] 周洪宇 . 百年教育改革的启示 [J]. 教育研究，2013（4）.
[137] 周洪宇 . 创新体制机制，建设中国特色新型教育智库 [J]. 教育研究，2015（4）.
[138] 周洪宇 . 新时代教育智库迎来新机遇 [J]. 教育家，2018（25）.
[139] 周洪宇 . 教育智库应把握好自己的定位与追求 [N]. 中国青年报，2017-03-08（10）.
[140] 周洪宇，付卫东，付义朝 . 从“稳基础”向“强实力”跨越转变——基于全国 8 省（区、市）112 家教育智库的调查 [N]. 光明日报，2017-08-17（1）.
[141] 祝怀新，Elaine Wu.“角逐卓越”：美国奥巴马政府中小学教育改革新动向 [J]. 外国中小学教育，2011（2）.
[142] 沈进建 . 美国智库的形成、运作和影响 [J]. 中国社会科学评价，2016（2）.

二、外文文献

[1] Christopher S. Collins. Higher Education and Global Poverty: University Partnership and the World Bank in Developing Countries [M]. NY: Cambria Press, 2011.

[2] The Commission on Global Governance.Our Global Neighborhood——The Report of the Commission on Global Governance [M]. New York:Oxford University Press, 1995.

[3] Ellen Condliffe Lagemann. Private Power for the Public Good: A History of the Carnegie Foundation for the Advancement of Teaching [J]. American Historical Review, 1984（2）.

[4] Howard J. Savage. Fruit of an Impulse: Forty Five Years of the Carnegie Foundation 1905—1950 [M]. New York:Harcourt, Brace and Company, 1953.

[5] OECD.Strong Performers and Successful Reformers in Education: Lessons from PISA for the United States [M]. Paris: OECD, 2011.

[6] Assié-Lumumba， N'DriT. The Global Development Learning Network （GDLN） and Tertiary Education in Africa: Opportunities and Predicaments of Centralized Knowledge Broadcasting Programs on the World Scale [J]. Perspectives on Global Development & Technology， 2008（3-4）.

[7] Paulo Bastos, Nicolas L. Bottan, Julian Cristia. Access to Preprimary Education and Progression in Primary School: Evidence from Rural Guatemala [J]. Economic Development and Cultural Change, 2017（3）.

[8] Kent, Rollin.Two Positions in the International Debate about Higher Education: The World Bank and UNESCO [R]. Paper presented at the meeting of the Latin American Studies Association, 1995.

[9] Maureen Woodhall. Funding Higher Education: The Contribution of Economic Thinking to Debate and Policy Development [D]. The World Bank, 2007.

[10] Menashy Francine, Read Robyn. Knowledge Banking in Global Education Policy: A Bibliometric Analysis of World Bank Publications on Public-Private Partnerships [J]. Education Policy Analysis Archives, 2016（24）.

[11] Menashy Francine. Interrogating an omission: the absence of a rights-based approach to education in World Bank policy discourse [J]. Studies in the Cultural Politics of

Education. 2013（34）.

[12] George Psacharopoulos.World Bank policy on education: A personal account [J]. International Journal of Educational Development, 2006, 26（3）.

[13] Vaikalathur Ravishankar, Safaa EI−Tayeb EI−Kogali, Deepa Sankar, Nobuyuki Tanaka, Nelly Rakoto−Tiana. Primary education in Malawi: expenditures, service delivery, and outcomes [R].World Bank Group, 2016.

[14] Sheng Yao Cheng. Higher Education and Global Poverty: University Partnership and the World Bank in Developing Countries [J]. Comparative Education Review. 2012（3）.

[15] The World Bank. The World Bank Annual Report 2016 [R]. The World Bank, 2016.

[16] The World Bank. The World Bank Annual Report 2017 [R]. The World Bank, 2017.

[17] UNCST. National Innovation Survey 2008—2010 [R]. Kampala, 2013.

[18] UNCST. National Survey of Research Development [R]. Kampala, 2012.

[19] Corrine M.Wickens, Jennifer A. Sandlin. Literacy for What? Literacy for Whom? The Politics of Literacy Education and Neocolonialism in UNESCO and World Bank−sponsored Literacy Programs [J]. Adult Education Quarterly, 2007（4）.

[20] Wiseman Adhikary， Rino. Relating development to quality of education: A study on the World Bank’s neoliberal policy discourse in education， KEDI [J]. Journal of Educational Policy, 2014（1）.

[21] The World Bank Group. Education Global Practice Smarter Education Systems for Brighter Futures [R]. 2015.

[22] The World Bank. China−Education Development in Poor Provinces Project [R]. Washington D. C., 2000.

[23] The World Bank. The Basic Education in Poor and Minority Areas Project（ICR） [R]. 2001.

[24] The World Bank. The Basic Education in Western Areas Project（ICR） [R]. 2010.

[25] The World Bank. World Bank Group Education Strategy 2020: Learning for All Investing in People’s Knowledge and Skills to Promote Development [R]. 2010.

[26] Annamaria Lusardi. Financial Literacy Skills for the 21st Century: Evidence from PISA [J]. The Journal of Consumer Affairs, 2015（11）.

[27] OECD. CERI：Centre for Educational Research and Innovation［R］. 2011.

[28] Gerald Bracey. The TIMSS "Final Year" Study and Report: A Critique［J］. Educational Researcher, 2000（4）.

[29] OECD. Low−Performing Students: Why They Fall Behind and How to Help Them Succeed［R］. 2016.

[30] The caregie Foundation for the Aduancement of Teaching. Papers Relating to the Admission of State Institutions to the System of Retiring Allowances of the Carnegie Foundation Bulletin Number One［R］. The Carnegie Foundation for the Advancement of Teaching, 1907.

[31] Thomas Hatch. Beneath the surface of accountability: Answerability, responsibility and capacity−building in recent education reforms in Norway［J］. Journal of Educational Change, 2013（14）.

（鄂）新登字 02 号

图书在版编目（CIP）数据

全球教育治理研究导论/周洪宇，付睿著.
—武汉：湖北教育出版社，2020.6
（全球教育治理研究系列）

ISBN 978-7-5564-2939-4

Ⅰ.①全…
Ⅱ.①周… ②付…
Ⅲ.①教育管理-研究-世界
Ⅳ.①G51

中国版本图书馆 CIP 数据核字（2020）第 049815 号

全球教育治理研究导论　QUANQIU JIAOYU ZHILI YANJIU DAOLUN

出品人	方　平	策　划	刘　艺
责任编辑	万　婵　邓珍珍	责任校对	王艳波
封面设计	牛　红　何亦明	责任督印	张遇春

出版发行	长江出版传媒	430070　武汉市雄楚大道 268 号
	湖北教育出版社	430070　武汉市雄楚大道 268 号

经　销　新　华　书　店
网　址　http://www.hbedup.com
印　刷　湖北恒泰印务有限公司
地　址　武汉市江夏庙山开发区汤逊湖工业园
开　本　710mm×1000mm　1/16
印　张　19
字　数　274 千字
版　次　2020 年 6 月第 1 版
印　次　2020 年 6 月第 1 次印刷
书　号　ISBN 978-7-5564-2939-4
定　价　95.00 元